JN116536

図説

世界の水中遺跡

編著

木村淳

小野林太郎

g

グラフィック社

スウェーデンのヴァーサ号
（写真提供：Alamy/アフロ）

沖縄のUSSエモンズ（写真提供：山本游児）

トルコのウルブルン沈没船復元展示
（Alamy/アフロ）

トルコのウルブルン沈没船復元展示
（Alamy/アフロ）

オーストラリアのVOC バタヴィア号
難破地点と残されたアンカー

ギリシアのアンテキィセラ沈没船の発掘
（写真提供：山本游児）

BABCOCK POWER CONSTRUCTION DIVISION

イギリスのメアリーローズ（Alamy/アフロ）

はじめに

陸上と同じように、水中にも人類が残した遺跡は星の数ほどある。これらは水中遺跡、あるいは水中文化遺産として知られてきた。しかし、すでに発見された水中遺跡でも、潜水をしなければ、それらを直接見ることはできない。そして世界の水底には、未だ発見されていない数多くの遺跡が眠っている。

こうした水中遺跡を対象とする研究は、水中考古学や海事考古学、あるいは海洋考古学を専門とする考古学者らによって主に進められてきた。また日本においても、これまで水中遺跡や水中考古学に関する学術書や一般書が出版されてきた。しかし、それらは特定の地域や時代を扱った作品や、水中遺跡や水中考古学のロマン的な側面を強調するものが多かった。その反面、日本を含めた世界における水中遺跡の魅力や価値を、世界史的な視点、あるいは人類史的な枠組みから評価し、学術的な背景を踏まえて紹介する本はまだ極めて限られている。

そこでこれまで経験した発掘調査や、世界有数の研究施設や博物館で出会った研究成果を通じて、私たちが強く惹かれた水中遺跡を厳選、図説化することにした。またこれらの水中遺跡によって生まれた学術的な疑問やミステリーへの回答を探るべく、国内外において第一線で活躍する研究者や写真家に声をかけ、グラフィックを中心とした世界の水中遺跡を紹介すべく生まれたのが、本書である。

本書は、どのページから読み進めて頂いても構わない。そのな

かに、一つでも惹かれた水中遺跡があれば、歴史学や考古学、とくにその専門である水中考古学研究の一端を学んだことになる。また本書の構成は、テーマと時代ごとに5つの章から成っている。時代的には古代、中世、近世、近現代の順に、それらの時代を代表する世界の水中遺跡を取り上げた。

水中遺跡の多くは、水難事故で沈んだ船といった乗り物やその積荷、あるいは何らかの原因で水中に没した港や都市といった人類の痕跡からなる。このうち1章で扱うのは、古代地中海世界を舞台とした水中遺跡群である。人類が海を越える乗り物として、数千年以上に渡って最も利用してきたのが船である。陸域で発見された船やカヌーとしては、縄文時代の丸木舟などが古くから知られるが、水中で発見された船のうち、最古級ものは地中海に多い。実際、地中海世界は水中考古学発祥の海域でもあり、古代の交易船や港の遺跡群が数多く発掘調査されてきた。その中でも学史的に重要な水中遺跡や、日本ではまだあまり知られていない重要な水中遺跡を本書では選んでみた。本邦初公開の写真や資料も少なくない。

第2章では、数万年の時の経過の中で、沿岸や水辺であった陸地が、現在は水底に没して形成された遺跡について紹介する。また、長くに水中洞窟に眠っていた遺物・遺跡もある。過去における人類活動の痕跡は、気候変化・自然要因による水面変動、人類の沿岸部の地形変化、さらには災害による結果として、水中遺跡として残る場合も多い。これらの遺跡は単に水中にあるというロマンの枠を超えて、人類遺跡としての重要性を持っていることも知って頂けると嬉しい限りである。

第3章は、中世期以降における東南・東アジア海域の交易や、海上侵攻に関わる水中遺跡を紹介する。島嶼域や半島、複雑な沿岸地域から成る世界でも最も豊かな海洋環境をもつのが海域アジアである。中国大陸を中心としたこの時代の海上交易網は、「海のシルクロード」とも呼ばれるように、西のヨーロッパ世界からアラブ世界やインド世界と東アジア世界を結ぶ海上ネットワークでもあった。またこうした交易網を背景に、元王朝による史上最大規模の海上侵攻や、明王朝による近世海上商業の時代を演出した航海の歴史があった。

続く第4章では、ヴァイキング時代から帆船時代まで、ヨーロッパ建造の沈没船に関連する水中遺跡を紹介する。中世スカンディナビアの歴史を語るヴァイキング船や、絶対王政期のヨーロッパを支えた海軍力を体現した軍艦が海底から引き揚げられてきた。南蛮船であるスペイン・ガレオン沈没船は、太平洋横断定期交易路を通じ、人類史でグローバル海上交易網が出来上がった時代の遺跡である。オランダで建造され日本に沈んだフォールリヒターこと開陽丸は、大航海期から帆船時代の終焉期の沈没船遺跡である。

最終章となる第5章では、第二次大戦中に沈んだ国内外の艦船について紹介する。その多くが、南太平洋や沖縄、あるいは地中海といった世界でも美しい海の底に沈んでいる。その一方で、これらは、人類の暗く悲劇的な業を語る証言者として、海底に残された戦争遺跡（戦跡）である。陸上には、軍事の遺跡として保護される遺跡もある。水面下の戦跡は、陸にも劣らない数であり、そして保護が難しいものが大半である。本章は、こうして水中に残された戦跡も、重要な水中遺跡、あるいは水中文化遺産であるという理解に基づいている。こうした人類共通の遺産を次世代に引き継いでいくためにも、まずは日本の読者に、その事実と重要性について知ってもらうことが第一歩となる。

本書はこうした問題意識や目的の下、多くの関係者の協力や好意によって刊行に至った。また世界の水中遺跡の魅力や重要性に惹かれ、水中考古学や海洋考古学についてさらに学びたい方のために、関連するコラムも各章に用意している。より深く学びたい読者にはぜひ一読をお勧めする。

最後に、この豊富な写真とイラストからなる本書の刊行は、グラフィック社坂田哲彦氏の水中遺跡への大きな理解に支えられてきた。また水中遺跡解説に添えられたイラストレーターのいとう良一氏には、学術考察に辛抱強く協力頂いた。学術書である本書が、コーヒーテーブルブック以上の美しさを持つのは、デザインに関わった多くの方々の努力にほかならない。そして、本書に協力してくれた、日本と世界で、水中遺跡の科学的探求を実践し、志す仲間たちと関連機関に改めて感謝する次第である。

木村淳・小野林太郎

目次 Contents

第3章

海上シルクルートとアジア海上商業時代の水中遺跡

Maritime Sil Route to the Age of Maritime Commerce

第4章

大航海の歴史と失われた帆船

Voyages in Maritime History and Lost Sailing Ships

第5章
近代海戦と水中文化遺産
Naval Battles and Underwater Cultural Heritage

Column

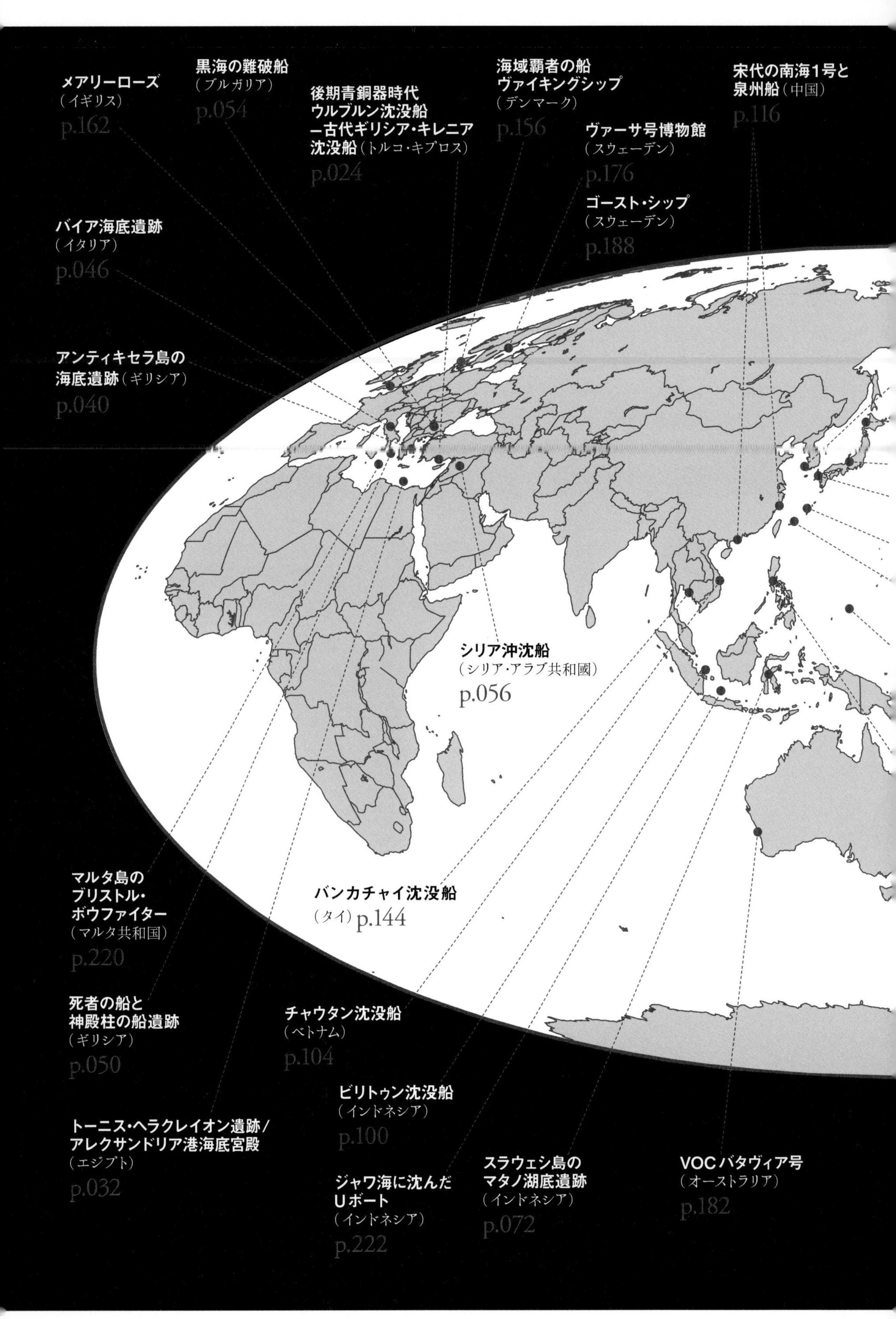
メアリーローズ
（イギリス）
p.162
黒海の難破船
（ブルガリア）
p.054
後期青銅器時代
ウルブルン沈没船
ー古代ギリシア・キレニア
沈没船（トルコ・キプロス）
p.024
海域覇者の船
ヴァイキングシップ
（デンマーク）
p.156
ヴァーサ号博物館
（スウェーデン）
p.176
ゴースト・シップ
（スウェーデン）
p.188
宋代の南海1号と
泉州船（中国）
p.116
バイア海底遺跡
（イタリア）
p.046
アンティキセラ島の
海底遺跡（ギリシア）
p.040
シリア沖沈船
（シリア・アラブ共和國）
p.056
バンカチャイ沈没船
（タイ）p.144
マルタ島の
ブリストル・
ボウファイター
（マルタ共和国）
p.220
死者の船と
神殿柱の船遺跡
（ギリシア）
p.050
チャウタン沈没船
（ベトナム）
p.104
ビリトゥン沈没船
（インドネシア）
p.100
トーニス・ヘラクレイオン遺跡／
アレクサンドリア港海底宮殿
（エジプト）
p.032
ジャワ海に沈んだ
Uボート
（インドネシア）
p.222
スラウェシ島の
マタノ湖底遺跡
（インドネシア）
p.072
VOC バタヴィア号
（オーストラリア）
p.182

世界の水中遺跡MAP

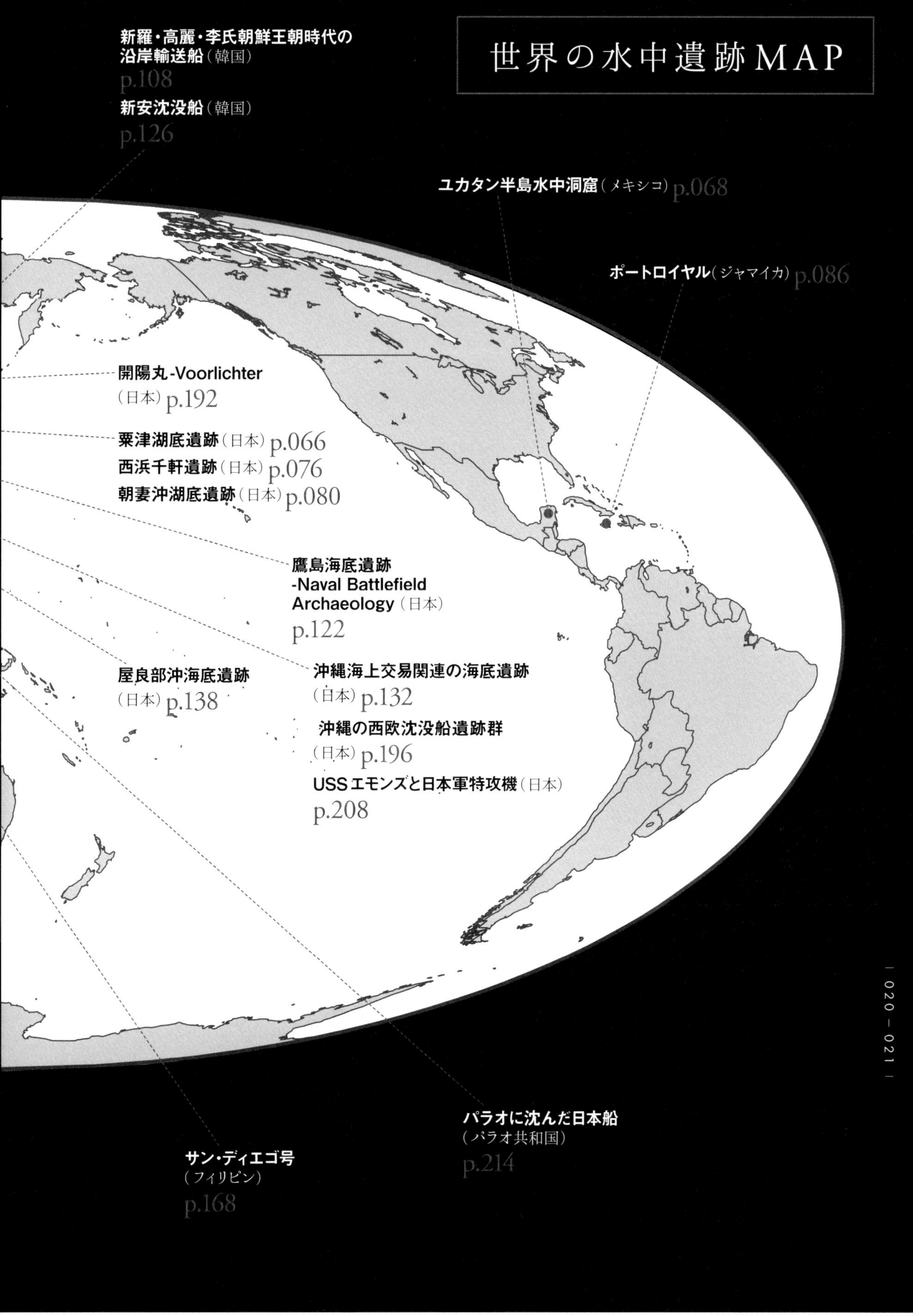

新羅・高麗・李氏朝鮮王朝時代の沿岸輸送船（韓国）
p.108

新安沈没船（韓国）
p.126

ユカタン半島水中洞窟（メキシコ）p.068

ポートロイヤル（ジャマイカ）p.086

開陽丸-Voorlichter
（日本）p.192

粟津湖底遺跡（日本）p.066

西浜千軒遺跡（日本）p.076

朝妻沖湖底遺跡（日本）p.080

鷹島海底遺跡
-Naval Battlefield
Archaeology（日本）
p.122

屋良部沖海底遺跡
（日本）p.138

沖縄海上交易関連の海底遺跡
（日本）p.132

沖縄の西欧沈没船遺跡群
（日本）p.196

USSエモンズと日本軍特攻機（日本）
p.208

パラオに沈んだ日本船
（パラオ共和国）
p.214

サン・ディエゴ号
（フィリピン）
p.168

Ancient Mediterranean

第1章

古代地中海

022 — 023

Late Bronze Age Uluburun Shipwreck
—Ancient Greek Kyrenia Shipwreck

地中海に沈む最古級の沈没船群

後期青銅器時代ウルブルン沈没船
ー古代ギリシア・キレニア沈没船

トルコ・キプロス

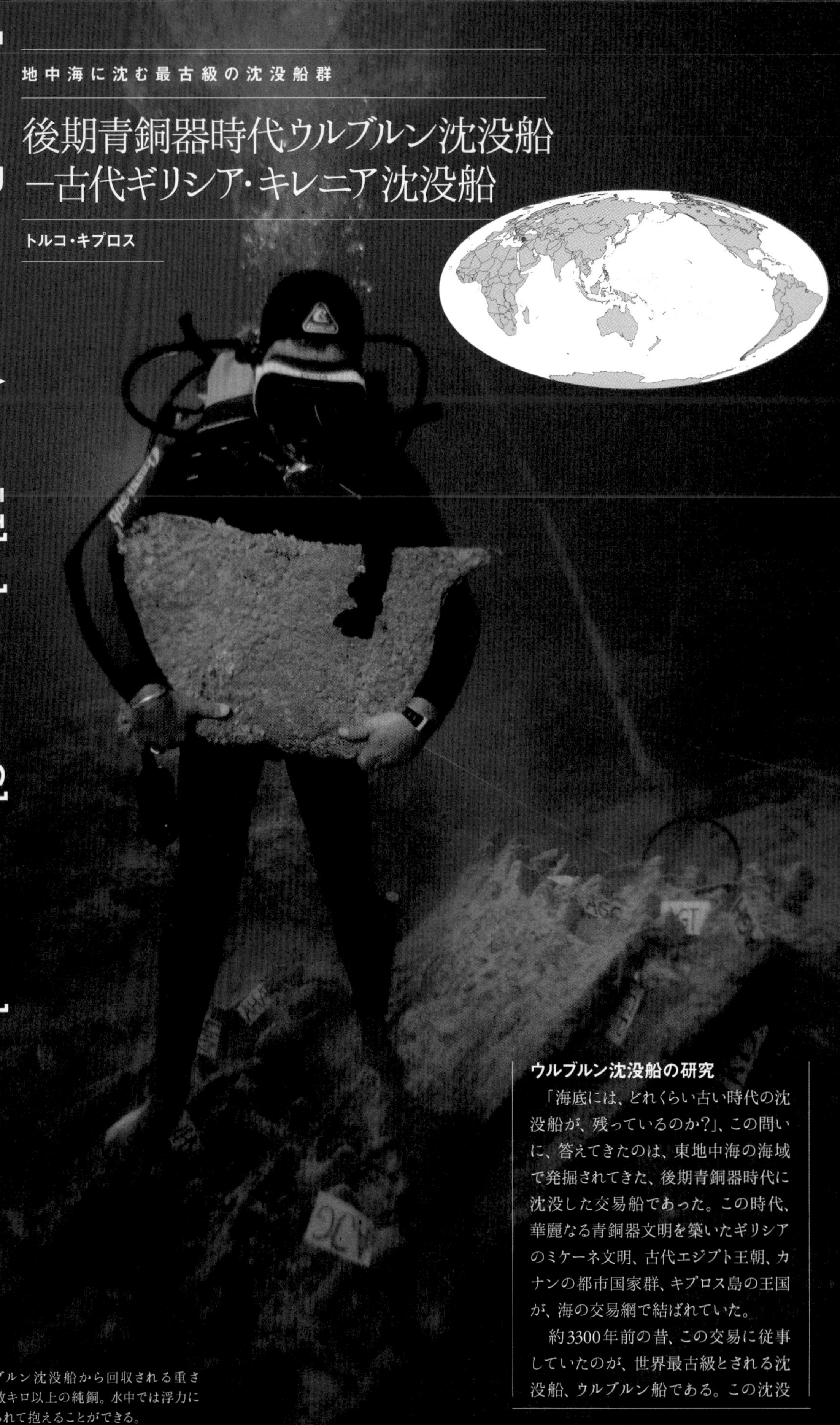

T
TURKEY／CYPRUS

ウルブルン沈没船の研究

「海底には、どれくらい古い時代の沈没船が、残っているのか?」、この問いに、答えてきたのは、東地中海の海域で発掘されてきた、後期青銅器時代に沈没した交易船であった。この時代、華麗なる青銅器文明を築いたギリシアのミケーネ文明、古代エジプト王朝、カナンの都市国家群、キプロス島の王国が、海の交易網で結ばれていた。

約3300年前の昔、この交易に従事していたのが、世界最古級とされる沈没船、ウルブルン船である。この沈没

ウルブルン沈没船から回収される重さ二十数キロ以上の純銅。水中では浮力に助けられて抱えることができる。

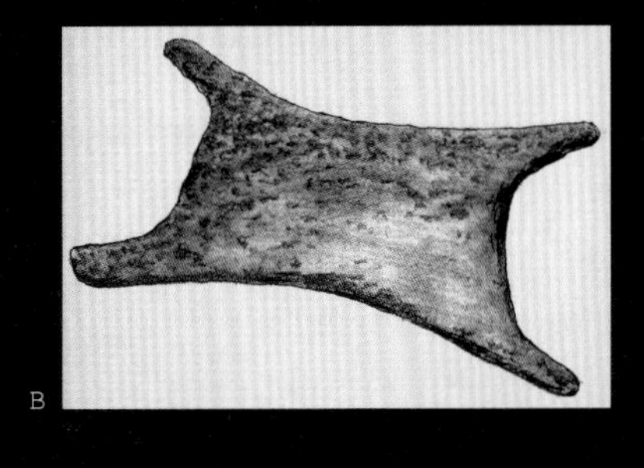

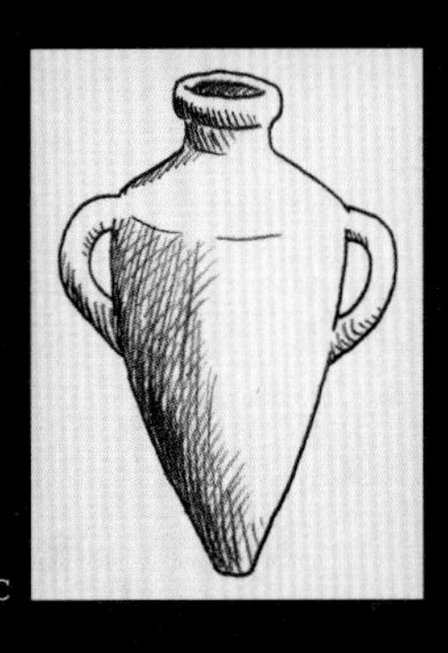

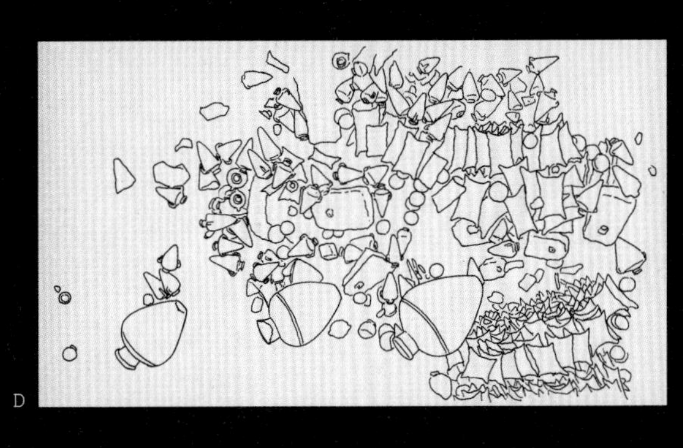

A. 海底で水中バルーンにエアを送り込み、重量のある石製の碇を持ち上げるダイバー。危険な作業であるが、ダイビング経験豊富な水中考古学者は、この技術で、水面まで遺物をリフティングできる。**B.** その形状から、オックハイドインゴット、Oxhide(牛皮)型と呼ばれる銅のインゴット(鋳塊)。ミケーネ文明では、船で運ばれて、流通、加工されて青銅製品となった。 **C.** 古代にカナン地方と呼ばれていた地域で生産された壺。容器として使われ、出土時には、松脂が残っていた。そのなかには、死海原産のカタツムリがパッキングされたままであった。 **D.** 水中考古学者が海底で記録した積荷の出土状況図。(写真提供:いずれもInstitute of Nautical Archaeology)

船遺跡は、トルコのアンタルヤ県カシュ近郊地中海ウルブルン沖、45mの海底で発見されたのち、1984年から11年の歳月をかけて、テキサスA&M大学船舶考古学研究所によって発掘調査された。

発見時、海底には、船の主要な積載品であった銅の鋳塊が、積載当時の様子を留めたまま、整然と並んでいた。その数、354点(約10トン相当)に及ぶ。この銅の鋳塊は、製品へと加工される前の原料で、両斧型で、青銅品の鋳造になくてはならない材料であった。さらには、合金青銅の原料である錫が1トン見つかっている。銅以外にも、世界最古級のコバルト青色ガラスの原材料が見つかっている。ウルブルン船は、商品加工前の原料を輸送する船であった。一方で、地中海の上流階級向けの高品質な交易品も発掘され、エジプトとの縁があり、あるいは王家や宮廷に関わりがあるかもしれなかった。

ウルブルン船の起源を知る手掛かりとなる遺物もあった。このなかで、150点のカナン地域(現在のシリア・パレスチナ地域沿岸)で生産された中近東沿岸を起源とする壺があった。紀元前14世紀の地中海東側の交易において、シリア・パレスチナ系の航海民が活躍し、同時に、貴族など上流社会との関係を持つものが乗り合わせた可能性をウルブルン沈没船は例証した。カナン地方の星を意匠した金製のメダルが発見されている。ウルブルン船は、地中海の後期青銅器文明社会が、海上交易によって機能し、青銅器製品の生産には、銅の流通が不可欠で、海上交易者が介在していたことを語る沈没船遺跡として評価される。

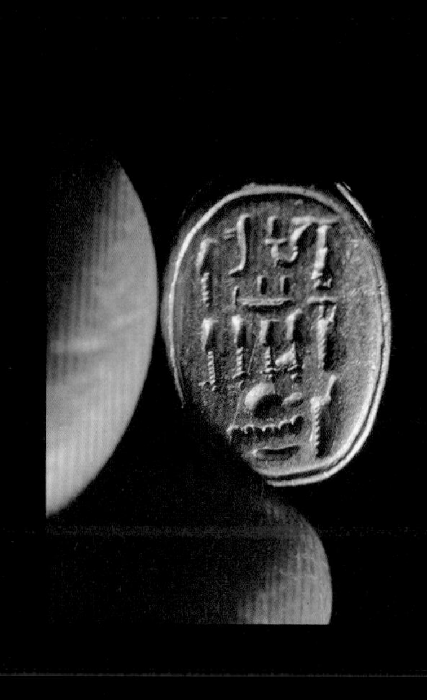

E

F

G

凹みに蝋を入れ刻むようにして文字を書いていた。

H

I

インゴットには青いガラスが使われていた。

Late Bronze Age Uluburun Shipwreck
- Ancient Greek Kyrenia Shipwreck

ウルブルン沈没船遺跡では、船材が出土しており、これらの分析と当時の造船技術が研究された。船底の基礎には、後世の木造帆船に現れる竜骨構造が、既に採用されていた。しかし、ウルブルン船の竜骨は、平材で、船底全体は緩い丸底であった。

青銅器時代の船大工は、船底から船材を接いで、船体を組上げたが、金属の釘などは、一切使わなかった。船材の接合面に四角いほぞ穴をあけ、穴に合うほぞを挿して、木栓で固定し、現代のほぞ継ぎに近い技術で船を建造した。西洋式帆船の骨格に相当する肋材（フレーム）のようなものは無かった。一見脆弱にも思えるこの技術は、船体を強固に造り上げることができ、限られた出土船材から、航海民が使用した古代の交易船が、どの様な姿をしていたのかが復元された。ウルブルン船の復元船長は15m程とされている。

ケープ・ゲラドニャ沈没船と水中考古学の始まり

ウルブルン沈没船の発掘調査以前に、同じくトルコ沿岸、ゲラドニャ岬沖

E.金製のスカラベ。 F.金製紋章には、カナン地域で信仰されている太陽の紋章が彫金されている。G.金装飾が施されたカナン地域産とされる女神像。船に積載されていた多くの金製品は、船に高位の人物が乗船していた、あるいは貿易の取引相手が高位であったかを示唆している。 H.船上には、文字を書ける人物が乗船していたことは、出土した2つ折りの書字板(ディプティク)から推測できる。木製の2枚板は、蝶留されており、内側の窪みに蝋(ワックス)を詰めて、文字を刻むことができた。 I.青色ガラス鋳塊。世界でも最古級のガラス製品の原材料であるガラスインゴットが発見されている。

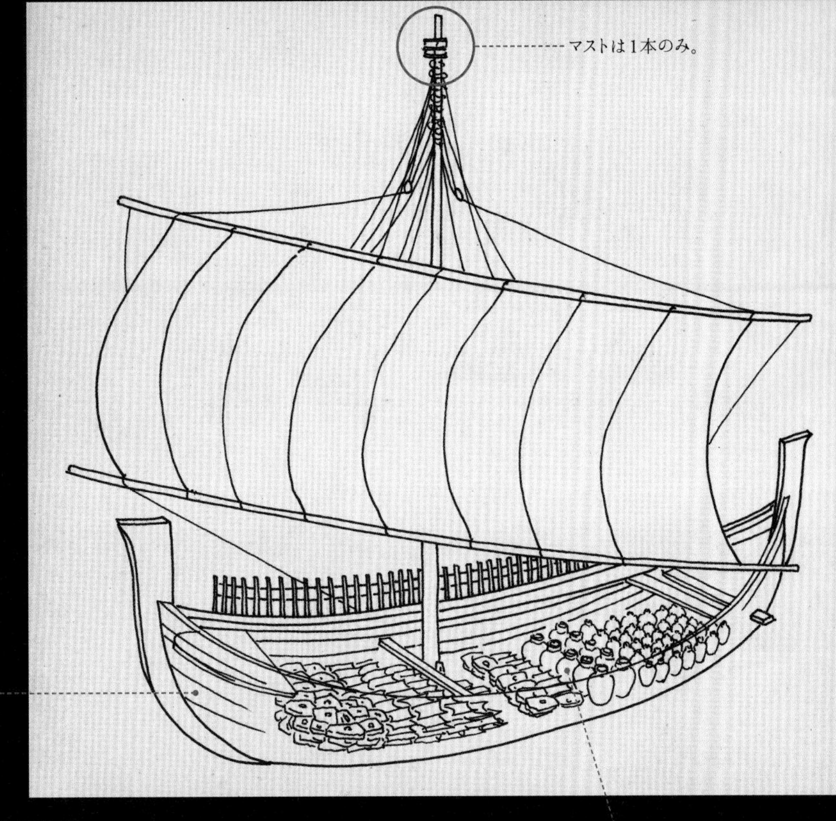

マストは1本のみ。
船に肋材やフレームは使われていない。
J
銅の鋳塊や錫、壺などが大量に輸送していた。一部の奢侈品は王家や宮廷への贈答品とも考えられている。

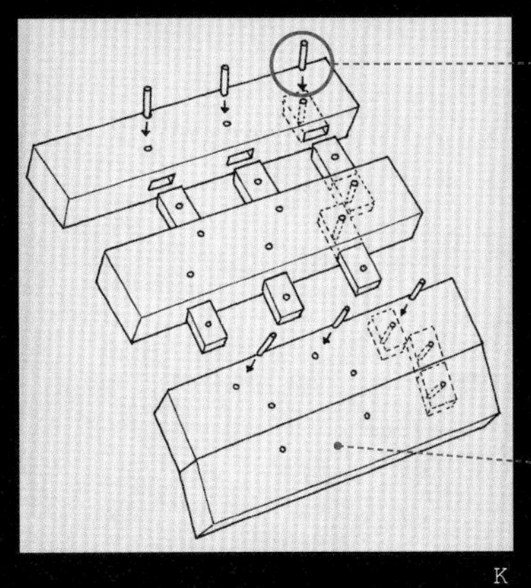

鉄釘は使われていない。木釘(ペグ)、モーティス(ほぞ穴)、テノン(ほぞ)による外板接合。
船にフレームや肋材は無く外板のみで強度を保っていた。
K

J.ウルブルン船の木造船体のほとんどは、海底に残されていなかった。船底構造の基礎部分である竜骨(キール)などは残っており、これらの船材や積載物から、ウルブルン船の復元が試みられてきた。復元船を建造し、帆走による、航海実験も行われた。 K.残存船材の研究は、ほぞ穴を船材に穿ち、木栓(ペグ)でほぞを固定して、船材を、ほぞ継ぎにするフェニキア系の技術を明らかにした。(写真提供:いずれも Institute of Nautical Archaeology)

合の地中海海底において、1960年代、1隻の後期青銅器時代の船が発見されていた。時代的には、ウルブルン沈没船より、100年程後の、紀元前1200年頃に沈んだ船とされる。この沈没船は、水中考古学のパイオニアの一人と評されるジョージ・バスが、陸上と同精度での水中発掘調査を世界で初めて実践した沈没船遺跡であり、水中遺跡の価値が証明された遺跡であった。

水中の沈没船には、船と輸送中の積載物が一瞬にして沈み、それらが(海洋開発や底引き網漁などで破壊されていなければ)あたかもタイムカプセルとして海底に保存されている点で、大きな価値がある。船の遺跡は、海底の環境次第で、素晴らしく良好な状態で保存されている。人の手で使われたことのない無垢で状態の良い積載物がみつかる水中遺跡は、商品や製品が生産されたり、消費されたりした痕跡として、現代の陸上に残る遺跡とは根本的に異なる性格をもち、独自の考古学的価値をもった遺跡であることが見出された。そして、我々の社会が、何千年にもわたって船の輸送に頼り(現代社会も海運無くして成り立たない)、その歴史には、常に航海民がいたことを、沈没船遺跡研究は、教えてくれる。

ケープ・ゲラドニャ沈没船発掘以前、地中海の陸上遺跡を発掘する考古学主流派は、ギリシアのミケーネ文明こそが、地中海交易の担い手と考えていた。しかしながら、地中海東側世界の繁栄には、中近東を拠点に、海上輸送に従事して航海技術と経済力を蓄えた航海民こそが不可欠で、青銅器時代を支えた。その航海民の実像に光を当てたのは、精緻な発掘調査で出土した

数々の航海民の日常を伝える遺物や積載品であった。船上生活で明かりを灯したオイル・ランプ容器が出土しているが、これらはカナン地域で作られた。一見エジプト産に見えるスカラベも、カナン地域のシリア・パレスチナ沿岸で作られたもので、この地方の航海民が船に操っていたと考えられる。海洋の交易網が、ミケーネ中心ではなく、中近東を根拠地とした名もなき人々によって、キプロスやエジプトを含めた東地中海沿岸とその海域のネットワークとして成立していた。彼らが運んでいた交易の品こそが、キプロス島で採掘、精錬されて、両斧型に整えられた銅の鋳塊であった。エジプト古代都市の貴族墓の遺跡の壁画に描かれるシリア人が抱え上げる銅の鋳塊の形状が、ケープ＝ゲラドニャ沈没船遺跡で発掘されたものと一致することからも知れる。銅の産地はキプロス島であることが判明した。

地中海東世界と造船技術の継承

後期青銅器時代は、紀元前1200年頃は突然の終わりを迎える。その原因は諸説あるが、ヒッタイトの崩壊から、

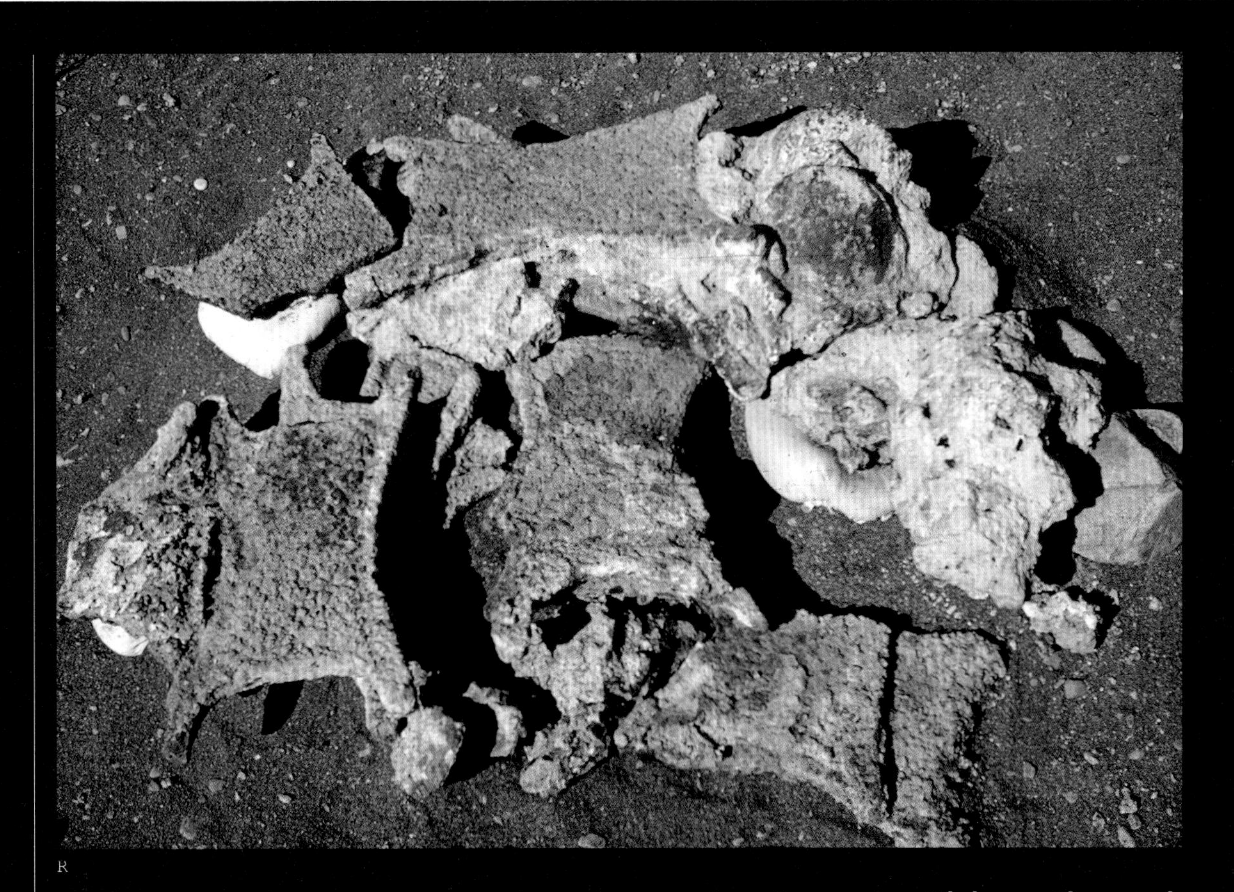

R

Late Bronze Age Uluburun Shipwreck - Ancient Greek Kyrenia Shipwreck

L.水中考古学調査船。 M.トルコのゲラドニヤ岬沖で、海綿（スポンジ）採りのダイバーが海底から多くの遺物を引き揚げているという情報によって海底の発掘調査が開始。N.アフリカのエジプトのスカラベに似せた、中東のスカラベ。 O.船員が持っていた印章と、粘土への押印。 P.使用済み銅鉾。鋳直して再利用した。Q.カナン地域産ランプ。R.ゲラドニヤ沈没船出土純銅。キプロス島で産出され、輸送と取引のためにインゴットに加工。 S.エジプト彩色壁画に描かれる中東系の人物（右から2番目）は、肩にインゴットを担いでいる。航海民として、銅を各地に海上輸送した。(写真提供：いずれも Institute of Nautical Archaeology)

S

ミケーネ文明の終焉、さらにエジプトでの海の民侵攻など、東地中海で、同時多発的な文明の崩壊と社会変動が起こる。一方で、このカタストロフィは、鉄器の普及の幕開けでもあり、文明の崩壊にもあっても、フェニキア人が航海民としての確固たる地位を確立していった。フェニキア系の船には、古く、ウルブルン沈没船で確認されていたとほぞ継ぎの技術が継承されていた。

青銅器文明崩壊後の暗黒時代あるいは初期鉄器時代を経て、紀元前5－4世紀末の古典期と呼ばれる古代ギリシアが最も繁栄した時代を迎える。アテナを中心としたギリシア諸都市が強大なペルシアに抵抗しながら、エーゲ海における海上交易で発展した。

トルコ沿岸域では、この時代のテキタシュ・ブルン沈没船が、船舶考古学研究所によって発掘されている。ワイン、オリーブ、小麦の輸送容器であったアンフォラ壺の散乱が確認されていたが、その深度は一般の潜水限界に近い38－45ｍの海底斜面であった。1999－2001年の水中発掘調査では、水中での写真測量が初めて導入され、アンフォラ壺の堆積を3次元で図化することに成功した。この時代の船の姿については、ギリシアの赤像式壺に描かれる絵によって知ることができる。そうした船の舳先には、“目”が描かれるが、船首に嵌め込まれた、白大理石製の目が、この沈没船遺跡からは発掘されている。

さらに、古代ギリシアの船については、驚くほど良好な状態の沈没船がキプロス島北部のキレニア沖合で発見されている。キレニア沈没船は、紀元前4世紀頃の船で、発見時、積載物の下に

T

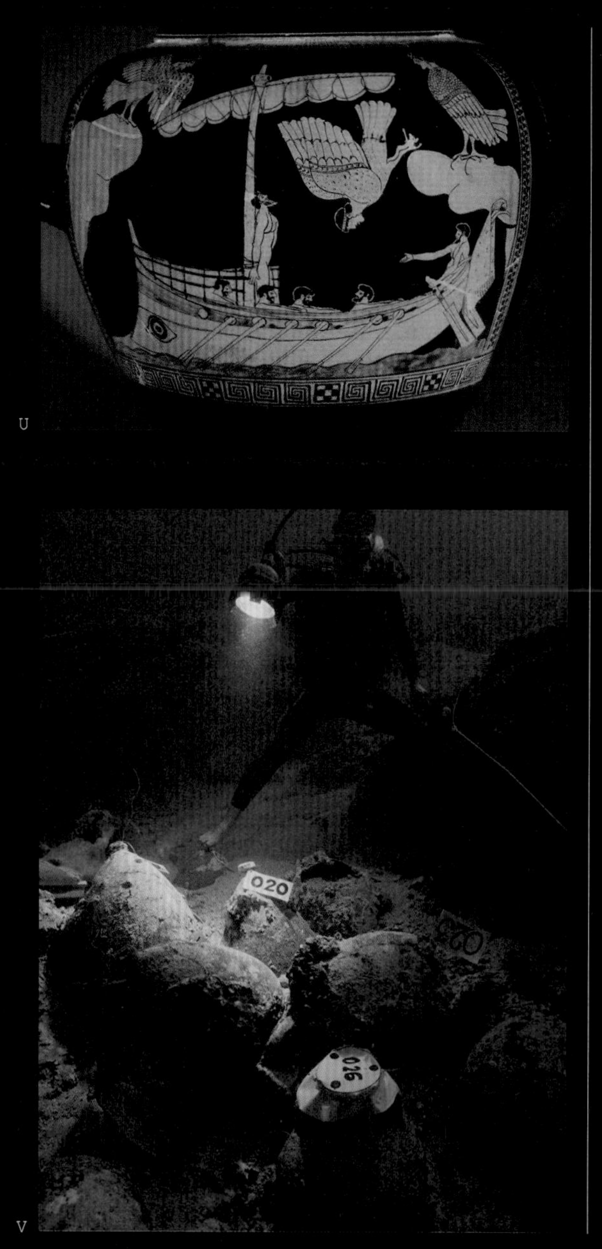

U

V

T.海底で発見されたギリシア船の舳先の“目”。 U.紀元前480－紀元前470年頃のギリシア・アッティカ産赤絵式セイレーン壺（大英博物館所蔵）。ホメロスの叙事詩『オデュッセイア』の一場面、セイレーンの島を通過するオデユッセウスの船。セイレーンの誘惑に抗うため、自らを帆柱に縛り、部下は、帆走から漕走へ切り替え、必死に航海する。船の舳先には、何カイリも見渡せる目が描かれる。 V.海底出土アンフォラ壺。壺の出土状況を、コンピュータープログラムで写真実測するため、専用のマーカーが記された白布で、壺口を覆う。（写真提供：Uを除きInstitute of Nautical Archaeology）

埋もれていた左舷側を中心に、船体の60％が遺存していた。海底で船体は、船材ごとにバラバラに解体され、4年の歳月をかけて、陸上でそれを復元した。

復元研究によれば、船長14メートル、幅4.5メートルの船体であった。船材には、4000ヶ所をほぞ継にして、外板同士を接合していたが、青銅器時代の船とは異なり、船体内部には、肋材（フレーム）が配されていた。ギリシアの船大工らは、船材外板の外側から、銅製の釘を、フレームに打つことで、前時代より、堅牢な船を建造していた。詳細な研究の成果は、キレニア船の沈没原因にも及ぶ。その船底からは、鉄製の矛先が8本発見され、海賊に襲われてその運命を終えたとも推測されている。

（文：木村淳）

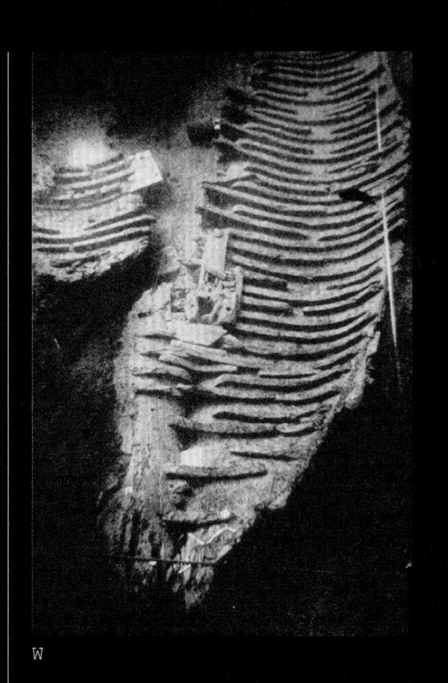

W

X

Y

Late Bronze Age Uluburun Shipwreck
- Ancient Greek Kyrenia Shipwreck

Z

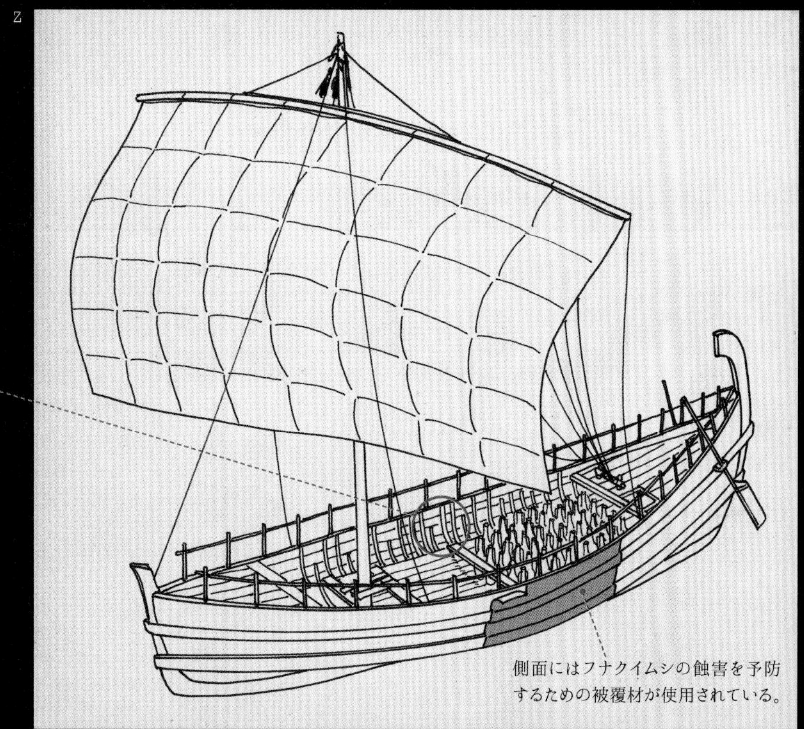

船体には後期青銅器時代（ウルブルン：p027）と異なり肋材（フレーム）が使用されている。より進化した構造が特徴。

側面にはフナクイムシの蝕害を予防するための被覆材が使用されている。

W. 海底で発掘されたキレニア船体。海底での発掘時に、船体は解体された。**X.** 陸上で復元された船体。一見して、船底部に、フレーム（肋材）が、多数配置されているのが分かる。 **Y.** アンフォラ壺の重量で、船体が埋もれていたため、船底部が良好に残っていた。Z.キレニア船復元イメージ。（写真提供：いずれもInstitute of Nautical Archaeology）

Thonis-Heracleion and Alexandria

A
LEXANDRIA／EGYPT

エジプト古代港市の盛衰幻のヘラクレイオン、トーニスの謎

トーニス・ヘラクレイオン遺跡
アレクサンドリア港海底宮殿

エジプト

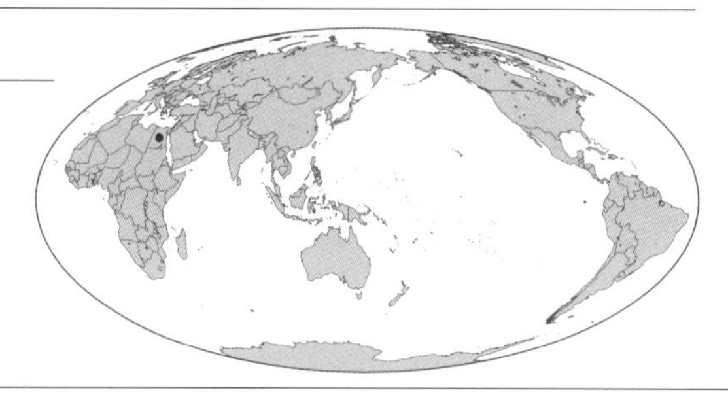

エジプト古代港市の盛衰

パピルス文章や碑文には、アレクサンドリア以前、ナイルの西の支流に栄えた港の名前が記されている。また、エジプトと交流のあったギリシアでは、紀元前6世紀のソロンの詩に、カノープスの地名が、ヘロドトスの手による『歴史』には、ヘラクレスがエジプトに足を踏み入れた地に由来するヘラクレイオンの記述がある。ヘラクレイオンの歴史は古く、トロイア戦争にも、パリスとヘレネが訪れたとされ、ナイル守護神トーニスの名と共に、ナイル河口

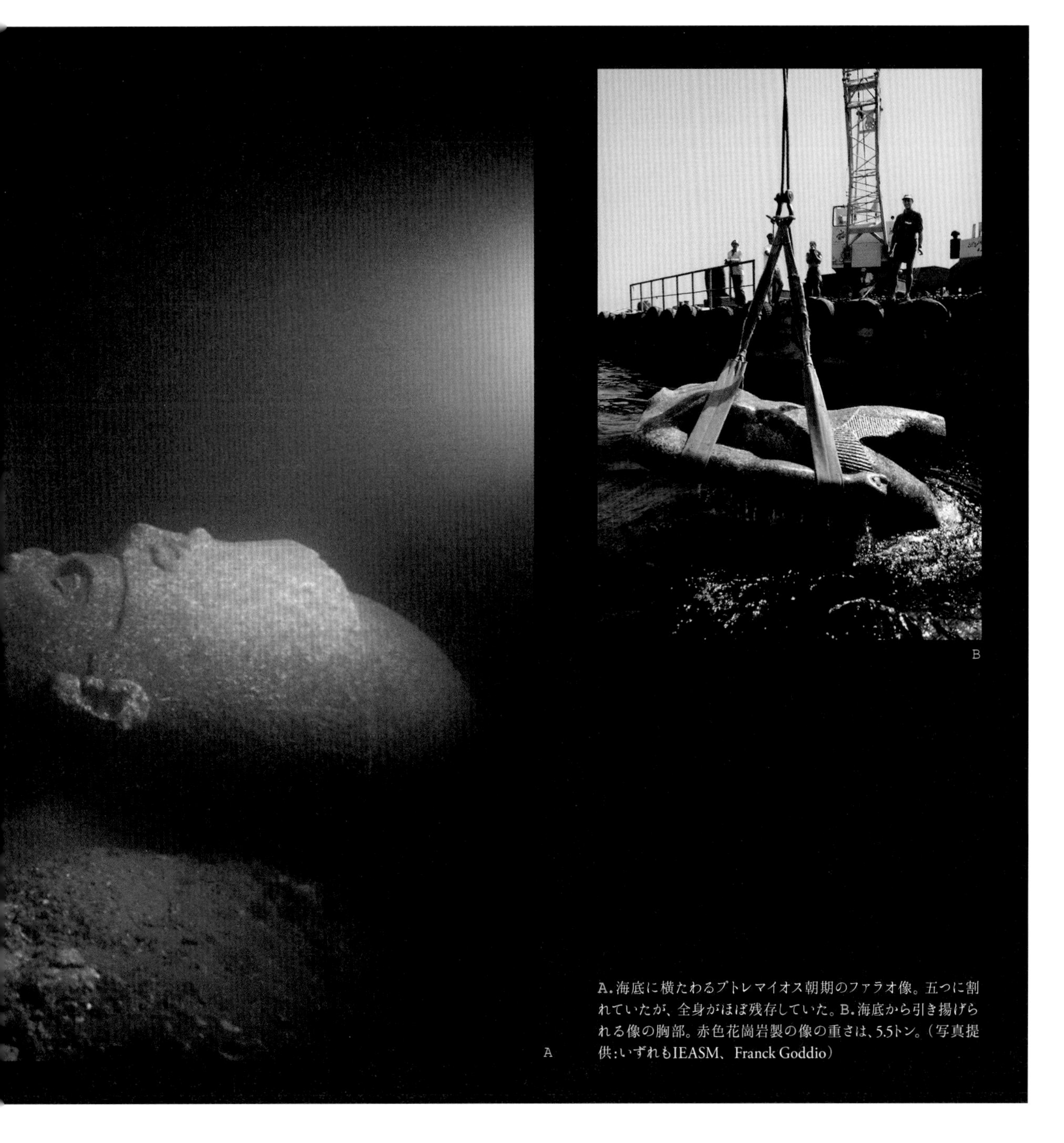

A.海底に横たわるプトレマイオス朝期のファラオ像。五つに割れていたが、全身がほぼ残存していた。B.海底から引き揚げられる像の胸部。赤色花崗岩製の像の重さは、5.5トン。(写真提供:いずれもIEASM、Franck Goddio)

のこれらの港市には、ギリシア商船が訪れ、エーゲ海世界との海上交易によってつながっていた。

ある記録によれば、ヘラクレイオンには、エジプトのアメン・ゲレブ神(ギリシアでのヘラクレス)に捧げられた建物があったとされる。海運による繁栄は、アレクサンドリアに、その活動が移されるまで続いた。しかしながら、アレクサンドリアほか、カノープス支流、ヘラクレイオンらを、数回に渡る地震と津波が襲った。例えば、紀元後365年7月の津波は、地中海南東沿岸に、壊滅的被害をもたらしたとされる。これらの自然災害が、古代港市の繁栄を過去とし、海底に廃墟があるという伝承のみが残ることとなった。

ヘラクレイオン、トーニスの謎

1992年より、フランス人水中考古学者フランク・ゴディオ率いる非営利団体ヨーロッパ水中考古学研究所(Institut Européen d'Archéologie Sous-Marine:IEASM)は、ヒルティ財団(建設用工具の製造企業)の支援を受け、水底に埋没するアレクサンドリアとカノープス支流の港市の解明に挑む事業に取り掛かった。

現在のエジプトのアブ・キール湾西側沖合には、ナイルのカノープス支流に築かれた港市があった地形が水没していることが、これ以前に、判明していた。水没は、前述の地震と津波、さらには洪水、地盤沈下によるもので、現在に至る。しかしながら、確実な遺跡の位置などは漠然としたものであった。このため、総面積にして110㎢の海域が、調査対象となった。

ナイルシルトによって透明度は、

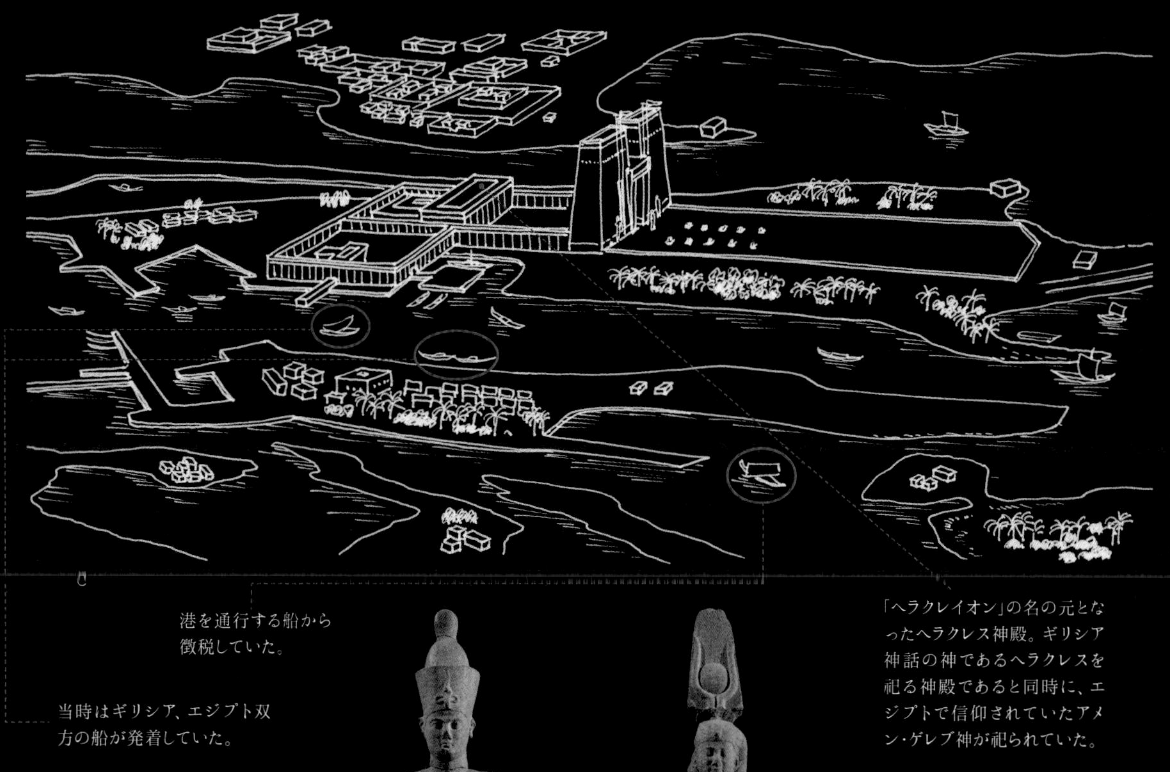

港を通行する船から徴税していた。

当時はギリシア、エジプト双方の船が発着していた。

「ヘラクレイオン」の名の元となったヘラクレス神殿。ギリシア神話の神であるヘラクレスを祀る神殿であると同時に、エジプトで信仰されていたアメン・ゲレブ神が祀られていた。

Thonis-Heracleion and Alexandria

C.ヘラクレイオン・トーニスの復元イメージ。D.プトレマイオス朝時代のファラオ巨像（アレクサンドリア海洋博物館所蔵）。高さ500m、幅150cm、奥行75cm。（写真提供：IEASM、Franck Goddio）E.プトレマイオス朝時代の王妃巨像（アレクサンドリア海洋博物館所蔵）。高さ490cm、幅120cm、奥行75cm。腕は横に垂れ下がり、王の腰布やウラエウス（コブラ記章）を装飾した二重冠を身に着けるなど、エジプトの伝統様式に則った彫像で、ラメセス朝期の像の特徴を模している。これらの彫像は、ヘラクレイオンの神殿の表に立っていた。（写真提供：IEASM、Franck Goddio）

50cm－1m程度で、条件の良い時で、10m程度とされる。遺跡の特定にあたっては、且つての水路や河口地形を特定し、磁気探査で埋没している人工物由来の磁力異常を検出する、音波によるサイドスキャンソナーで海底面上の遺構を検出する手法が採用された。

地質学調査と考古学発掘調査により、海岸から6km程の海底で、遺構の集中区が特定されることとなった。全長150mになる神殿の周壁が発掘された。ゲレブ神に奉納された大形の赤色花崗岩製の祠堂や、巨大な花崗閃緑岩のステラ（石碑）が発見、引き揚げられた。

碑文の解読で、この地にあったのが、ギリシア人がヘラクレイオンと呼び、エジプト人がトーニスと呼ぶ、同一の港市であったことが判明した。ヘラクレイオン＝トーニスは、神殿を中心に、運河も発達していたようだ。神殿領域からは、エジプト神話におけるナイル川のハピ神の5mを超える赤色花崗岩の巨像が3体発見された。聖域である神殿跡の近くでは、軍用船の発掘も行われている。船長25mに対し

海底出土の祠堂（ナオス）。そのヒエログリフ碑文により、ヘラクレイオンに所在したのが、エジプト名でアメン・ゲレブの神殿と判明。アメン神は、太陽神ラーと融合したエジプトの主神の一つ

アメン・ゲレブ神殿の祠堂（アレクサンドリア海洋博物館所蔵）。赤色花崗岩、高さ174cm、幅93cm、奥行100cm。一枚岩を加工し、なかに神の影像を納めた。

F

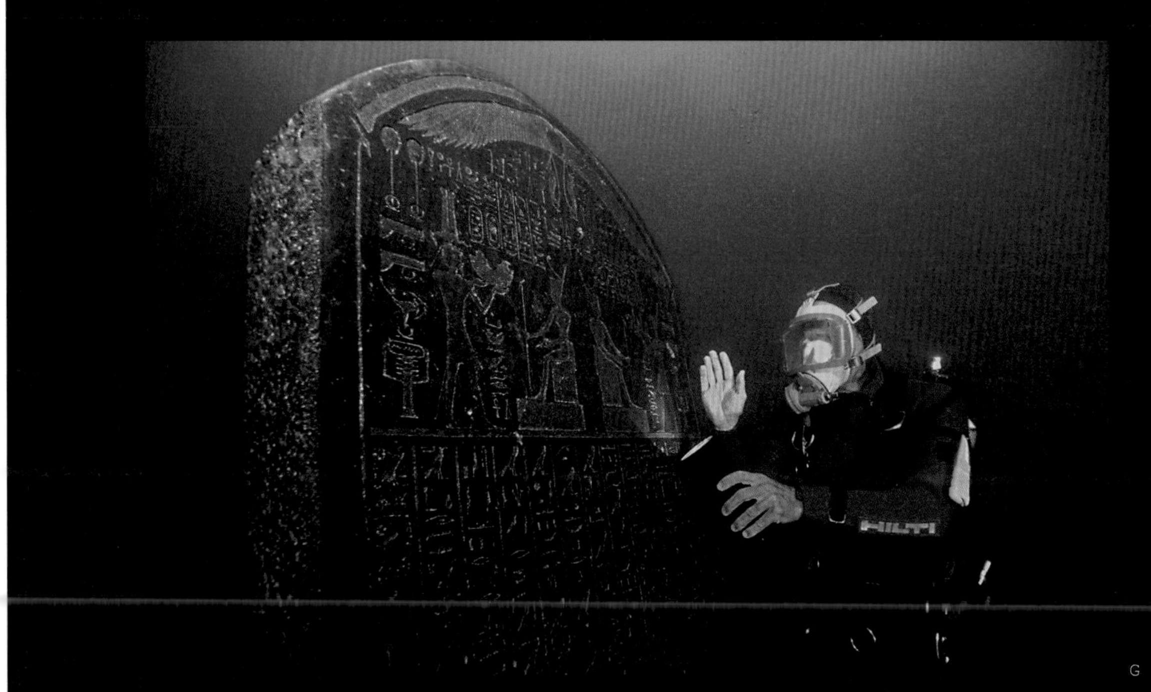

G

H

I

H.ヘラクレイオン海底出土のネクタネボ1世のステラ(石碑)。花崗閃緑岩、高さ195cm、幅88cm。 I.同ネクタネボ1世のステラ(アレクサンドリア国立博物館所蔵)。第30王朝創始者ネクタネボ1世治世開始(前378年〜)に際し、守護神ネイト神(デルタの守護神、戦いの女神で、ギリシア人によってアテナと同一視)に捧げる決意が、14行のヒエログリフに刻まれる。港町ヘラクレイオンでの海上貿易で得られる税(物品)をネイト神殿の供物とする目的があった。最終行には、「ギリシアの海の入り江、サイスのホーネと呼ばれるこの町に立てられるこのステラによって」とあるため、ヘラクレイオンの元々の名前は、ホーネ(トーニス)であることが判明した。 J.プトレマイオス8世のステラ(石碑)。片麻岩、高さ610cm、幅310cm。 K.ヘラクレイオン神殿の北海域に沈む、同プトレマイオス8世のステラ。L.総重量15tであるが、ヘラクレイオンを襲った地震で倒壊し、割れた。M.碑文には王の神格化とプトレマイオス8世王妃が崇拝したアメン神とその妻ムウト神の記述がある。(写真提供:いずれも IEASM、Franck Goddio)

て、船幅が4m程度と、胴が長い船形をしており、帆走と漕走で、速力が出せた。この時代の、軍用船の海底からの出土は極めて稀である。

カノープス支流の河口に位置することから、出入りする商船から通行税を徴税して管理、ギリシアとの貿易で主要港であったことが、発掘によって明らかとなった。海底で出土した700点以上の碇や、紀元前6−2世紀までの16隻の沈没船がこれらを証明した。船乗りは航海の安全を祈願して、様々な奉納品を捧げ、それらが海底に残されていた。エジプト末期王朝からプトレマイオス朝エジプトまでは、貿易の税関機能を持っていたが、その役割をアレクサンドリアに譲ることとなった。

海底に眠るアレクサンドリアの古代大港と宮殿跡

紀元前331年、アレクサンドロス大王によって、アレクサンドリアが築かれた。交易、政治、宗教の中心として、またポルトス・マグヌス(大港)を備えた、地中海最大の港市に発展した。湾口に位置していたファロス島の岩礁に

J

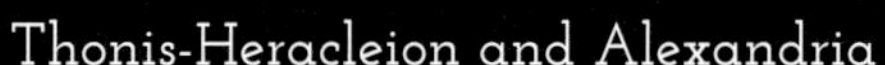

Thonis-Heracleion and Alexandria

K

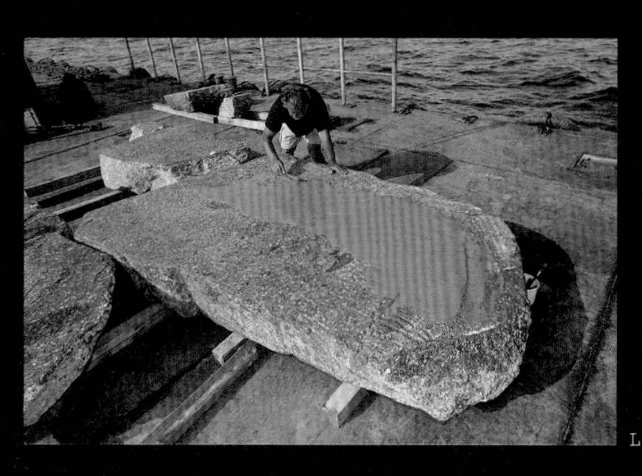

L

は、アレクサンドリア大灯台が築かれ、出入する商船を照らした。

歴史に名を残す港湾施設は、自然災害と地盤沈下によって、現在は海面下、数mに水没している。一帯の海域を発掘調査したIEASMは、湾内の大港の防波堤、埠頭、桟橋の詳細な位置関係を明らかにした。プトレマイオス朝期の繁栄を支えたのは海軍であったが、王家のガレー船が配備された軍港、造船所が、湾の東にあったことが確認されている。クレオパトラ7世は、港の中心の島に、小宮殿をもっていたとされる。

王家私有の島であるアンティドロス島は、定説とは異なる場所で発見され、宮殿があった島は舗装され、エスプラナードで港と繋がっていた。この海域からは、オシリスの壺を抱えたイシス神官像とスフィンクス像が2体出土した。その像の顔は、クレオパトラ7世の父、プトレマイオス12世を模している。

これらの彫像の発見で、島にはイシス信仰の施設があることが判明、ローマ軍に敗れたアクティウム海戦後も、島が利用されていたことが発掘調査で明らかとなった。アレクサンドリアの栄華の痕跡は、その多くが、海底に残されていことを、水中考古学発掘調査は証明した。　（文:木村淳）

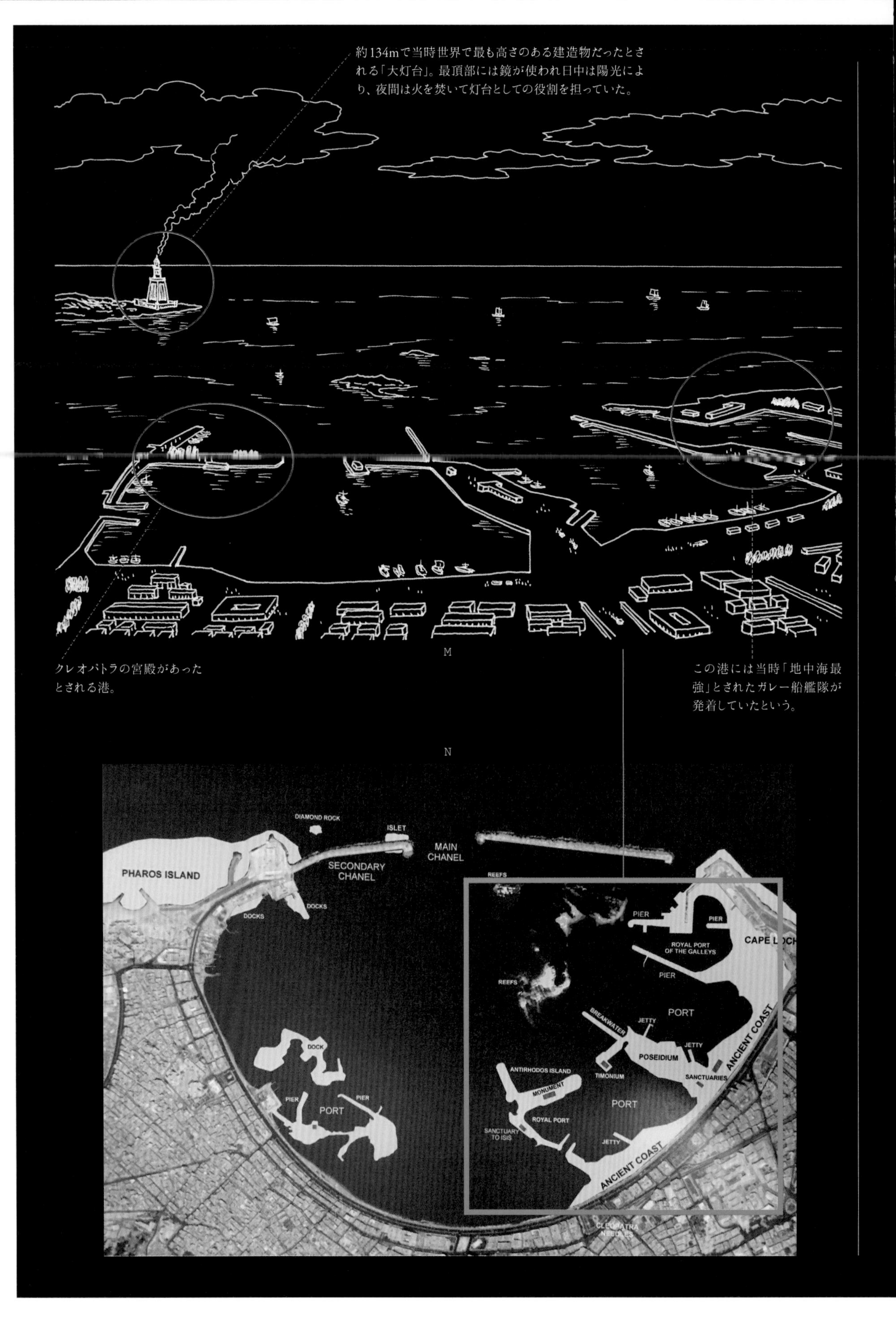

約134mで当時世界で最も高さのある建造物だったとされる「大灯台」。最頂部には鏡が使われ日中は陽光により、夜間は火を焚いて灯台としての役割を担っていた。

クレオパトラの宮殿があったとされる港。

この港には当時「地中海最強」とされたガレー船艦隊が発着していたという。

N.アレクサンドリア古代"ポルトス・マグヌス"(巨大港)。左手前の埠頭の先に、アンティロドス島があり、イシス神殿や王家の小宮殿があったと判明している。地中海最強のガレー船艦隊は、右端埠頭に係留された。沖合には、大灯台が見える。 O.現代のアレクサンドリア港衛星写真と海底に埋没する遺構。ポルトス・マグヌスは、現在の湾の東側に位置していたが、現在は、水面下6mに沈んでいる。クレオパトラが好んだ小宮殿も海の底にある。 P.プトレマイオス12世のスフィンクス(アレクサンドリア国立博物館)。紀元前1世紀頃製作、花崗閃緑岩、高さ70cm、長さ120cm。水没したイシス神殿近くで発見された2体のスフィンクスのうちの1体。ウラエウス(コブラ記章)が施されたネメス頭巾を着用した頭部は、ファラオ時代の特徴とヘレニズム様式が混ざっている。スフィンクス像の髪の毛の特徴的な表現が、貨幣にかかれるクレオパトラ7世の父、プトレマイオス12世ネオス・ディオニュソス特徴と合致する。(写真提供:いずれもIEASM、Franck Goddio)

Antikythera Shipwreck and Mechanism

A

G
REECE

世界最古のコンピューター

アンティキセラ島の海底遺跡

ギリシア

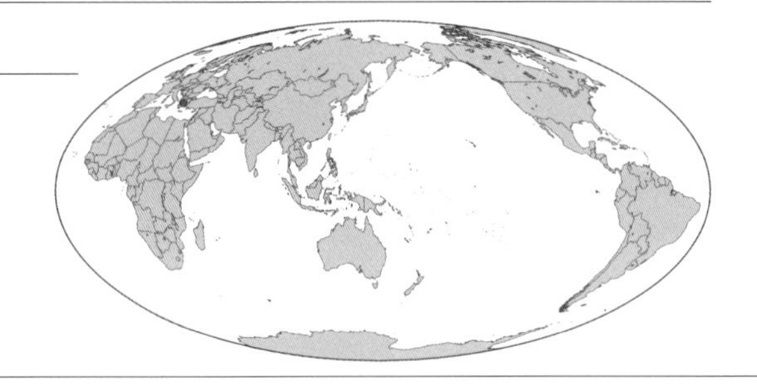

アンティキセラ沈没船

水中遺跡の発見の歴史を、学問史的に紐解くと、アンティキセラ（アンディキシラ）の名前が現れる。ギリシアのペロポネソス半島南端とクレタ島の間に浮かぶこの島沖合で、1900年に海綿取りのダイバーによって水深45mの海底でブロンズ像の腕が発見された。翌年には、ギリシア教育省と海軍の下、ブロンズ製の青年像が引き揚げられた。高さ1.9mを超えるアンティキセラの全裸青年像は、紀元前340–330年頃に鋳造されたと考えられているが、類例は無

B

C

A.アンテキィセラ装置の一部。Return to Anthikytheraプロジェクトの調査により、100年ぶりに海底で発見された。 B.アンテキィセラ青年像。アンテキィセラの海底遺跡は沈んだ遺跡であり、像は、その船に積載されていた。 C.青年像は、アンティキセラ船が沈没した年代より数百年前に作られた。 D.アンテキィセラ哲学者像(紀元前250年－紀元前200年製作)。 E.アンテキィセラ沈没船からは、頭部以外に、腕や脚部など回収されており、もともとは全身像であった(写真提供:いずれもBrett Seymour)。

D

E

く、誰を模しているのかは不明とされる。現在は、アテネの国立考古学博物館に収められている。

アンティキセラ島沖合海底からは、ストア派哲学者のブロンズ像頭部、二百点を超えるアンフォラ壺、馬の大理石像、オイルランプなどの積荷が引き揚げられるようになった。木造船に穴をあけるフナクイムシの被害を防ぐために、船体に打ち付けられた金属板の被覆材や、紐を結わって水深を測る鉛製の錘が引き揚げられたことで、船が沈んだ遺跡であることが、確実視されるようになった。引き揚げ遺物から、船は紀元前1世紀頃に沈んだと推定された。

1902年の引き揚げ遺物には、のちにアンティキセラメカニズム(装置)と呼ばれる青銅製品が含まれていた。大きさ僅か20センチほどの遺物は、錆と付着物で覆われていたが、精巧な歯車が確認され、発見後から機械仕掛けの装置が注目されてきた。1971年、初めてX線分析を用い、研究が本格化した。

アンティキセラメカニズムは、太陽と月の運行を計測するための装置と考えられるようになった。歯車が嵌められた金属板には、文字が刻まれており、その解析で、紀元前1世紀頃のローマ初代皇帝アウグストゥス期に製作されたのではと研究者らは推測した。発見から百年以上を経ての、高解像度X線CT分析では、精度の高い文字解析によって、装置の製作年代をさらに古い紀元前150－100年頃とした。

2000年以上海底にあったため機構の部品の多くは失われて、82点の断片的な遺物となっているが、復元作業の結果、本来は30個の歯車からなる精

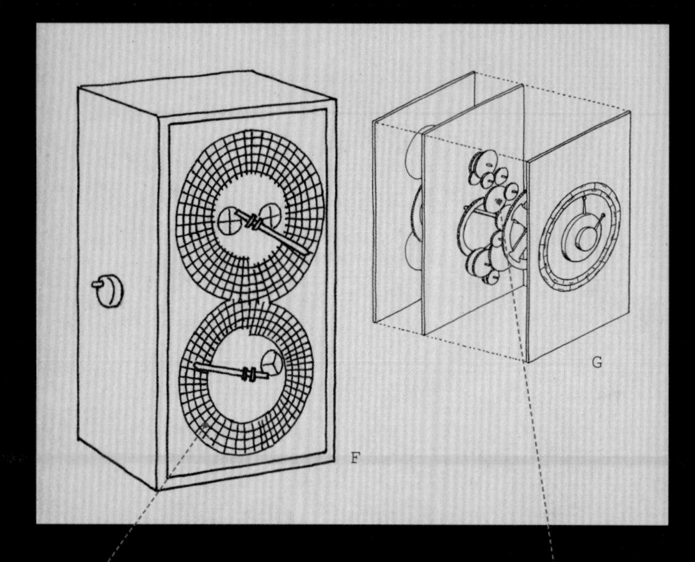

オリンピックの開催時期も計算できる仕組みがあったという。

歯車は計30個使用されていた。

F.アンテキィセラ装置復元図。 G.全ての歯車が発見されていないため、復元には諸説ある。デジタル技術を活用した、復元も行われている。H.アンテキィセラ装置金属歯車部位。I.アンテキィセラ装置金属部位は、大小75点の破片として残っている。 J.腐食しているが、表面に文字が確認できる。K.100年以上をかけて、破片となっている装置の研究がおこなわれてきた。 L.アンティキセラ島港遠景。 M.テクニカルダイバーによる海底掘削。 N.出土ガラス製品破片。(写真提供:いずれもBrett Seymour)

Antikythera Shipwreck and Mechanism

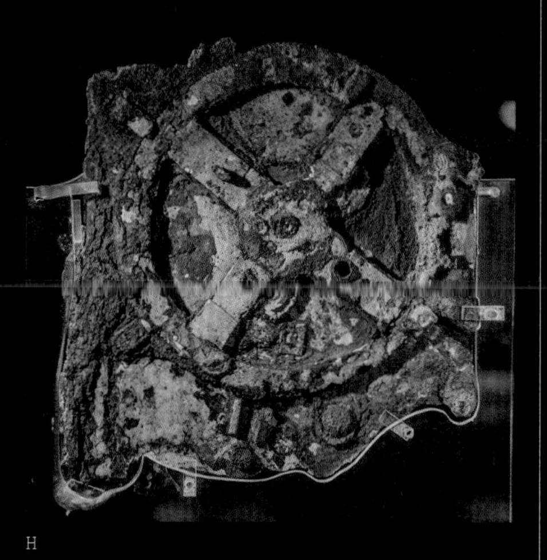

H

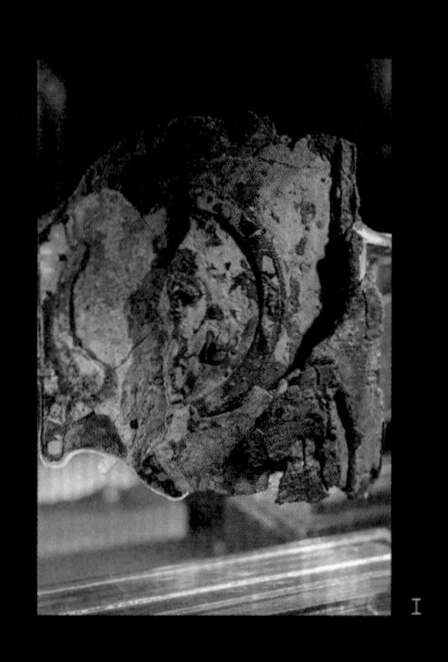

I

J

K

巧な装置であると推定されている。小型装置の大小の金属歯車の歯数は15から200以上になり、恐らくは木製箱に収まっていた。装置は、古代ギリシアで用いられた太陰太陽暦に合わせて、バビロニア等差数列を基に、月食や日食も予測できたとされる。

古代ギリシア世界での天体への理解は知られるところであるが、その正確な運行を知ることで、宗教儀式や農耕などへ役立てたとも考えられた。しかしながら、さらなる研究では、装置の文字は、古代ギリシアのコリント暦で、オリンピックカレンダーの月名も刻んでいたとされている。アンテイキセラメカニズムは恐らくは輸送途中で水中に没したと考えられるが、その発見は、陸上の目的地に辿り着いたならば失われてしまうような遺物が、水底には残っている可能性を例証した。

アンテキィセラ沈没船、再び、

アンティキセラ沈没船遺跡では、2010年代に入って、新たな探査が始まった。1976年の設立以来、長い歴史をもつ、ギリシア政府水中考古学局

L

M

N

テクニカルダイビングの技術で、再びアンティキセラ沈没船調査が開始。

O. 水面で待機する調査船に戻る前に、浮力をとりながら減圧症を予防する停止を行うダイバー。 P. 新たな潜水技術で海底に長く作業できるダイバーは、ブロンズ像腕など、新たに遺物を発見。Q. 沈んだ船の痕跡である金属錨や船材片。R. 船体部材。S. 沈没時の犠牲者か？頭蓋骨も検出されている。 T. 金製指輪は誰のものか？（写真提供：いずれもBrett Seymour）

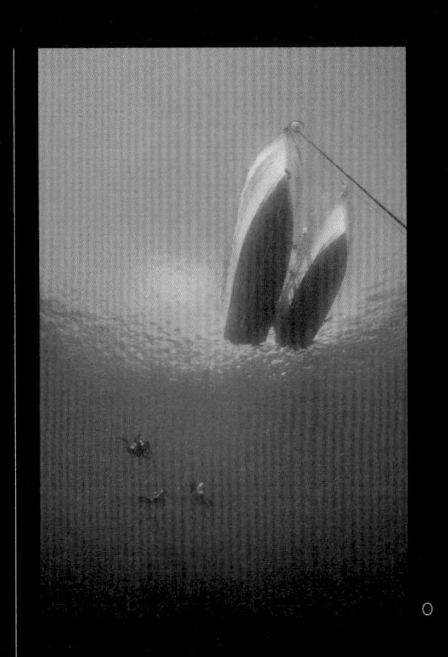

O

P

Q

Antikythera Shipwreck and Mechanism

R

S

T

(Hellenic Ephorate of Underwater Antiquities、EUA)は、アメリカのウッズホール海洋研究所(Woods Hole Oceanographic Institution)らと協力して、同海域のより深い海域で、テクニカルダイビング技術を使った調査を実施した。スクーバダイビング技術の開拓者の一人であるジャック・イブ・クストーは1950年代初めに、アンティキセラ沈没船遺跡で潜水を行っている。

それから60年以上、ダイビング技術と器材は進化し、混合ガス(酸素、アルゴンガス、ヘリウムガスなどの比率を人工的に変えた潜水用ガス)使用や、リブリーザー器材(呼吸したガスを循環させ再呼吸する装置)を使って、潜水調査者は、より長く深い海での作業が可能となった。これらの技術と器材での、2012年以降の遺跡の再発掘調査の結果、様々な遺物が出土している。

出土遺物には、海底に未だ残されていたアンティキセラメカニズムの一部も含まれた。錆に覆われた円形の銅板部品には、牡牛が刻まれていた。さらに、南イタリア産やコス島産の陶器壺ほか、船体の一部や沈没船の鉛製船体被覆材、鉛製のイカリほかに、銀貨・銅貨、ガラス製品や金製の指輪などが含まれた。また、海底では、大理石像の一部ほか、青銅像の片腕、青銅像に付帯した長さ2mのブロンズ槍が見つかっている。さらには、沈没時の犠牲者と思われる人骨も出土している。アンティキセラ船は、多くの奢侈品や、重量のある青銅像や大理石像と共に、穀物も積載した大型の輸送船であった可能性が指摘されている。　(文:木村淳)

Baia Sunken Roman City

B AIA / ITALY

海底遺跡ミュージアム — 海に沈んだローマの街 —

バイア海底遺跡

イタリア

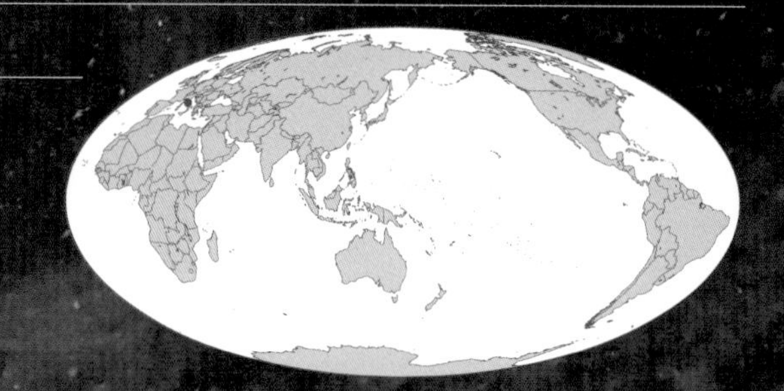

現在、海底に置かれている彫刻はレプリカである。本物は、バイアの考古博物館にある原寸大の復元展示に飾られている。（写真撮影：片桐千亜紀）

予約をすればいつでも見学のできる海底遺跡

　バイア遺跡は、イタリア半島南西部のナポリ湾に面する港町バイアにある。古代ローマ時代に温泉保養地として栄えていた街並みが、海底に沈んだ。現在は水中公園として国に管理され、誰でも事前にツアーを申し込めば見学することができる。水深は浅く、初心者でもスキューバダイビングができ、グラスボートやシュノーケルでも見学できる。

　地殻変動による地盤沈下と上昇が繰り返され、港の近くの街並みが海面下に沈んでしまった結果、遺跡は現在、海と陸の両方にまたがって存在する。バイアの港には、たくさんの倉庫や港湾設備が作られ、街には大規模な公衆浴場もあった。カエサルやアウグストゥスをはじめとするローマ皇帝や富裕層が好んで滞在した。なかでもクラウディウス帝は特にバイアを愛したことで知られる。

　バイア湾の北東端、水深5mほどのところにニンフを祀った神殿（ニンフェウムと呼ばれている）のある建物が沈ん

A

B

C

D

BAIA / ITALY

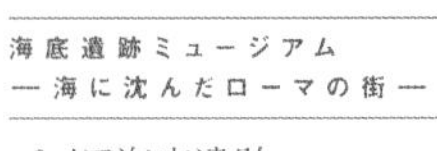

海底遺跡ミュージアム
—海に沈んだローマの街—

バイア海底遺跡

イタリア

でいる。この建物がクラウディウス帝のヴィッラ（別荘）であったと言われている。これらは、遺跡を管理する国の公園事務所が開講する特別なトレーニングプログラムを受講し、登録されているガイドによるスキューバダイビングツアーでのみ見学ができる。

18m×10mの部屋の中央には細長いプールがあり、部屋の壁に彫刻が飾られている。プールを挟んで2つの大きな寝椅子が対になって置かれ、プールはテーブル代わり。客人たちは、プールに食べ物を浮かべ、寝椅子に寝そべりながら、飲んで、食べて、話をした。

遺跡を守るため、遺構が沈む海域は水深や遺構の密度により3段階にゾーン分けされている。ゾーンごとに、漁や船の係留など、ゾーン内で実施可能な活動が定められ、厳しく管理されている。　　　　（文：中西裕見子）

E

Baia Sunken Roman City

A.遺跡の範囲をA、B、C、3つのゾーンに分け、それぞれのゾーン内でのルールがかかれているマップ。（バイア遺跡公園事務所で配布のものを転載）B.C.左はバイア城考古学博物館にあるニンフェウ復元模型。丸く囲った部分にある寝椅子の端の板石が、海底にも見事にのこっている。 D.トレーニングをうけたガイドが、海底に備え付けられた地図を見せて、見学している場所を説明している。E.バイア城考古学博物館の展示室につくられ、原寸大復元されたニンフェウム。海底から引き揚げたオリジナルの彫像はすべてここに展示されている F.遺跡が沈むバイア湾を空から見た様子。バイア城考古博物館もみえる。右奥に映る山が有名な活火山、ヴェスヴィオ火山。 G.バイア遺跡の海に沈んでいない部分。陸上で見学ができる。写真は大公衆浴場の施設の一部。（写真撮影：片桐千亜紀（B-G））

F

G

Shipwrecks in Ionian Sea

A

G
REECE

イオニア海に眠る神秘の水中遺跡群

死者の船と神殿柱の船遺跡

ギリシア

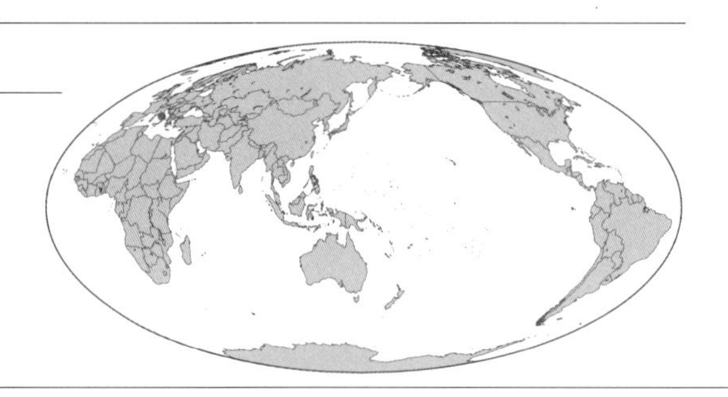

海運大国ギリシアの豊富な水中遺跡たち

古くから文明の中心であったギリシャは、陸上のみでなく海域にも、沈没船をはじめ多くの遺跡が存在する。山がちな険しい国土では移動や輸送が難しく、それに代わり海上交通が発達したギリシャ周辺の海には、夥しい数の沈没船が沈んでいても不思議ではない。さらに沿岸部には、地形や環境の変化により海底に沈降した港湾遺跡や集落遺跡もある。現在300箇所を超える水中遺跡が法により保護対象と定めら

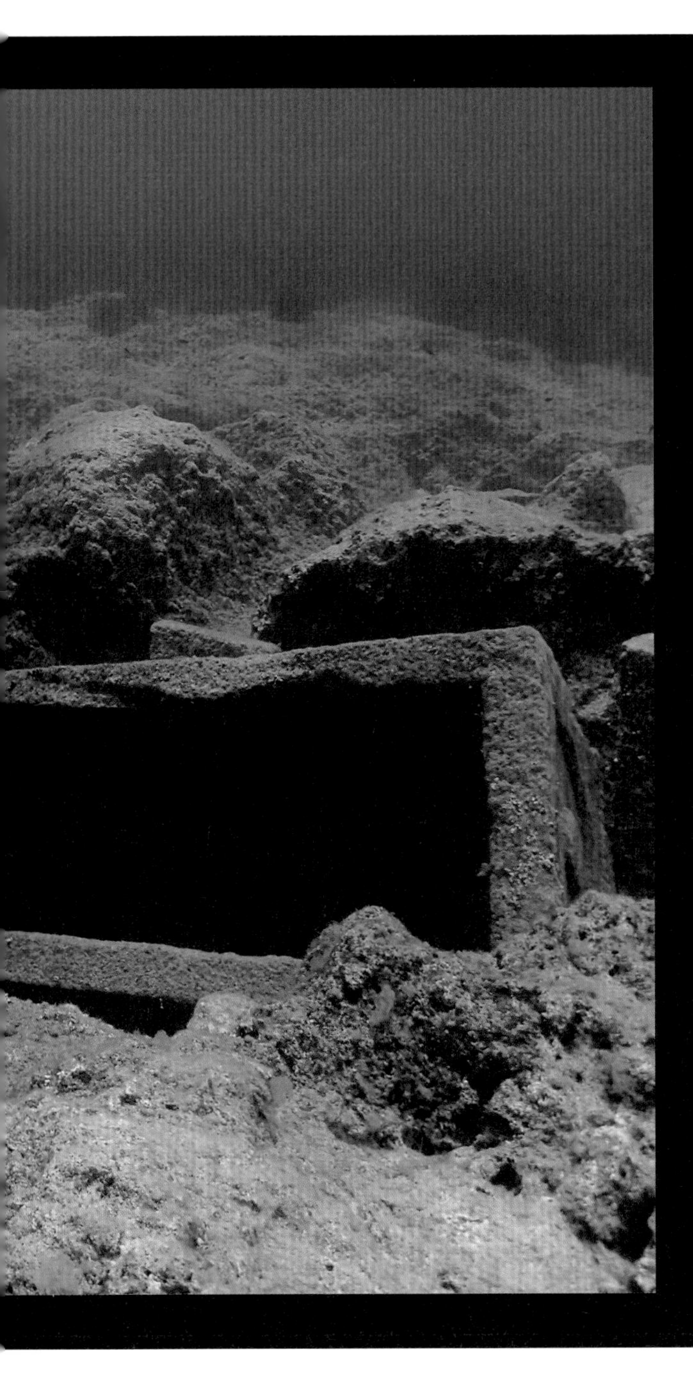

B

C

B.石柱の沈没船遺跡。海底のようす。柱を積んだ船が沈んだ様子がそのままに見える。 C.ギリシャ水中文化遺産局の局長とダイバーが一緒に潜水をして遺跡を案内してくれた。職員の同行無しで見学することは今はまだできない。石棺の沈没船遺跡。海底に石棺が重なり合う様は、ここ以外では望めない不思議な光景である。(写真撮影:いずれも片桐千亜紀)

れている。

ここで紹介するのは、ペロポネソス半島の西南部、イオニア海に面す港町ピュロスの、水中遺跡に特化した博物館と、同じくイオニア海沿岸部の町メソーニの対岸に位置するサピエンツァ島沖の「石棺の沈没船」と、「石柱の沈没船」と呼ばれる2つのである。

「石棺の沈没船」

サピエンツァ島の北側にあるスピーザ岬の沖、水深15m程度の海底に密集しているのは、死者を葬るための石の棺である。青く透明で冷たい海を泳ぎ進むと、ポシドニアという地中海に生息する水草の生い茂る向こうに、突如、石棺の山が現れる。大きな直方体の石材の真ん中をくりぬいた、刳抜式の石棺で、棺の本体とふたの両方がたくさん転がっている。石棺は、1点のみを除いて他は全て割れておらず完全な形をしている。いずれも、長さ約2.2m×幅約0.8mを測る本体の側面が、花や雄牛の頭(ブクラニオン)をモチーフにしたレリーフで装飾されるはずの、「未完成品」である。ローマ時代後期(紀元3世紀ごろ)のものである。ふたは、中央に稜線をもち、四隅が突起状に削り出されたデザインで、屋根のような形状をしている。石棺は全て、装飾を含めてある程度の段階まで加工されているが、ディテールは完成されないままの状態で沈んでいる。未完成品がここに沈んでいることが意味するところは大きい。最終段階の細かい調整や装飾、碑銘などは消費地で施されたとこれまでも考えられていたが、この遺跡の発見が、まさにその説の確固たる証拠となった。

この遺跡は死者を葬る石棺を運搬し

D

E

F

D.海底に石棺が積み重なって沈んでいる。 E.写真に映るダイバーと大きさを比べてみると、石棺のサイズがよくわかる F.直径90cmのたくさんの石柱が海底に積み重なって転がる様は大変な迫力がある G.地中海の海底で見る典型的な景色の奥に遺跡が広がる。 H.遺跡がある場所の海上の様子。ピュロスの町からヨットをチャーターして見学に向かう。（写真撮影：いずれも片桐千亜紀）

ていた船が、座礁してしまった沈没船遺跡である。通常は、墓などで、しかも単体もしくはごく少数でしか見ることのない石棺が海底に密集する様は珍しく、見る者に不思議な違和感と強い印象を与える。そしてさらにこの遺跡は、1回の航海でどれほどの石棺が輸送されるのかの目安や、どの加工段階で生産地から運び出されたのかなど、陸上の遺跡のみからでは、手がかりがなかった事実を教えてくれる。まさに、水中遺跡の醍醐味と言える。

「石柱の沈没船」遺跡

「石棺の沈没船」のすぐ近く、水深10mほどの海底には、16本の花崗岩の円柱が沈む。16本の円柱は、1本が完全な形で転がっているのを除きそのほかは34点に割れている。遺跡は古くから知られ、地元の漁師からの報告に「スピーザ岬の北岸から50〜60m先に沈む『大理石』の柱」の存在が1925年に記録されている。石柱を満載した船が、サピエンツァ島の北側の崖に衝突して沈没したと言われている。直径90cmほどの柱が海底に転がる様子は圧巻であ

G

Shipwrecks in Ionian Sea

H

る。全て完成された柱であり、すでにあった建物に利用されていたものを再利用するために運ばれているときに沈んだ。

これらの柱とよく似た石材、様式で作られ、おそらく一連のものであると思われる石柱が、対岸のメソーニの要塞で使用されている。そのため、この沈没船は、同じ時期に石柱を運んでいたが、沈んでしまった船である可能性が高い。メソーニの要塞に建てられた石柱は、ヴェネツィア共和国が要塞を修復したことを祈念して、海軍対象のフランチェスコ・ベンボが1493-94年に建てたとも、それ以前の1394年にヴェネツィアとビザンツ帝国がオスマン帝国に対して共闘するために条約を結んだ際に建てられたとも言われるが、近年は後者の説が有力なようである。

ギリシャの水中遺跡とピュロスの博物館

ギリシャには、水中文化遺産局という、国の文化行政をつかさどる文化スポーツ省の元に設置され、水中に沈む遺跡の調査研究や保存活用に特化した機関がある。この海域については、水中文化遺産局により、海底遺跡公園が設置される予定である。今でも申請をすれば見学をすることができるが、局の担当職員が必ず同行せねばならず、見学の許可が下りる対象も限られている。いずれは誰でも常時見学が可能な海底遺跡公園にすることをめざしている。ピュロスには、水中遺跡に特化した研究成果や出土遺物を展示する博物館が置かれている。まずは、その博物館を見学し、それから海へ出て、実際の遺跡を見学するというコースで、旅行者が楽しむことができる日も、そう遠くないであろう。 （文：中西裕見子）

Black Sea Wrecks

A

A.ローマ帝国時代の船の帆柱が直立した状態で残る。国際プロジェクトBlack Sea Maritime Archaeology Project (MAP)は、黒海での先史時代、黒海がまだ湖であった頃の地形や環境を調査する研究であった。
B.MMT社調査船ストリル・エクスプローラーは、深海底を調べるリモートセンシング探査(遠隔での探査、船上での水中ロボットや水面から音響ソナー機材での地形測深などの技術)の母船である。

B

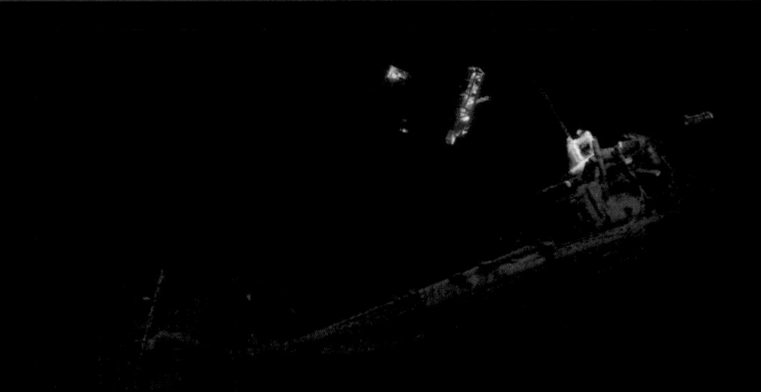

D

C

C.2400年以上前の古代ギリシア時代の24m程の交易船の写真実測図。水深2000mの海底で確認された。地中海でも同時代の沈没船遺跡が確認されているが(*本章参照)、このように沈んだ当時の状態の船は、これまで発見されたことがない。(photo and image: CMA/University of Southampton, Black Sea MAP, EEF EXPEDITIONS, Rodrigo Pacheco-Ruiz)最終氷期まで淡水湖であった黒海は、その後の気温上昇に伴う海水の流入で、急激に塩分濃度が上がった。これにより、黒海で、水深によって極端に異なる塩分濃度と酸素環境が生まれた。水深150m以下の濃い塩分の、ほぼ無酸素状態の海は、生物にとっては死の環境であるが、60隻以上の沈没船を、奇跡的に現代まで保存した。(写真・画像提供: CMA/University of Southampton, Black Sea MAP, EEF EXPEDITIONS, Rodrigo Pacheco-Ruiz)。 D.無人潜水機(Remotely Operating Vehicle=ROV)。

BULGARIA

数世紀に渡る沈んだ船が黒海深海に眠る

黒海の難破船

ブルガリア

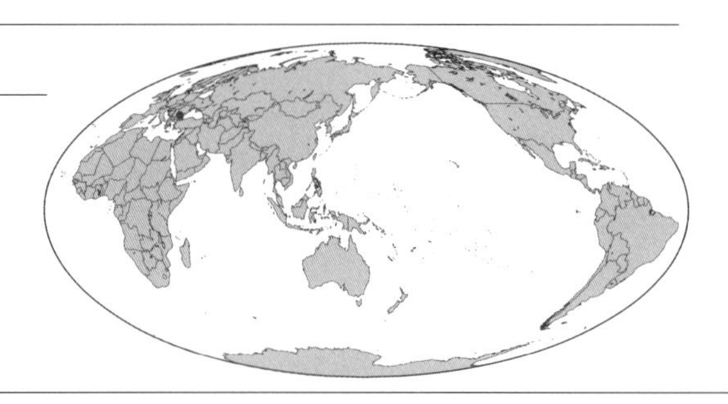

Deep Water Archaeology 深海考古学

2000年代半ば、アメリカの調査会社の友人から、黒海海底で音波探査をしており、何十隻もの沈没船遺跡を発見したとの話があった。一度に、何十隻もの沈没船を特定するなど夢物語と言える。黒海で、ロシアからブルガリアまでのパイプラインを敷設する開発事業の際の、海底の遺跡有無を確認するための調査であったという。沈没船など水中遺跡は、海洋開発に先立つ調査時に、見つかる事例が多い。

E
F
絵画史料に描かれる横帆主体のコグ船（船の型式の一つ。大航海時代になると縦帆も盛んに併用される）。
G
船の各パーツから大航海時代の帆船の「プロトタイプ」であったことがうかがえる。
舵が左右に突き出ているのが特徴。大航海時代の船になると舵は中央に1つとなり、舵輪が登場する。
H

E.ビザンツ帝国時代の船の写真実測図とROV。F.ROVには、高性能の水中動画・写真を撮影する深海用カメラが搭載されている。沈没船を、多方向から撮影し、写真実測を行い、海底に沈む船の3次元モデルを生成できる。 G.黒海で発見された中世期の商船イメージ図。中世期の商船の写真実測図。これまでは文献のみで、その存在が知られていたが、実物の発見に至った。中世地中海世界のヴェニスやジェノバの貿易都市の繁栄を支えたのがこの型の商船であった。 H.中世において黒海は、ギリシア・トルコ東地中海世界と、ボスフォラス海峡を抜けて、バルカンやロシア地域を結ぶ航海ルートで、このタイプの商船が活躍した（写真・画像提供：CMA/University of Southampton, Black Sea MAP, EEF EXPEDITIONS, Rodrigo Pacheco-Ruiz）。

2018年、イギリスのサウサンプトン大学海事考古学研究（CMA）が、ブルガリア沖黒海水深2000メートル以上の海域含む一帯を調査、65隻もの沈没船が確認したと発表した。CMAのジョナサン・アダムス博士は、Deep Sea (/Water) Archaeology、深海考古学分野の先駆者である。ブルガリア政府と、2015－2019年にかけて、黒海海事考古学プロジェクトを実施。深海考古学で、水中ロボット等の新たな技術を活用し、黒海大陸棚の旧石器時代の水没地形を探査した。ブルガリア政府提供の黒海海底データも使い、同時に、驚くべき数と保存状態の沈没船遺跡を特定することとなった。沈没船の時代は、古代ギリシアから、ローマ帝国時代、ビザンツ帝国時代、オスマン帝国時代と多岐にわたった。黒海深海の嫌気環境が生んだ奇跡であった。海底面下や、酸素が欠乏した状態の水中、即ち、嫌気環境では、水中遺跡は、良好な状態で保存される。ブルガリア深海は、90％近く酸素が不足しており、木造の船体の分解が進まなかった。水中ロボット積載の高精細カメラで、3次元写真実測も行われた。

古代ギリシアやローマ船ほか、中世地中海のコグ型の商船の発見は興味深い。中世スカンディナヴィアを席巻したヴァイキング船は、やがて、姿を消す。その建造技術の一部は、地中海世界の商船、コグ型に受け継がれ融合した。地中海では、商業活動に適した新たな船が登場した。13－14世紀、ハンザ同盟の台頭などにより、地中海交易は活性化、複数の帆柱を持ち積載量を増したキャラベル型やキャラック型へと大型化した（本書メアリーローズ号はキャラック型）。深海考古学分野が、ヨーロッパ船舶史に新たな知見をもたらしている。　（文：木村淳）

Syrian Shipwreck

S
YRIAN ARAB REPUBLIC

過酷な潜水調査で明かされつつある「壺」の謎

シリア沖沈船

シリア・アラブ共和国

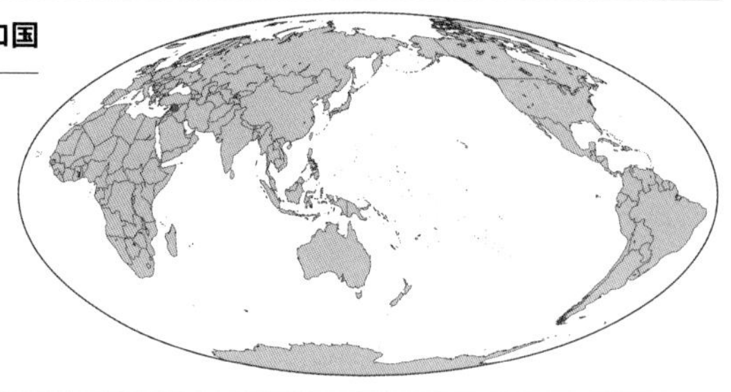

シリア沖沈船
海底の壺(アンフォラ)

1983年、日本の放送局がシリア沖の地中海で取材中に、海底に沈んでいるたくさんの壺を発見した。これは、肩に一対の握手が付くアンフォラと呼ばれる壺で、海底に7×14mの範囲で小山のように積みかさなっていた。このアンフォラ群は古代沈没船の積み荷の可能性があると判断され、日本とシリアの共同調査隊によって1985～87年の3年間にわたって調査が実施された。場所はシリア、タルトス市沖約2㎞、水深

A.現れた船体の一部、手前に並ぶ方形の材が船の肋材、その手前には外板も見える。 B.隔壁にもたせかけるようにして積まれたアンフォラ。 C.調査前のアンフォラ群、海底に小山のように積み重なっていた。(写真撮影:いずれも吉崎伸)

32mの海底である。

水深32mでの発掘調査

水深32mの海底での調査には多くの制約がある。強大な水圧のため一回の潜水時間はおよそ25分、しかも1日2回が限度である。この限られた作業時間を有効に使うために、調査には水上で指揮を執る考古学者と潜水作業員の意思疎通を図る「コミュニケーション・システム」、水中の遺跡の記録を短時間に行う「水中写真測量」、さらに長時間の潜水を可能にする「バウンス・ダイビング」など当時の最新技術が投入された。

調査は機材を積み込んだ台船を遺跡の海上に係留し、ここを基地とした。まず、海底のアンフォラ群現状を写真測量や実測で記録したのち、全体を覆うように調査枠(一区画2m×2m)を設定した。アンフォラは元の位置が分かるようにそれぞれの区画番号を記したラベルを付けて取り上げた。埋もれた部分は、エアーリフトと呼ばれる、真空掃除機のような道具で、砂や泥を吸い込みながら掘り下げた。こうして表層に堆積したアンフォラ約800個を取り上げた。

整然と並んだアンフォラ

表層のアンフォラを取り除いたところ、意外な事実が明らかになった。2層目のアンフォラ群は、口や握手の部分を同じ向きにして、整然と並んでいることが分かったのである。さらに3層目のアンフォラの肩部分に2層目のアンフォラの底部が乗るように配列されていることもわかった。アンフォラは船に積み込まれたままの状態を保っていたのである。俄然、船体が残っている可能

D

E

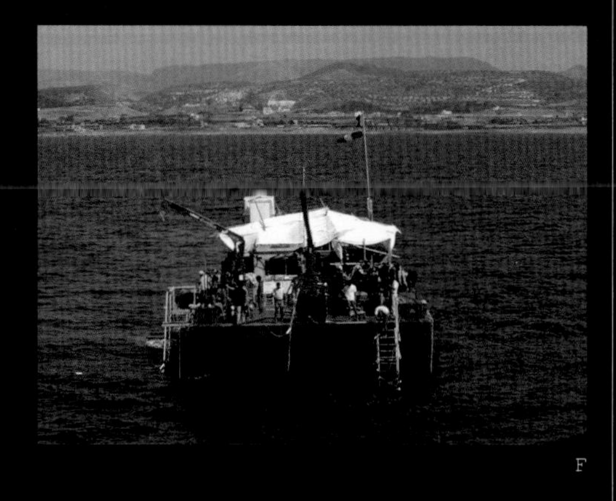
F

G

D.アンフォラ、倒立した西洋梨型の胴部、細い首、肩には一対の握手が付く。 E.ブッシーラ海岸に残る中世の建物。 F.調査の基地となる台船。 G.引き上げたアンフォラを調べる調査員。（写真撮影：いずれも吉崎伸）

性が高まった、調査終盤のことである。

船体の発見

調査期間も残り少なくなったころ、船体の有無を確かめるためにアンフォラ群の中央部を中心に掘り下げることになった。そして5層にわたるアンフォラの下で、ついに板材が並んでいるのが見つかった。船の隔壁とみられた。さらに、その両端には角材が一定間隔に並んでいた。船のあばら骨に当たる肋材で、その外側には外板も残っていた。木造船の下部が良好な状態で残存していることが明らかになったのである。その規模は幅7～8m、全長25m以上と推測される。

アンフォラ群はこの船の積み荷で、その数は約5000個に及ぶと推測される。

アンフォラの内容物

引き揚げたアンフォラはほぼすべて同じ形のもので、倒立した西洋梨型の体部に細い首と小さな口が付き、両肩から伸びた握手が口縁部に取りつく、高さ約60㎝、腹径30㎝、内容量13ℓである。口にはそろばん玉型をした木製の栓が

調査枠を設置して進められる発掘調査、上の機器は「コミュニケーション・ステム」の照明付きVTRカメラ。（写真撮影：吉崎伸）

H

I

J

K

L

付いたままのものも見つかっている。口縁部の形状からワインやオリーブオイルなどの液体を貯蔵していたものとみられる。しかし、引き揚げたアンフォラからは内容物を示すものは見からず、何が貯蔵されていたかは明らかになっていない。

十字軍に関連した交易船か

この船は船材の年代測定や積み荷のアンフォラの形状などから古代のものではなく13世紀前半のものであることが分かった。さらに、同型のアンフォラはレヴァント地方（東地中海）から黒海沿岸にかけて分布していることも明らかになってきた。

この時期は十字軍が活躍した。沈没船の位置からは沿岸丘陵部が望め、十字軍の城があり、近くの海岸に港跡がある。あるいは、この沈没船も十字軍に関連した交易船であったのかも知れない。

残念ながら事情により調査は中断したままになっており、沈没船は残りのアンフォラを積載まま、今もシリア沖の海底に眠り続けている。調査が再開されれば、船の実態も明らかになってくるに違いない。　（文：吉崎伸）

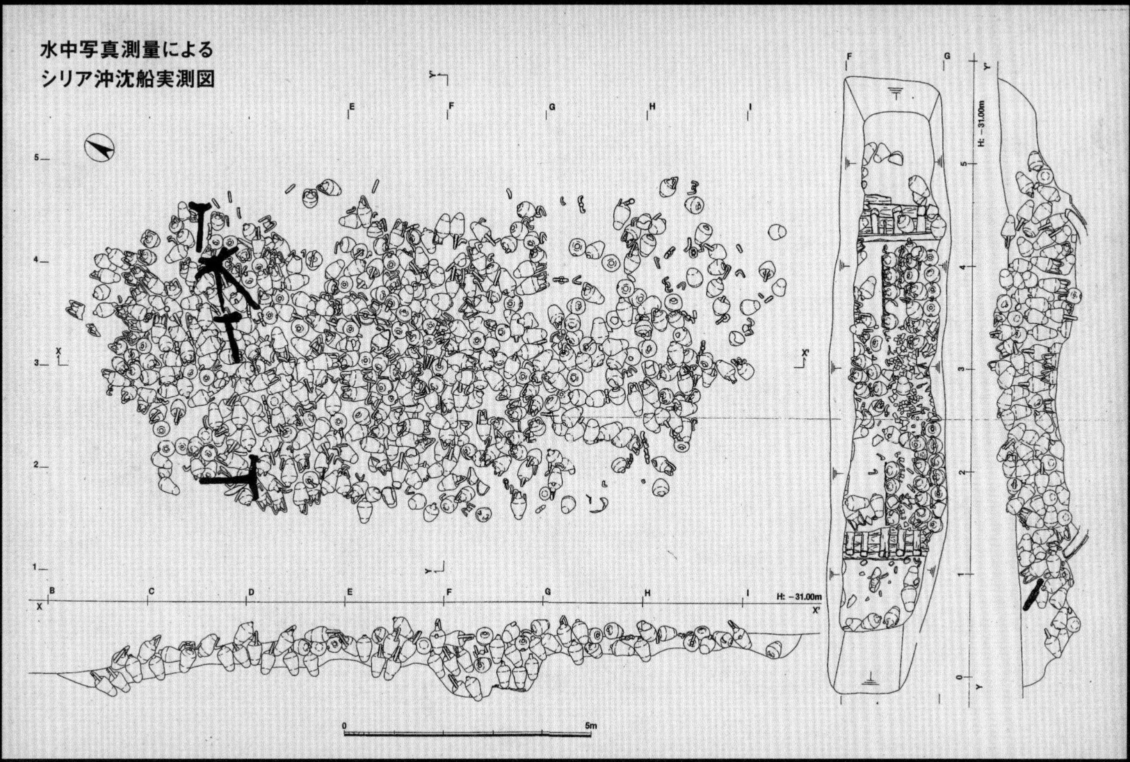

水中写真測量による
シリア沖沈船実測図

M

H.引き上げたアンフォラをチェックしてリスト化する。 I.ラベルを付けたアンフォラを取り上げる。 J.海底からアンフォラを取り上げる。 K.エアーリフトで埋もれたアンフォラを掘り出す潜水作業員、白いホースがエアーリフト。 L.取り上げたアンフォラを運ぶダイバー。 M.水中写真測量の原図を基に作成したアンフォラ群(沈没船遺跡)の実測図。(写真撮影・作画:吉崎伸)

ポシドニアの茂みを超えると突如広がる、多量のアンフォラが転がる光景。手前右には、金属製のアンカーストックも見える。

カラ・ミノラ沈没船

COLUMN 1

シチリア沖に眠る多数のアンフォラたち

「カラ・ミノラ」とは、「ミノラ入江」、という意味である。そこに沈む紀元前1世紀ごろ、ローマ共和政時代の沈没船遺跡を紹介する。

イタリア半島の長靴のつま先部から、メッシーナ海峡を挟んで向かいにあるシチリア島は、地中海最大の島である。島の大きさは日本の四国よりやや大きいほどで、その海岸線は1,500kmを超える。地中海のほぼ中央に位置し、海上交通の要所として古くから栄えた。周辺には多くの離島があり、青い海と太陽が魅力の、イタリアでも有数のリゾート観光地である。透明度が高く、水中で遠くまで見渡すことができる海では、ダイビング産業が発達し、海底の遺跡もレジャーダイバーが訪れることのできるダイビングポイントになっている。

シチリア島の西にある離島、エガディ諸島のレヴァンゾ島の沖に、この遺跡は眠る。レヴァンゾ島の東海岸にある入江、カラ・ミノラ(「カラ(Cala)」は「入江」の意。)に沈没船が積み荷とともに

A. 水深が深く、潮の流れが速かったので、エアの消費もはげしく、海底に滞在できたのはほんの数分ほどだった。 B. 小さな離島であるレヴァンゾの海は、港ですら息をのむほど美しい。海底の白砂に映る船影が、まるで船が空を飛んでいるかのよう。(写真撮影：いずれも片桐千亜紀)

A

B

Cala Minola shipwreck

沈んでいる。水深30m付近の海底に、100点を超えるアンフォラが転がる。アンフォラとは、主に液体をいれる大型の壷で、細長い頸部の両側に持ち手が付き、底は尖っていることが多い。ワインやオリーブオイルなどをはじめ、様々な液体を運ぶために地中海世界で大量に生産され、利用されてきた。古代地中海世界の沈没船では、アンフォラを大量に積載した沈没船が、しばしば見つかっている。2005年にシチリア州政府の海事文化遺産局により発掘され、調査を終えてから一般に公開されるようになった。

現地では、積み荷の他にも船体や錨の一部などがみつかっている。岩場で座礁した交易船が横転し、沈没した船から滑り落ちた積み荷が砂地の海底に沈み、そのまま現地に保存されていたと考えらえている。防水や道路の舗装に用いられる原油・石油タール・木タールなどを蒸留した後に残る、「ピッチ」という黒色のかすで、アンフォラの内面を塗り、水分が漏れ出さないようにしてから、ワインが入れられていた。これらのアンフォラは交易船の積み荷で、紀元前1世紀ごろに使われたタイプである。アンフォラの底には、「PAPIA」という刻印が押されている。これはラティウム地方南部(現在のラッツィオ州)に当時、広大な土地を持っていた有力氏族の名前であり、船の積み荷の出所が明確にわかっている。平民の中でも富裕で力があったこの一族は、ワインを生産し、地中海一帯に輸出していたことで知られている。その輸出用ワインを運んでいる途中で、船が沈んでしまったのであろう。

(文：中西裕見子)

Prehistoric- and Historic- Periods' Submerged Sites

第2章

先史〜有史の水没遺跡

Lake Biwa
Awazu Submerged Shell Midden

A

SHIGA / JAPAN

日本最大の湖に沈んだ縄文のムラ

粟津湖底遺跡

日本

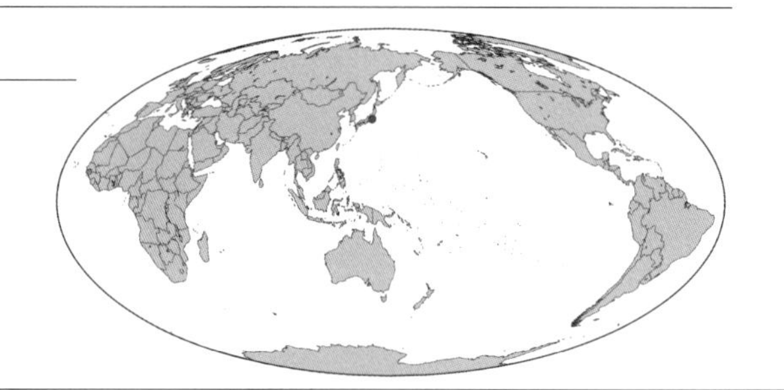

良好な状態で保存された有機質遺物

日本最大の湖である琵琶湖には、数多くの湖底遺跡がある。それらのなかでも大津市所在の粟津湖底遺跡は最も著名であり、かつ日本を代表する水中遺跡でもある。粟津湖底遺跡は、瀬田川へと接続する琵琶湖南端に位置しており、琵琶湖の基準水位から2～3m下において3基の縄文貝塚（早期～後期）が確認されている。これら水没した貝塚のうち、第3貝塚の調査には大きな注目が集まった。船上からの水面下の観察、スキューバやジェットリフトを使用した潜水

B

C

E

D

A.第3貝塚の貝層の断面であり、琵琶湖水系に固有種であるセタシジミを主体とする淡水貝類がみえる。 B.第3貝塚を検出し、平面的に広がる縞模様。白い貝層と黒い植物層が互層となっている。 C.第3貝塚の発掘調査区であり、周囲を鋼矢板で囲い、水を抜くことで、水中遺跡でありながら陸地として発掘調査を実施した。 D.縄文時代中期の人骨であり、成人(壮年～熟年)の頭蓋骨と下顎骨がみえる。頸椎や胸椎の一部も出土している。 E.黒色を呈するのは堅果類であり、短期間で集中的に廃棄されたため層状に堆積している。(写真撮影:A・E松井章)(写真提供:B・C・D滋賀県埋蔵文化財センター)

調査を経て、調査区を鋼矢板で囲って排水し、陸地化させて発掘調査が行われた。姿を現した貝塚の一部に、白黒の縞模様が浮かび上がった。白色は貝殻が集積した貝層、黒色は植物遺体が集積した植物層であり、それらが交互に堆積したものが縞模様となってみえていた。

また、日本の高燥地にある遺跡の多くは、火山灰に由来する酸性土壌に覆われており、有機質遺物が保存されにくいという特徴がある。一方、貝殻の集積である貝塚では動物質遺物が、水分が豊富に含まれる湿地では動物質、植物質遺物の両方が保存されていることがある。特に、粒子が細かな粘土やシルトが覆う遺跡では、遺物が空気と遮断されて劣化が遅く、有機質遺物の保存状態は極めて良い。水中遺跡もまた空気に触れることがないため、有機質遺物は保存状態に恵まれる。空気から遮断された水中の第3貝塚には、大量の有機質遺物が保存されており、縄文時代の食生活を知ることができる大きな手がかりが残されていた。

水産資源では、セタシジミを中心とする貝類、コイ、フナ、ナマズ、ギギなどの魚類、爬虫類のスッポンも多くみられる。陸産資源では、イノシシとシカを中心とする獣類、少ないながらハクチョウの仲間などの鳥類、イチイガシ、トチノキ、ヒシの仲間といった堅果類が出土している。琵琶湖と山野からの恵みを享受した食生活であり、栄養価でみればトチノキが重要な役割を果たしたとされる。前述した貝層と植物層の互層堆積は、貝類と堅果類が集約的に加工された結果であり、第3貝塚が加工作業場であり、生活拠点が近郊にあったと考えられる。(文:丸山真史)

Q
UINTANA ROO

洞窟水底に、人類痕跡を探す

ユカタン半島水中洞窟

メキシコ

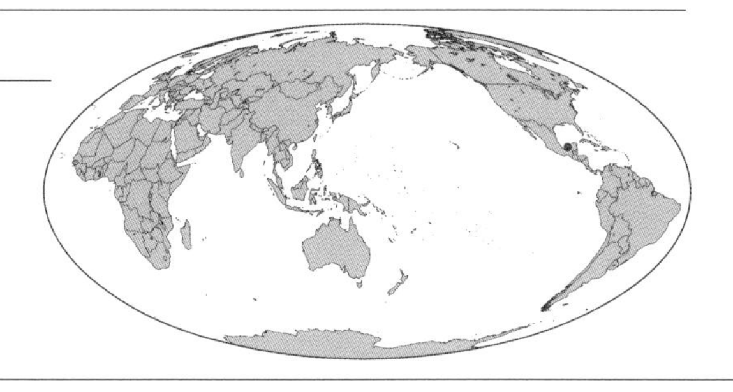

水中洞窟の考古学

メキシコのユカタン半島は、セノーテや水中鍾乳洞構造が多数ある、大規模な石灰岩地帯である。自然の美しさと文化遺産の両者が豊富な場所である。最終氷河期には、世界の水位は、現在の水位よりも平均して120m低く、調査地域の洞窟内は、乾燥し、陸であった。今日、この地域の洞窟は、水没し、人骨や絶滅した巨大哺乳類の骨が良好に保存されている、更新世の時代のタイムカプセルとなっている。時代が下り、古代マヤ文明期には、謎めいた

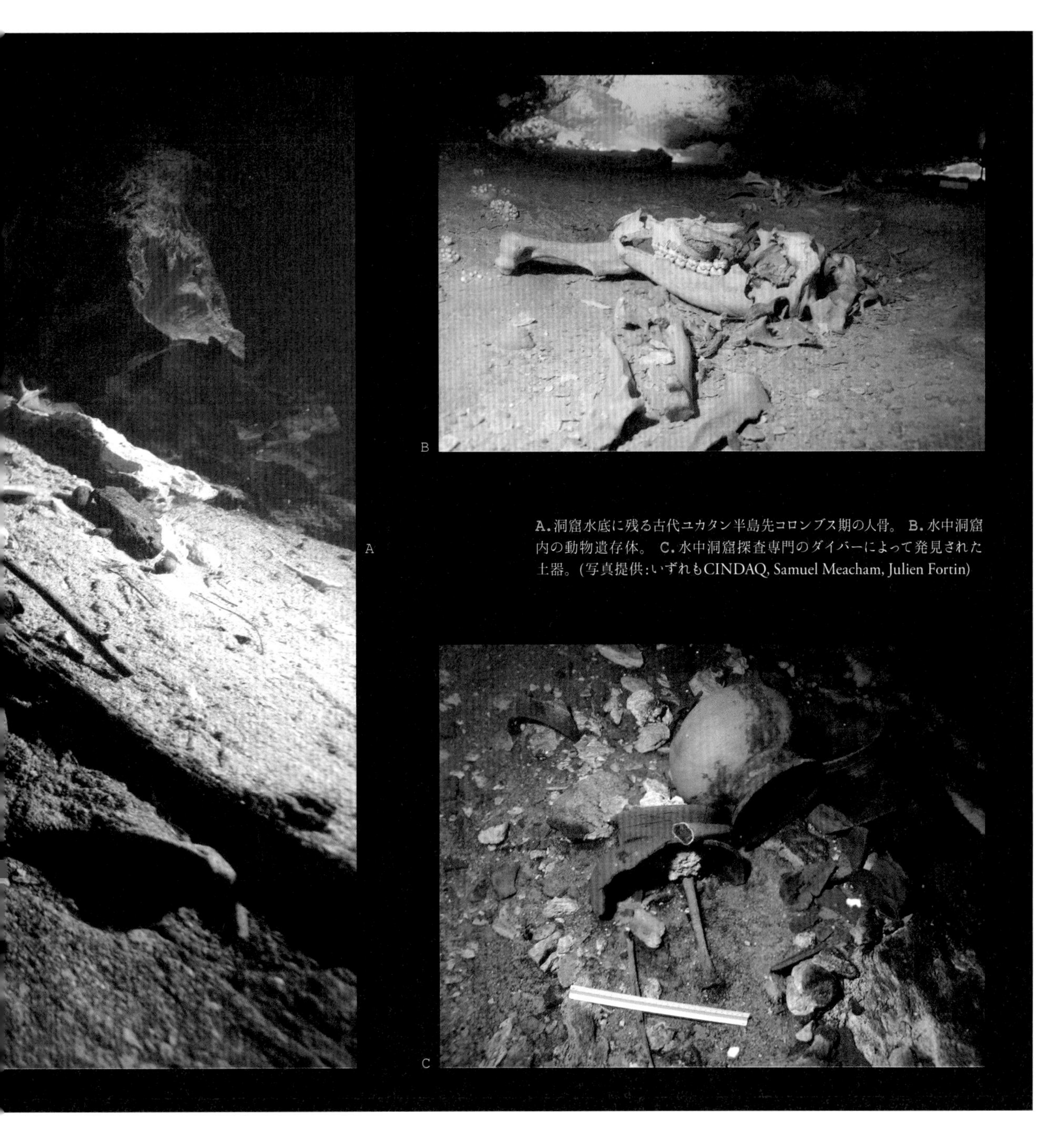

A.洞窟水底に残る古代ユカタン半島先コロンブス期の人骨。 B.水中洞窟内の動物遺存体。 C.水中洞窟探査専門のダイバーによって発見された土器。(写真提供:いずれもCINDAQ, Samuel Meacham, Julien Fortin)

セノーテ洞窟の入り口の近くに寺院や都市が建設され、文化的に重要な遺物や物が残されることになった。

キンタナ・ロー帯水層研究センター(El Centro Investigador del Sistema Acuífero de Quintana Roo:CINDAQ)は、最先端の探査およびデータ収集技術に基づく、適切で有益な知識の提供と、ユカタン半島の帯水層に関連する、自然および文化的資源の保全協力に貢献することを目的としたメキシコ市民協会(NGO)である。CINDAQは、探査と科学的研究を通じて、帯水層への理解と開発を深める上での信頼性ある組織として、地球の地下水資源についての、継続的な研究と持続可能管理に用いる重要な知識と世界各地で再現可能な方法論の提供を担っている。2021年には、CINDAQは、2001年のユネスコ水中文化遺産保護条約の認定NGOになっている。

2000年以来、CINDAQは、メキシコ国立人類学歴史研究所水中考古学局(INAH-SAS)と協力して、キンタナ・ロー州の古生物学的および考古学的な水中遺産を記録している。CINDAQは、カリフォルニア大学サンディエゴ校クアルコム研究所の文化遺産エンジニアリング戦略所とも協力して、作成してきた写真測量モデルを、処理、視覚化、アーカイブしている。

2020年以来、CINDAQは、クラウドへ冗長性のあるバックアップを備え、実用的でユーザーに使い易い組織内データ管理システム作成、多くの時間とリソースを費やしてきた。これはデータの保存とセキュリティにとって重要ですが、データの取得と共有のためのはるかに合理化されたシステムでもあった。

すべての水中洞窟データは、ジオリファレンスされており、Earth Analytics Incと協力して、データをクラウドベースの地理情報システム(GIS)にリンクし始めている。CINDAQの最終目標は、科学パートナーが簡単にアクセスできて、実用的且つ包括的な水中洞窟のGISデータベースを作成することである。

洞窟水底に残るマヤ人の痕跡

CINDAQのこれまでの最も重要な発見は、水没した洞窟内の、先史時代の彩色用の黄土採掘のための鉱床であった。マヤ人は、ユカタン半島の洞窟から顔料やその他の鉱物を積極的に採掘したことが知られているが、CINDAQチームによって発見された古代の採掘地は、現在水没しており、そのような鉱物の搾取は、数千年前に行われていたことが分かっている。

最終氷河期の終わりに、勇敢な鉱山労働者は松明を手に、これらのトンネルの奥深くに足を踏み入れていた。それらが残したナビゲーションマーカー、採掘破片、炉跡、発掘坑は、現在完全に水中にある。この発見は、こ

D.キンタナ・ロー州を中心に、セノーテ・水没洞窟関連の遺跡は40件を超える。 E.CINDAQは、GIS(地理情報システム)を駆使し、大地の下に伸びる水中洞窟の情報を調べてきた。 F.写真実測技術を使い水没洞窟内での黄土採取跡の遺構を3次元化。360度カメラを洞窟に持ち込み、高解像度で記録。どのような資源が採掘されていたかを調べ、この採掘地がいつ使われていたのかを明らかにするため、火起こし跡の炭化物からの放射性炭素年代測定用試料、露出した黄土を採取。この非常に重要な遺跡を、完全で詳細なかたちで記録するために、CINDAQチームは、100回以上、水中で、合計600時間にも及ぶダイビングを行った。全員で19名ものダイバーがマッピング作業。加えて100時間にも及ぶダイビングが、3次元写真測量のモデルに必要な約18,000枚の写真撮影に費やされた。これらによって3次元仮想空間が出来上がり、研究者は、水没洞窟の奥深くに隔たった、地下の採掘場所に、"ヴァーチャル"アクセスして研究することができる。 G.数キロの水中洞窟を潜水調査するための水中スクーター。 H.洞窟奥深くに潜り込み、黄土採取を行う。古代マヤ人が鉱物を積み上げた痕跡が残る。 I.人がようやく通れる道はかつて空気があったが、今は完全に水没している。(写真提供:いずれもCINDAQ, Samuel Meacham, Julien Fortin)

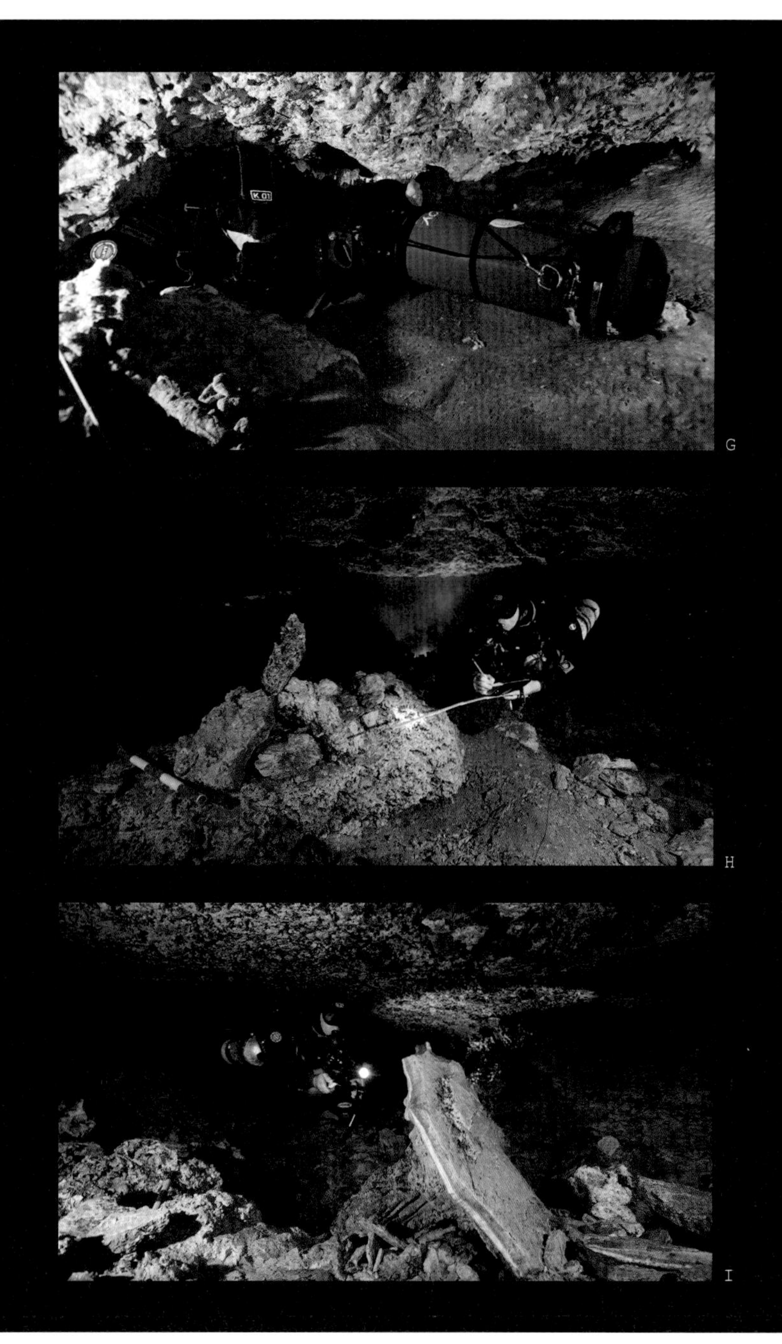

G

H

I

の地域の初期住民の社会性や行動様式の複雑さを理解するのに役立つ可能性がある。

この新しい研究は、大きなリスクを冒すことを厭わないほど、彩色原料である黄土入手が、初期住民(パレオ・アメリカン)の文化と生活にとって、不可欠か、あるいは少なくとも重要な意味をもっていたことを示している。赤黄土色は、人類の歴史上、使用されてきたなかでも最も一般的と分類される無機質塗料である。これは、人類の進化の発達と行動の複雑さの重要な要素であると考えられている。

黄土の鉱物は、岩絵、埋葬場所、彩色物、個人の装飾に使用するために収集されてきた。黄土は薬効があるかもしれないとも考えられてきた。10,000年以上前の鉱物採掘は、ようやく400年前になって文書化され始める、地質原理の始原期の適用事例とも言える。1万2千年前のユカタン半島で、地上より地底に続く穴に落下して死亡した10代少女ナイア(Naia)の遺骨が見つかった水中洞窟ホヨネグロ(Hoyo Negr)の探検は、特に3次元写真測量とバーチャルリアリティを使用しての、研究技術を進化させた。これらの水没した洞窟に見られる豊富で多様な動物・植物遺存体によって、科学者は氷河期のアメリカ人の環境を再現することを可能にした。

CINDAQは、8,500メートル以上に及ぶ洞窟構造の高精細マップを作成し、黄土採掘地と特異な地形を、写真測量によって計測、記録。将来を見据えて、全てのプロジェクトで、水中文化遺産保護条約を順守し、引き続き水中洞窟遺跡の記録に取り組んでいる。

(文:木村淳)

Lake Matano Ruins

マタノ湖底遺跡に散在する遺物群とその調査風景。

S ULAWESI / INDONESIA

発掘されたインドネシア初の湖底遺跡

スラウェシ島のマタノ湖底遺跡

インドネシア

マタノ湖に存在したかつての集落跡

東南アジアでは海底遺跡の研究は盛んだが、湖底遺跡を対象とした水中考古学的な研究はまだほとんど実践されていない。このような状況に対し、インドネシア国立考古学研究センターは、スラウェシ島のマタノ湖に沈む湖底遺跡での水中考古学的調査を2016年より進めている。スラウェシ島は東インドネシアで最大の面積を誇る島となり、その中心部となるマカッサルは古来より、この多島海世界における海上交易の一大拠点であった。その海上交

背後の山はかつては草地化されていたと推定される。
周辺にはココヤシなども多かったであろう。
湖底の調査結果から当時の集落はこうした杭上家屋（水上家屋）だった可能性が高い。
水上ではアウトリガーカヌーなどによる人や物の往来があった。
A

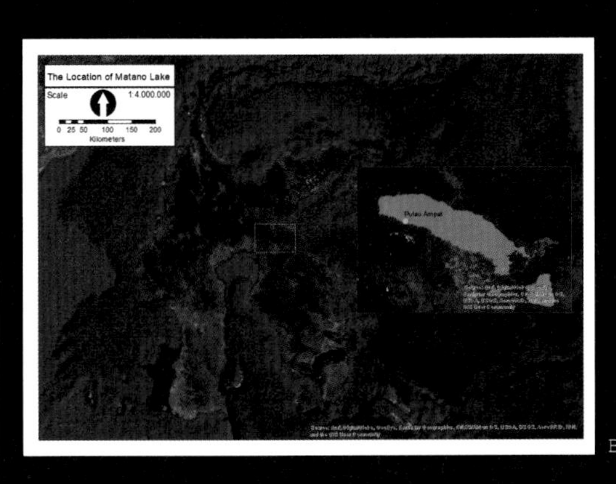

The Location of Matano Lake
Scale
1:4.000.000
0 25 50 100 150 200
Kilometers
B

C

A. 湖底に沈んだ在りし日の水上集落とその周辺の復元イメージ。 **B.** スラウェシ島とマタノ湖の位置。 **C.** 現在のマタノ湖畔と遺跡周辺の様子（写真提供：Pusat Nasional Penelitian Arkeologi Indonesia）。

易を担った主要民族としてブギス人やマカッサル人が知られる。

マタノ湖はスラウェシ島の東南部、標高300mと山岳地に位置する湖である（B,C）。東南アジアにおいては最も深い湖として知られ、その最大水深は500m以上に及ぶ。マタノ湖とその周辺域は、インドネシアにおける鉄の一大生産地としても古来より知られてきた。とくにこの地域の鉄は、良質なニッケルを多く含むクオリティの高さでも有名である。

このマタノ湖の湖畔近くに、アンパット島という小島がかつて存在し、その沿岸に杭上家屋からなる水上集落が形成されていた痕跡が、インドネシア国立考古学研究センターによる水中考古学調査で発見された（A）。現在の湖畔にはそうした集落の面影は一つもなく、その周囲は二次林に覆われている（C）。しかし潜水調査では、水深3〜15mの浅い湖岸の底に多数の杭や、日常的に利用されたと推測される土器片や石器、食糧残滓となる動物骨、そして金属器からなる遺物群が散乱している状況が明らかとなった（D-I）。土器は金属器時代に流行した様式が主流である。また金属器には完成品のほかに無数の鉄屑が確認され、この湖底に沈んだ集落には、鉄製品を製作する鍛冶屋たちが暮らしていた可能性が指摘されている。

マタノ湖の鉄製品と交易網

マタノ湖で産出される良質な鉄は遅くとも8世紀までには、インドネシアの島々で広く知られていたようだ。たとえばジャワ島のボロブドゥール遺跡やプランバナン遺跡といった寺院群の建設

D

D.マタノ湖底遺跡の土器を確認している調査風景(写真提供:Pusat Nasional Penelitian Arkeologi Indonesia)。 E.マタノ湖底遺跡より出土した金属製斧の一部(写真提供:Pusat Nasional Penelitian Arkeologi Indonesia)。 F.マタノ湖底遺跡より出土した土器の3D写真(金属器時代に特徴的な文様がみられる。写真提供:Pusat Nasional Penelitian Arkeologi Indonesia))。 G.クリスの鋳造風景(Pande Putu / Alamy Stock Photo)。H.I.マタノ湖底遺跡より出土した鉄製品の事例(写真提供:Pusat Nasional Penelitian Arkeologi Indonesia)。 J.マタノ湖の水上風景と調査員(写真提供:Pusat Nasional Penelitian Arkeologi Indonesia)。 K.マレー式ふいご(写真提供:CPA Media Pte Ltd / Alamy Stock Photo)。 L.クリス(写真提供:Wirestock, Inc. / Alamy Stock Photo)。 M.マレー式に正装した際のクリスの利用例。

Lake Matano Ruins

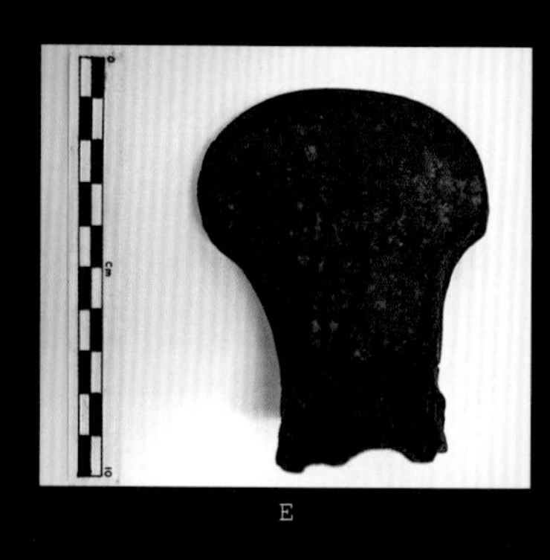

E

F

G

の際にも、石財となる安山岩の加工に良質な鉄製品が必要であり、マタノ湖やスラウェシ島産の鉄への需要が高まった。またその後もマタノ湖の鉄製品は、マジャパイト王国の時代から現代にいたるまで、クリスといった鉄製の剣として人気を博してきた。クリスとは、ジャワやマレー世界で広く知られるクランク状に曲がった特徴的な形状をもつ短剣であり(G,L)、一般的に木製の鞘とセットとなる。マレー世界では貴族階級や武人の必需品として毎日身に着けられ、また儀礼などでも欠かせない道具の一つでもあった(M)。世代を経て代々継承される貴重品としての側面もあり、美術的に価値の高いものも少なくない。

マタノ湖の湖岸にはかつてそんなクリスの素材となる鉄の精錬作業が行われ、舟や陸路でマカッサルやジャワ島などの各地に輸送されたのであろう。また鉄の精錬は、マレー式ふいごと呼ばれる方法で行われたと推測されている。これは炉にふいごで空気を送り、加熱温度を高めて鉄を溶かす方法である(K)。比較的シンプルで、容

H

I

J

K

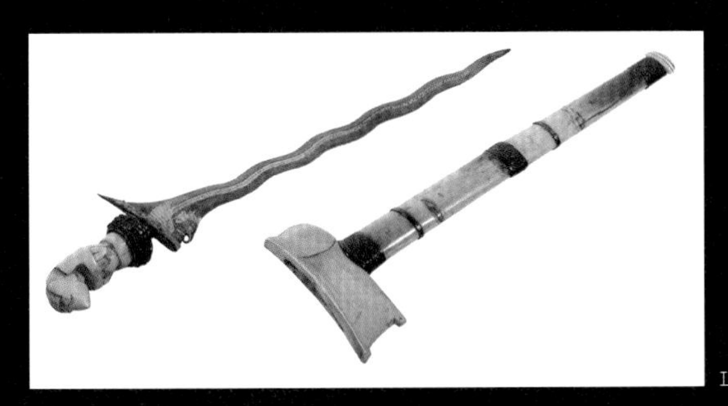

L

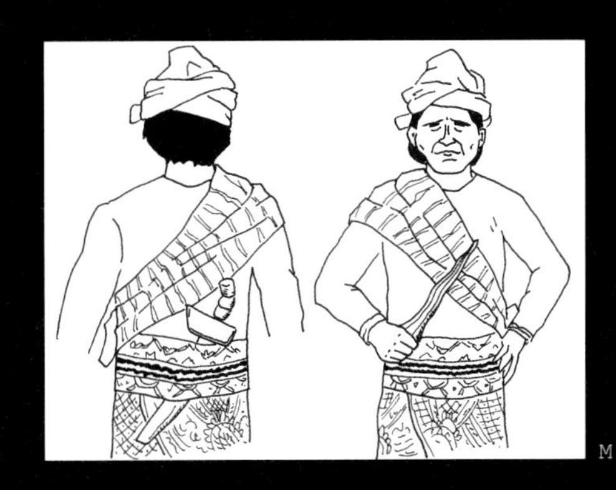

M

易に炉を作れることもありマレー半島からインドネシアの島々では、こうした方法で鉄や金属製品が精錬・製作された(G・K)。水中考古学の調査では、こうした炉跡はまだ発見されていないが、湖底に大量に散らばる鉄屑はそうした作業がかつてこの湖岸域で行われていたことを示唆している。

しかし現在、マタノ湖の湖岸にそうした集落の姿は見られず、うっそうと茂る森が広がるのみだ。村々はなぜ消えてしまったのであろうか。その一つの要因として考えられているのは地震による影響である。スラウェシ島を含め、インドネシアの島々は活発な火山帯に位置しており、古来より巨大地震や津波といった自然災害による被害を受け続けてきた。こうした巨大地震や津波により、沿岸や湖岸の集落は崩壊と再生を繰り返してきたと考えられている。マタノ湖の場合は、ある時点でその再生が止まり、人々は別の土地に移動してしまったようだ。その結果、今では静かにたたずむマタノ湖の湖底にかつての人々の暮らしや活動の痕跡が残されるのみとなった。スラウェシ島において先史時代に起こった地震や津波の考古・地質学的な研究は、まだ発展途上にあるが、今後の研究でマタノ湖の集落がいつ頃に崩壊したのか明らかにしていく必要がある。

(文:小野林太郎/シナトリア・アディトヤタマ)

Nishihama Senken Site

S HIGA / JAPAN

語り継がれる大災害の伝承

西浜千軒遺跡

日本

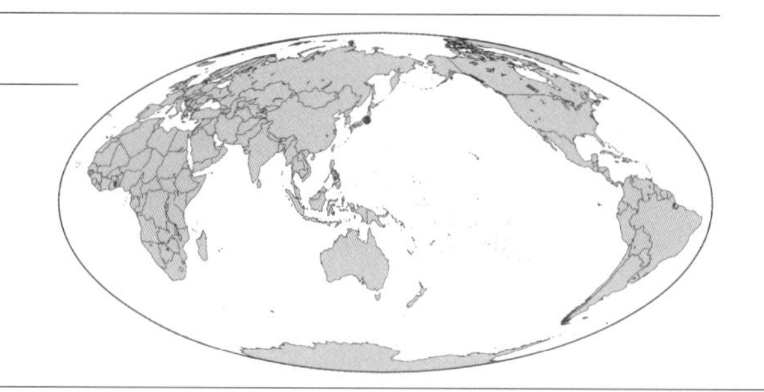

琵琶湖の湖底遺跡

日本最大の湖である琵琶湖は約670㎢の面積を有し、滋賀県の面積のおよそ6分の1を占める。その歴史は古く、始め約400万年前に三重県伊賀の上野盆地で発生した古琵琶湖は、その後の堆積・地殻変動の作用によって次第に移動し、約30～40万年前には現在の位置に、そして約1万～1万5000年前には、現在とほぼ同じ形になったとされる。

こうした長い歴史をもつ湖に、人々は古くから密接に寄り添って生活を営んで

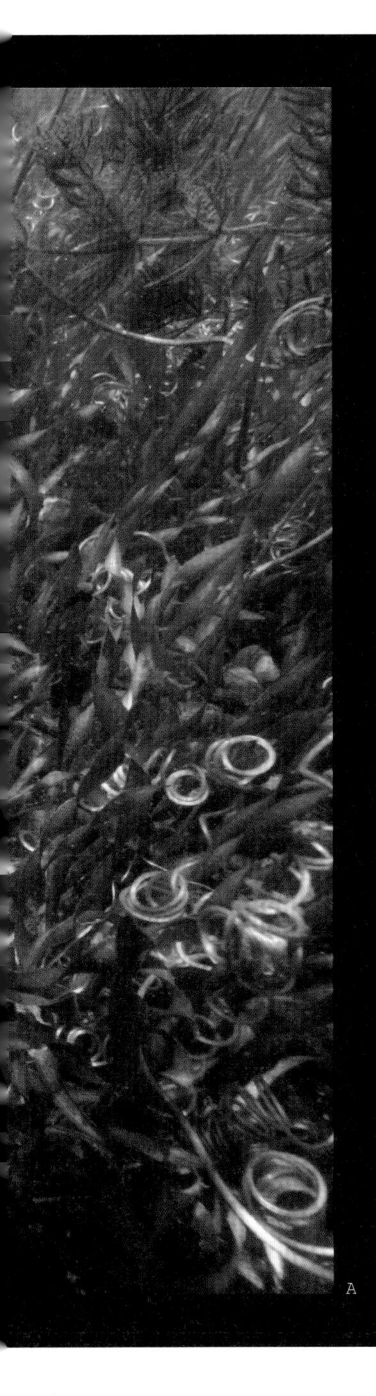

A. 水深0.5m程度の浅い水域で確認された五輪塔の部材（空風輪）。南北朝時代に作られたものが、安土桃山時代まで伝世したと考えられる。 B. 水深約1.3mで確認された中世墓。山石を並べて作られた簡素な形態で、一辺が0.4～1.2m程度の方形区画を形成している。C. 五輪塔は一般的には複数の部材に分けて作られるが、このように一石で作られるものもある。なお当遺物は、空風輪を欠損している。（写真撮影：いずれも中川永）

きた。その結果、知られているだけでも、約100箇所の湖底・湖岸遺跡が存在している。

災害による水没の伝承地

琵琶湖湖底遺跡の中でも、とりわけ特徴的であるのが水没伝承遺跡である。「かつて集落が存在したが、地震や津波により湖底に沈んでしまった」と古記録や口伝が残る。長浜市の西浜千軒遺跡もその1つで、「かつて祇園村の西には西浜村と呼ばれる集落が存在していたが、室町時代の寛正（かんしょう）年間（1460～1466年）の大地震によって湖底に没した」と伝えられている。しかし当該期に大規模地震が発生したという記録なく、また地震の時代を寛文（かんぶん）2年（1662）とする異説もあり、ますます判然としない。

複雑な時代背景を有する遺跡

調査を進める中で、西浜千軒遺跡は非常に複雑な要因によって成立したことが明らかとなった。大きな特徴として、当遺跡は大きく①8世紀前後、②12世紀前後、③16世紀という画期を持つ点が挙げられる。

遺跡の成立期にあたる①8世紀前後は、周辺は大規模な河川の河口部にあたり、流下した礫が沖合に向かい堆積することで、三角州が形成されていった。三角州は現在では完全に水没しているが、測量の結果、河口部の幅が約250mにもなる河川であったと判明した。

この三角州を形成する礫に混ざるように、奈良時代から平安時代にかけての須恵器が数多く確認されている（D・E）。これらは内陸の集落遺跡から流れてきた遺物と考えられる。ただし遺物の中には、上流から流れてきたと考えるに

D

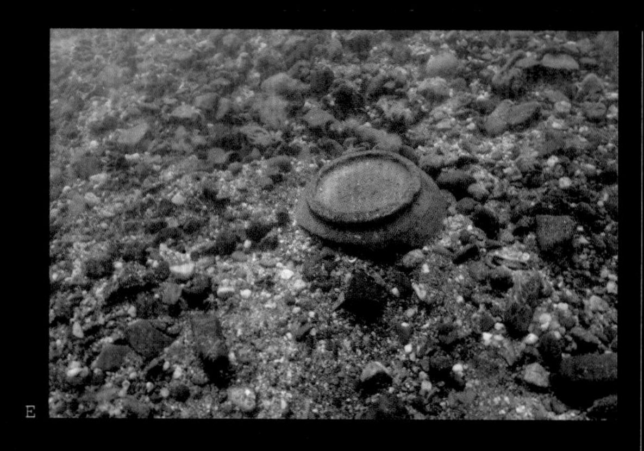

E

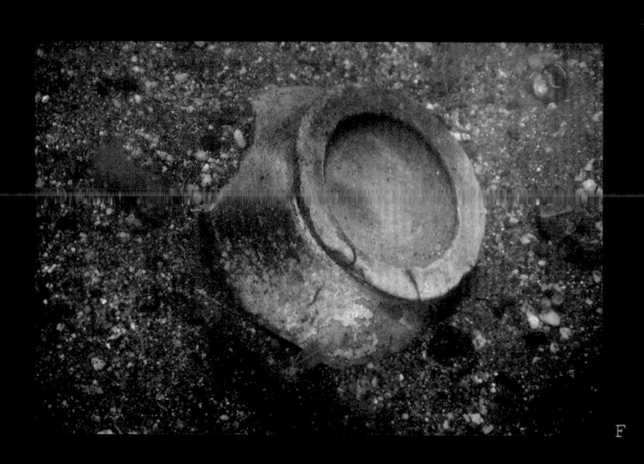

F

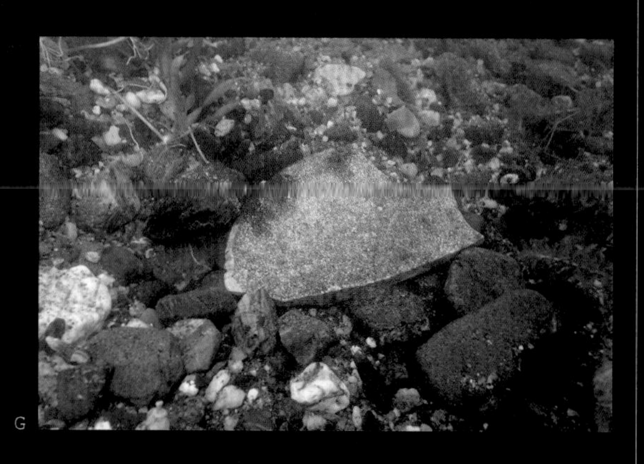

G

Nishihama Senken Ruins

D.三角州を形成する礫が、沖合に向かって傾斜している様子。写真右から左に向かい、地形が落ち込む様子が分かる。 E.須恵器と呼ばれる焼き物で、有台杯（高台のある浅い器）の底部破片。平安時代始め頃の遺物で、同時期の遺物が数多く確認されている。 F.尾張地方で生産された、8世紀頃の瓶類の底部破片。尾張は古墳時代の大窯業生産地であり、生産された陶器は全国へもたらされた。 G.尾張または美濃地域で生産された灰釉陶器の小皿。10世紀後半頃のもの。破面がシャープで、流通過程で廃棄された可能性もある。 H.山茶椀と呼ばれる陶器の底部破片。尾張地域を中心に生産され、平安時代後期から鎌倉時代にかけて、東海地方を中心に広く用いられた。 I.白磁碗の底部破片。中国で生産されたもので、これまで2点確認されている。山茶椀（H）と同時期の遺物である。 J.湖底に立ったまま水没している阿弥陀如来坐像。本来は細かな造形で飾られるが、写真の遺物は16世紀末頃に作られた粗製品である。 K.調査水域が、湖岸近くのごく浅い環境であることが分かるだろう。湖畔は漁業や水運に便利だが、環境変動の影響を強く受ける場所でもある。 L.遺跡の測量風景。水深が非常に浅く、陸上と同様の調査器材や、調査方法を用いることができる。水中考古学入門の格好の場である。（写真撮影：いずれも中川永）

は、摩滅度合いが低いものも多く含まれている。それらは尾張国（愛知県西部）や美濃国（岐阜県南部）など遠方の製品であることから(F・G)、湖上水運を利用した流通過程の一時的な寄港地として、三角州を利用した小規模な湊の存在も予想される。このような状況は概ね10世紀頃まで続き、11世紀前半にはほとんど遺物が見られなくなる。

続く②12世紀前後には、先述した三角州のうち、東西約40m×南北約50mという限られた範囲に集中して、中世陶器である山茶椀（H）が確認される様になる。山茶椀の他に、ごく少量の白磁碗（I）や常滑焼の甕が認められるが、調理形態の遺物、つまり鉢や鍋等は全く認められず、およそ日常生活の空間とは考え難い。また、硯として転用された山茶椀も含まれ、当時としては珍しい識字階層の存在も示唆される。このような特異な状況が成立した背景として、周辺では保延年間（1135〜1141年）に祇園社感神院領坂田保（祇園保）が成立し、この経営に係る人物・集団による祭祀活動の存在も予想される。あるいは前段階と同様に小規模な湊の存在も予想し得るが、結

H

I K

J L

論に至るには今しばらくの時間を要する。

伝承の西浜村に関わるのは③16世紀のことである。この頃の特筆すべき遺構としては中世墓がある。墓地は山石を組み合わせた大小の区画で構成され(B)、周辺には五輪塔と呼ばれる石塔や(A・C)、阿弥陀如来坐像(J)が配される。石造物は現在でも地元の祠や墓地に祀られるもので、地域性を色濃く反映した遺構・遺物であると言えるだろう。

『西浜村水没伝承』の実態

遺跡の全体像について概観してきたが、ここで1つの重要な問題に気付くだろう。それは、西浜村の水没は「寛正年間(1460〜1466年)」または「寛文2年(1662)」と伝承されてきたが、そのいずれとも符合する遺構・遺物が確認されていないのである。一体どういうことであろうか?

その答えは、歴史の中で生じた伝承の変容にある。遺物が示す遺跡の最終年代は、石造物が作られた16世紀末である。当時の近畿・東海・北陸地方では、史上最大級の地震とされる天正(てんしょう)大地震(1586年)が発生している。マグニチュード7.8とも推定されるこの地震については、宣教師ルイス・フロイスが長浜地域の状況について『(千の戸数があったが)地震が起こり、大地が割れ、家屋の半ばと多数の人が飲み込まれてしまい、残りの家屋は炎上し灰燼に帰した』と甚大な被害を記録している。このことから、西浜村は天正大地震により湖底に没したと考えるのが妥当であろう。つまり「てんしょう」→「かんしょう」→「かんぶん」と、人々の記憶や古記録が次第に変容していったと考えられるのである。(文:中川 永)

Lake Site off the coast of Asazuma

A

A.湖底に沈む扁行唐草文軒平瓦。愛知県名古屋市の東山地区周辺で生産され、平安京方面への輸送の際に水没したと考えられる。

SHIGA

東海地方と平安京を繋いだ、湖上交通の要衝

朝妻沖湖底遺跡

日本

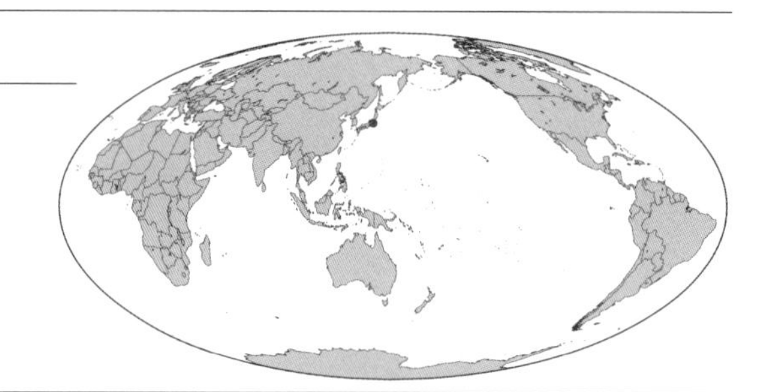

東海地方と平安京とを繋ぐ大動脈

『磯の崎　漕ぎ廻み行けば　近江の海　八十の湊に　鶴さはに鳴く（意訳：磯の崎を漕いで回っていくと、琵琶湖のたくさんの湊で鶴が鳴いているよ。）』

万葉集に収められたこの和歌は、持統・文武朝の下級官人であった高市連黒人が、旅中に詠んだものである。琵琶湖には古くより数多くの湊が営まれ、明治時代に鉄道網が整備される以前は、京都と各地を繋ぐ大動脈となっていた。

朝妻沖湖底遺跡は、そうした古湊の

B

C

B.湖岸から遺跡周辺の風景を眺める。古代から中世にかけて、数多くの舟が行き来する、いわばターミナルであった。C.湖底の様子。透明度は2m程度である。多様な水草や魚類にあふれており、豊かな自然を感じながら調査を行っている。(写真撮影:いずれも中川永)

1つである朝妻湊の一部と推定される遺跡だ。湊は琵琶湖の水位変動に代表される環境的要因や、あるいは政治的な意図よって場所を移すこともあり、詳細な場所を特定することは容易ではない。ここで紹介するのは朝妻湊のうち、平安代後期から鎌倉時代にかけて利用された水域の一部と考えられる。

朝妻湊と筑摩御厨

朝妻湊を語る上で欠かせないのが、1kmほど南に位置する筑摩御厨(みくりや)跡遺跡の存在である。「御厨」とは古代から中世にかけ、朝廷の食物を調達する機関や場所を示す。地元教育委員会が行った発掘調査では、皇朝十二銭の一つである「神功開寶」や硯、数多くの墨書土器や刀子(木簡を削るナイフ)等が出土している。これらは一般集落から出土する遺物とは性格が異なるもので、奈良時代から平安時代にかけて、官衙的色彩の強い地域であったことが分かる。

こうした地域性が、朝妻湊の発展と深く関わっていたことは想像に難くない。一例に、平安時代中期に編纂された延喜式(古代日本の法体系である律令の施行細則)には、既に公認湊として朝妻の名が記載されており、古くから営まれていた湊であることがわかる。また、朝妻の地名が記された最古の古文書には、永延2年(988)の『尾張国郡司百姓等解文(おわりのくにぐんじひゃくしょうらげぶみ)』がある。ここから、当時の尾張(愛知県西部)国司である藤原元命(ふじわらのもとなが)が、朝妻湊を経て平安京への物資を運搬させたことが分かる。このように、朝妻湊は日本史上重要な湊であり、その繁栄は古代から中世まで続いた。

調査地の環境

遺跡は滋賀県米原市朝妻沖合に位置する。現地は沖合100m付近まで、水深0.3～1.9m程度の遠浅な水域が広がっている(B)。底質は湖岸部付近では微細な砂粒で、沖合に向かうにつれて、大小の礫が混在するようになる。ネジレモを始め多様な水草が成育し、アユやハスなど魚類も多彩だ(C)。

このように自然豊かな湖底に、数多くの考古遺物が人知れず眠っている。遺物の年代を概観すると、飛鳥時代にさかのぼる須恵器に始まり、最も新しいものでは江戸時代の瓦などが確認されている。そして圧倒的に多いのが、朝妻湊に係る遺物、つまり平安時代後期から鎌倉時代の遺物群である。

朝妻湊に関わる多くの遺物

湊に関わる遺跡の特長として、①流通途中の積み荷と、②湊の運営に携わる人々や船乗りの生活に係る道具、という2種類の遺物が確認される点が挙げられる。朝妻湊において、前者に該当する代表的な遺物には、尾

J

K

Lake Site off the coast of Asazuma

D.山茶椀。底部を上にした状態で発見された。尾張地方を中心に大量生産された陶器であり、周辺地域へ広く流通した。 E.山茶椀と同様、尾張地方で生産された中世陶器の鉢破片。現在の擂鉢のように、調理器具として利用されていたと考えられる。 F.常滑焼の大甕。確認されるのはいずれも破片だが、復元される直径が80㎝以上にもなる、非常に大きな陶器である。 G.かわらけ。低火度焼成された軟質の焼き物である。写真の遺物は口縁部に煤が付着し、燈明皿として利用されたことが分かる。 H.瓦質土器の羽釜破片。煮炊きに利用された遺物である。瓦質土器とは、素焼きの焼き物を燻し焼き、表面に炭素を吸着させたもの。 I.白磁碗の破片。玉縁状に飾られた口縁部の意匠が確認できる。中国で生産されたものが舶来し、各地へ流通した。 J.常滑焼の大甕とダイバー。浅瀬の調査はシュノーケリングで行うことが多いが、作業内容によってはスキューバダイビングを行う。 K.航空写真から推定復元される旧地形。条理地割の乱れから、過去の河川流路や、内湖の存在を検討することができる。(写真撮影・作画：中川永)

張地方を代表する窯業生産地・猿投(さなげ)山西南麓古窯址群(やませいなんろくこようしぐん)(猿投窯)で生産された瓦がある(A・L・M)。写真Aに示したのは扁行唐草文軒平瓦であるが、極めて近似した文様の瓦が、名古屋市東山丘陵の中世陶器窯である植田三七川原窯や、H-G-8号窯から出土している(N・O)。これら瓦は、当時の末法思想に伴う危機意識が社会に広く浸透し、その対応のため数多くの寺院建立が進められていた平安京や周辺地域で使用されたものである。

他にも尾張地方で生産された遺物が数多く確認されている。それらは運送であると同時に、運送過程で商品となり、湊周辺での生活雑器としても用いられた。代表的な遺物である山茶椀や鉢(D・E)は、近江(滋賀県)湖東地域までを主な流通圏としていた製品で、一部は平安京までもたらされた。また常滑焼の大甕も数多く確認されており、これらは水甕等として用いられるだけでなく、瓦や山茶椀を運搬するためのコンテナとしても利用されと考えられる(F)。

これら尾張産の製品以外にも、在地産の焼き物であるかわらけや(G)、瓦質土器の羽釜(H)、また中国からもたらされた白磁碗(I)など多様な生産背景をもつ遺物が確認されている。当時の賑わいを偲ばせる遺物組成と言えよう。

朝妻湊を支えた立地と社会構造

先にも述べた通り、湊は環境変動や政治的な要因によって位置を変えることがある。つまり、その時々の時代背景の中で最もふさわしい場所に湊が営まれたということであり、翻って言えば、平安時代後期から鎌倉時代に

L

Lake Site off
the coast of Asazuma

M

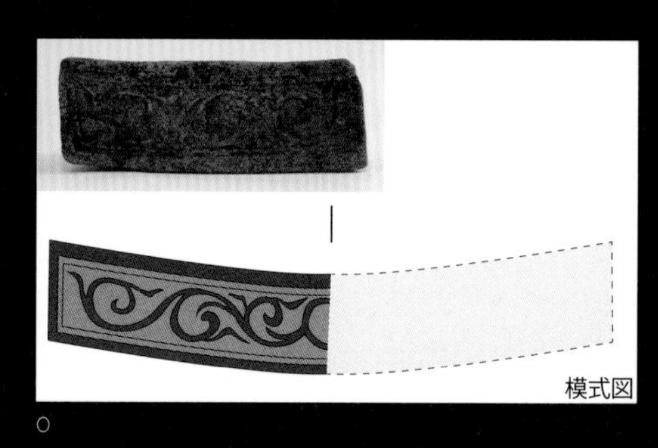

N

模式図

O

L.東山スカイタワーからの景観。手前に広がるのが東山丘陵の一部。また、右手奥には伊吹山がそびえ、美濃国・近江国へと至る。M.発掘調査が行われたH-G-8号窯の様子。東山動物園内の斜面地において、中世陶器を生産した窯6基と炭焼窯1基が密集して確認された。当時の大規模な窯業生産の一端を物語る遺構である。N.H-G-8号窯から出土した扁行唐草文軒平瓦。尾張地域は、古墳時代以来の窯業生産地として、平安京を始め各地へ製品を供給していた。 O.朝妻湊で発見された扁行唐草文軒平瓦。破片であるが、写真Nと極めて似通った文様構成であることが分かるだろう。(写真提供:いずれも名古屋市教育委員会 文化財保護室)

かけての湊に適した立地が、調査地周辺には存在したということである。この要因は、ミクロ的視点では朝妻湊周辺における地形的な特徴に、マクロ的視点では東西日本を結ぶ地理的な特徴にあった。

ミクロ的視点としては、今では失われてしまった旧内湖(ラグーン)の存在が重要である。内湖とは琵琶湖周辺に立地した大小の付属湖のことで、琵琶湖とは河川や水路によって接続していた。琵琶湖は内陸の湖とはいえ、その大きさから海と変わらない荒れ模様を見せることも多い。そうした中、琵琶湖から隔たれた内湖は荒波を避けられる天然の寄港地として、湊とするのに最適の立地であった。図Kは昭和23年に撮影された航空写真だが、条理と呼ばれる地割の乱れから、調査地に注ぐ天野川の旧流路がかつて湖状に広がっており、内湖を形成していたことが分かる。よって朝妻湊は天然の良港である内湖を中心に成立し、調査地付近は内湖から琵琶湖へと繋がる河川の河口部、つまり湊が琵琶湖へと接続する位置にあたると推定されるのである。

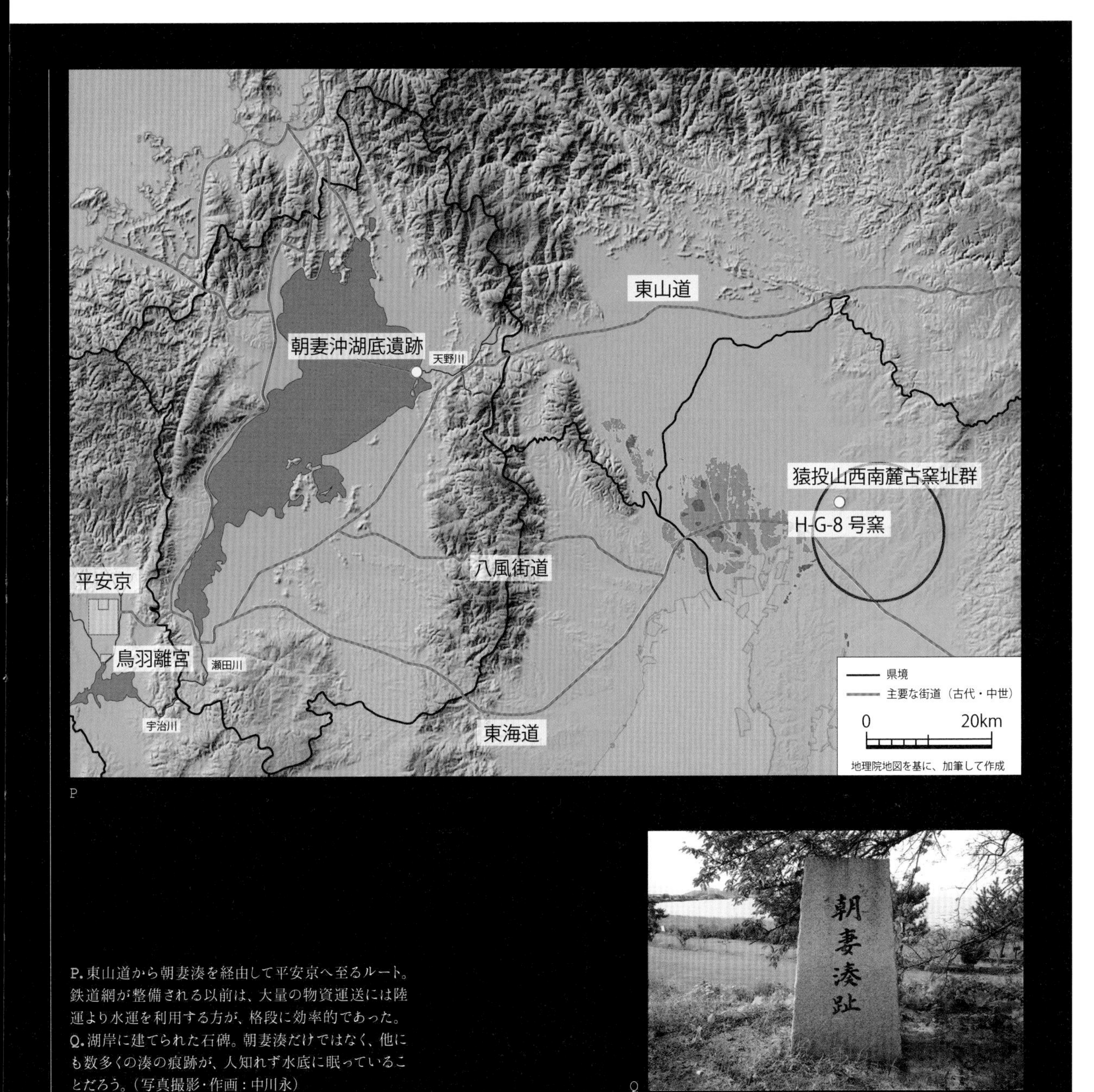

P. 東山道から朝妻湊を経由して平安京へ至るルート。鉄道網が整備される以前は、大量の物資運送には陸運より水運を利用する方が、格段に効率的であった。
Q. 湖岸に建てられた石碑。朝妻湊だけではなく、他にも数多くの湊の痕跡が、人知れず水底に眠っていることだろう。（写真撮影・作画：中川永）

次にマクロ的視点として重要であるのが、朝妻湊が古代の東山道を経て、平安京に物資を結ぶ際の拠点となる点だ。図Pに示した通り、東山道は美濃国（岐阜県南部）を経由し近江国へ至る。その後、東山道を外れ西進することで、先述した天野川旧流路の内湖、つまりは朝妻湊にたどり着くのである。こうした地理的特徴からも、都に至る水運の玄関口である朝妻湊の重要性を知ることができるだろう。このように多くの物資が、朝妻湊を起点に各地の湊を経由し、琵琶湖から瀬田川、さらに宇治川を経て、平安京や鳥羽離宮など、全国最大の消費地へもたらされたと考えられる。

朝妻湊のその後

古代から栄えていた朝妻湊だが、その繁栄にも次第に陰りを帯びるようになる。大きな影響を与えたのが、天正年間（1573～92年）に長浜城主となった羽柴（豊臣）秀吉による長浜湊の整備や、慶長8年（1603）に彦根藩が開いた米原湊の整備とされる。特に米原湊は、朝妻湊に近い立地にありながら彦根藩の厚い保護を受けた。これにより朝妻湊の貨客が激減し、衰退の道を辿っていくのである。しかし米原湊もまた、明治時代に鉄道網が整備されることで、その役目を閉じることとなる。それは奇しくも、近代日本の始まりと共に、古代より物流を支えた琵琶湖水運が、終わりを告げたかのような出来事でもあった。

現在、かつての朝妻湊の周辺には、往事の繁栄を物語るような痕跡は何一つ残されてはいない。琵琶湖湖畔にはわずかに、『朝妻湊趾』と刻まれた石碑が建つばかりである（Q）。

（文：中川 永）

Port Royal

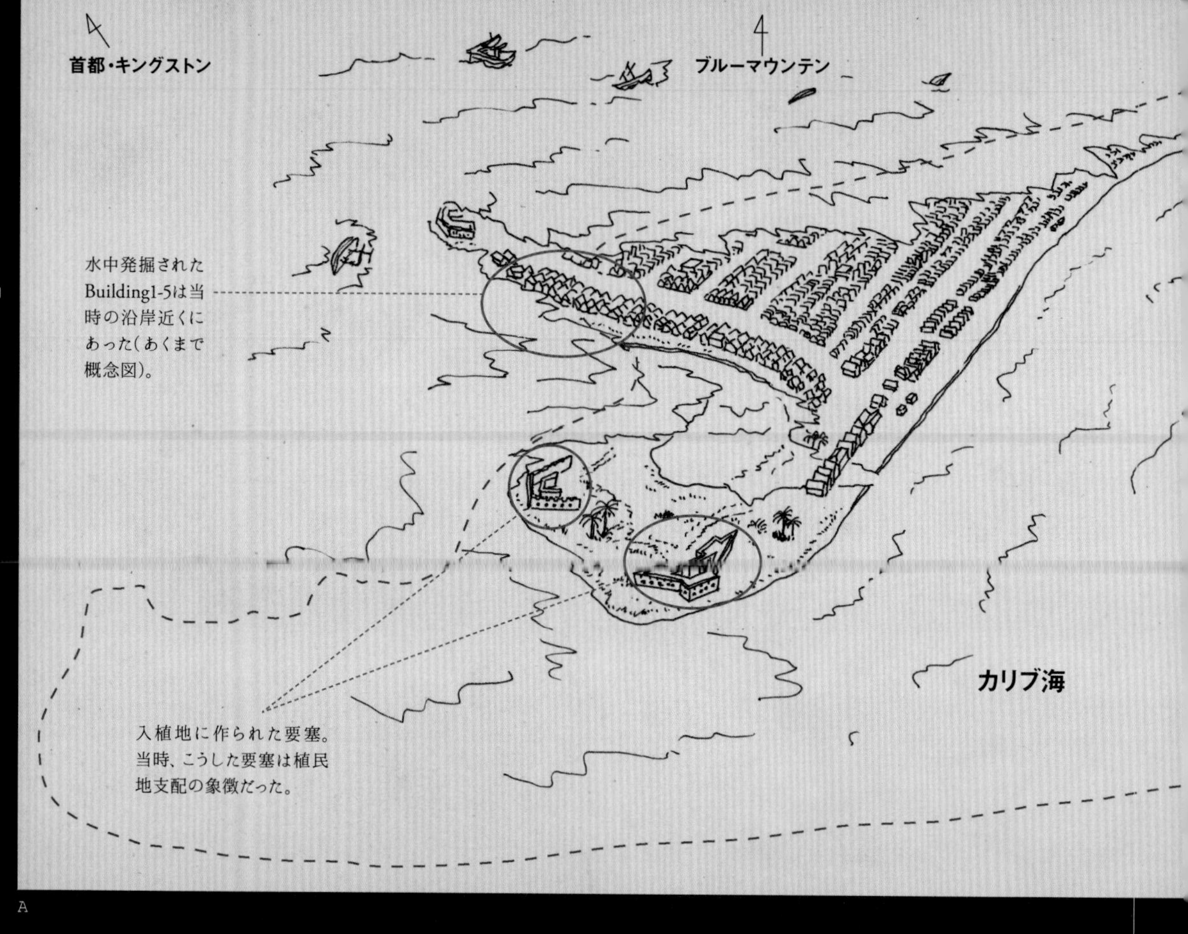

首都・キングストン
ブルーマウンテン
水中発掘された
Building1-5は当
時の沿岸近くに
あった(あくまで
概念図)。
入植地に作られた要塞。
当時、こうした要塞は植民
地支配の象徴だった。
カリブ海

A

A.ポートロイヤル壊滅のイメージ。ポートロイヤルは、ブルーマウンテンを背後にした現在のジャマイカ首都キングストン沖、砂嘴(さし)に位置していた。植民地として砂嘴の先端の高台に要塞を備え、沿岸にも居住区があったが、自然災害で大きく地形を変えた。 B.発掘された建物群近くの貯水槽。 C.海底出土汚物容器。(写真提供:いずれもDonny L. Hamilton, Director, Port Royal Project, Nautical Archaeology Program, Texas A&M University)

JAMAICA

地震と津波で壊滅したカリブ海賊の街

ポートロイヤル

ジャマイカ

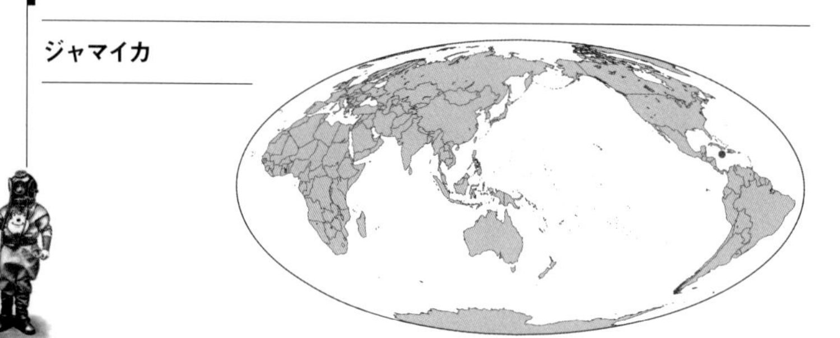

カリブ最大の港

水中遺跡のなかには、地震や津波といったカタストロフィックな自然災害で、水底に没した悲劇的な遺跡がある。海上シルクルート都市として繁栄した、イラン沿岸の、港市シラフの977年の地震による壊滅は、歴史的によく知られる。17世紀のカリブ海の航海者の根拠地であったイギリスの植民港市ポートロイヤルも、地震津波に襲われた災害遺跡として、ジャマイカ沖海底にその痕跡が残る。

17世紀以前から、カリブ海島嶼国

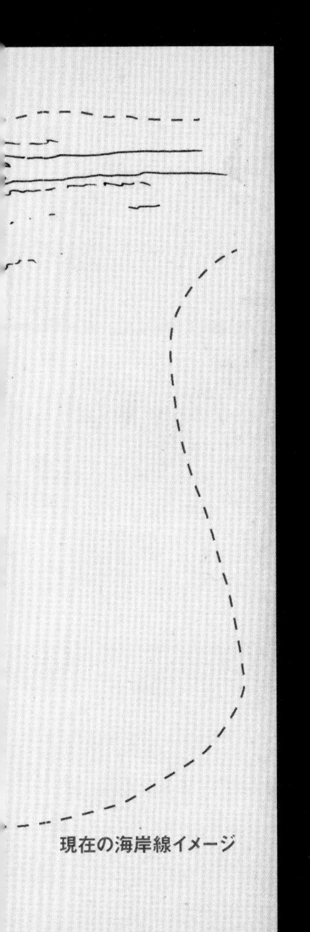

B

C

の一つジャマイカは、ヌエバ・エスパーニャ副王領の勢力下、スペイン支配を受けていたが、1655年、イギリスのピューリタリン革命の指導者オリバー・クロムウェルが送った軍隊によりこの小島は占領された。スペイン植民地支配が進むカリブ海において、クロムウェルが貿易拠点を欲したことが、その理由であった。

ポートロイヤルは、城塞を備え、そのラグーン地形からカリブ海商船に利用しやすい港として発展した。1655－1692年の間に、アメリカ大陸におけ

左の建物がbuilding4、右の建物がbuilding5。これらの建物からはピューター製品が(p090)が見つかっている。
3棟続きのこの建物には煙草屋(パイプ屋)、居酒屋、靴職人が入居していたと考えられる。
集落のすべての建物は2階建ての作りとされていた。

海底では5棟の建物が発掘された。右端のBuilding 4・5では、多くの遺物が災害時のままで発見された。

EXCAVATED AREAS
of
OLD PORT ROYAL, JAMAICA

SEVENTEENTH-CENTURY SHORELINE
FORT JAMES
ca 200ft.
MARX 1966-68
INA
1981-1987
INA
1987-1990
BUILDING 1
BUILDING 2
BUILDING 3
BUILDING 4
BUILDING 5
BUILDING 6
BUILDING 7
BUILDING 8
1722 Wreck
Turtle Crawls
Wreck B
Wreck A
INA Wreck
N
XU-3
INA 1986
XU-1 INA 1981
FISHER'S ROW
LIME STREET
HIGH STREET
QUEEN STREET
STONE WALL
Present Shoreline
Old Naval Hospital and Grounds
UWI Marine Lab
GOJ 1
GOJ 2
GOJ 3
SIMON
BENNING
LEGEND
EXCAVATED AREAS
STRUCTURAL FOUNDATIONS
SHIPWRECKS
STANDING STRUCTURES
SCALE
Feet

水中発掘調査で作成された旧ポート・ロイヤル市街平面図。中央右上に、水没した建物群の位置が確認できる。（写真提供：Donny L. Hamilton, Director, Port Royal Project, Nautical Archaeology Program, Texas A&M University）

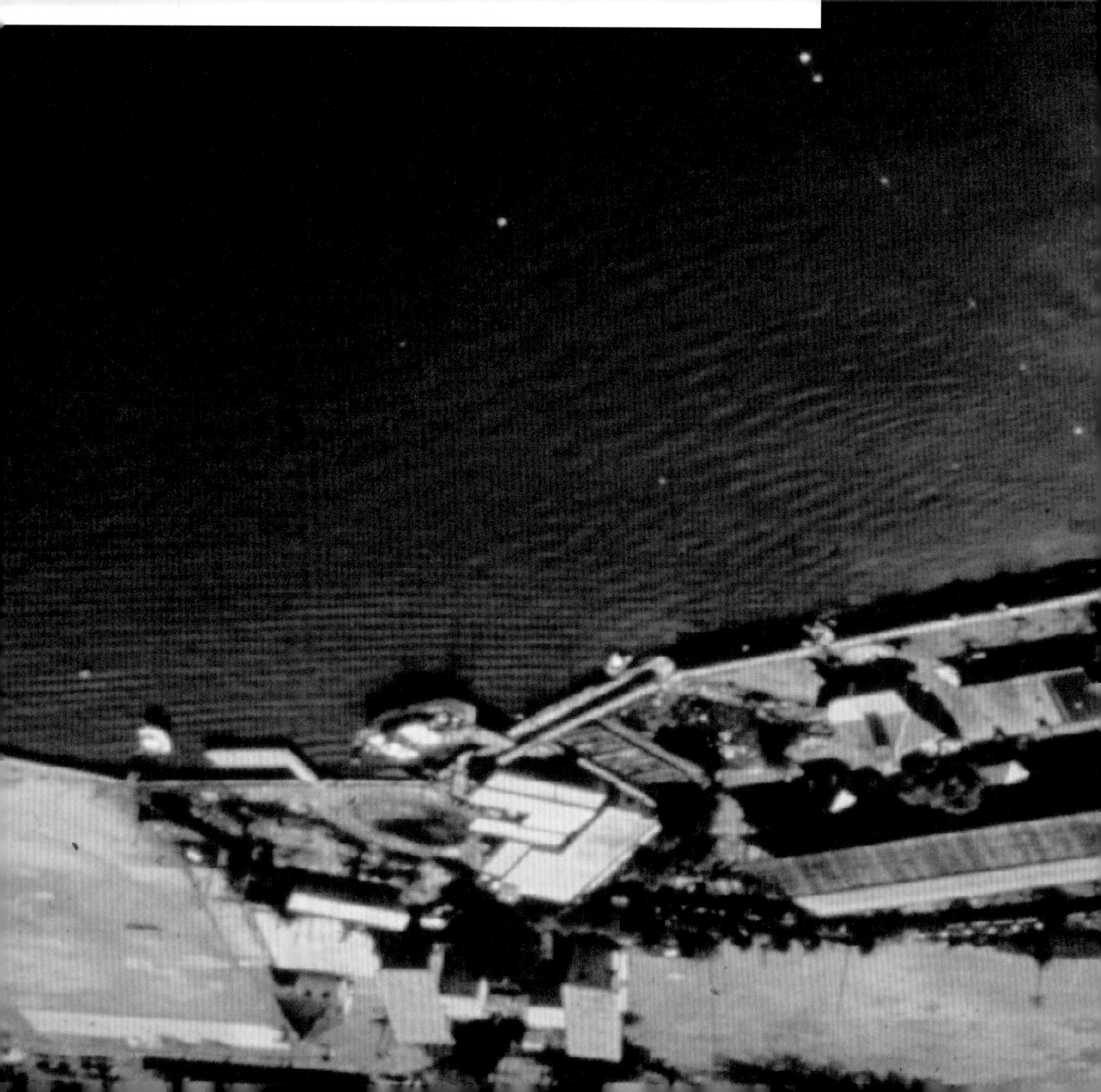

調査台船が浮
旧海岸線
で、海底に

Port Royal

る、商品、加工品さらには奴隷の供給地として、経済的に重要なイギリス植民地として成長とした。清教徒、カルバン派、ユダヤ信仰、教皇主義者など各宗教の人々が入り混じり、海賊や貿易商らよって、猥雑で奔放な空気が醸成され、自然災害で壊滅的損害を受けるまでに、人口は、7000－8000人にもなっていた。

しかし、その繁栄は突如終焉を迎えた。1682年6月7日の正午近く、巨大な地震が沿岸部を襲い、津波被害に見舞われ、海岸地帯の沈下で、町の一部は海に沈んだ。1961年に回収された懐中時計は、被災時刻の11:43で止まっていた。この災害での死者は、推定で2000名に上り、さらに3000名以上が、災害後の混乱や略奪のなかで、深刻なケガを負い、命を落とした。

ポート・ロイヤルを掘る

1981－1990年の10年に渡り、テキサスA&M大学船舶考古学研究所のドニーハミルトン博士とジャマイカ政府ナショナルトラストは、ポートロイヤルの水中考古学発掘調査に挑み、災害によって沈んだ歴史的な港の詳細解明を目指した。調査によって、現在のジャマイカ港海岸線に沿う形で、水没した町跡が沈んでいることが確認され、液化現象が発生したと考えらえられている。

海底に埋没していた遺物には、当時の皮靴や文書類など、腐敗して無くなってしまうような有機物も含まれていた。保存状態の多量の遺物は、繁栄の絶頂にあったイギリス屈指の植民地の日々の暮らしを明らかとすることに貢献した。

D

E

F

G

H

Port Royal

発掘調査は、17世紀の建物群跡が残るライム・ストリートと、その道に交差するクィーン・ストリートとハイ・ストリートという、当時の商業地の中心街で実施された。この区域に所在していた8棟の建物跡が発掘された。発掘では、水面からホースで空気を送気するフーカー式潜水で実施され、ダイバーは数時間、海底での作業に従事した。土砂を取り除くと、生活の跡であるレンガ敷きの建物の基礎が良い状態で残っており、一部には2階屋の階段基礎が残っていた。裏手で、石灰岩を組んで造られた円形の貯水槽が確認された建物もある。

多くの出土遺物は、災害による水没時の位置を保っていた。その種類は、17世紀の生活様式を再現するのに、他に例を見ない、一括性を示すもので、イギリス製の用具類、陶磁器、タバコパイプ、燭台や日用品などが引き揚げられた。一部は、イギリス国外生産の輸入品であり、中国製陶磁器、ドイツ製陶器類、スペイン製陶器壺などが含まれていた。小島であった17世紀の植民地での汚水処理は問題があっ

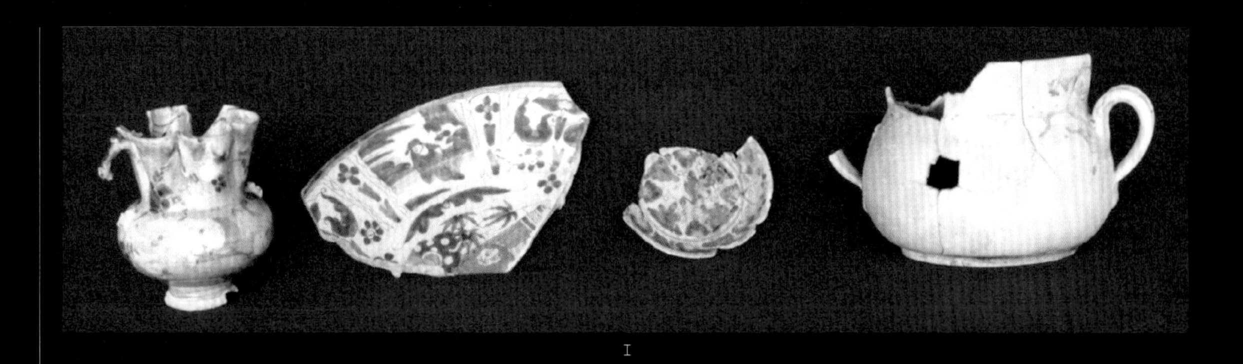

I

J

K

L

M

D.手で土砂を巻き上げ掘削機で吸い込む。 E.発掘されたガラス瓶にはコルク栓がそのままであった。 F.大型酒ジョッキ、皿類、スプーン、燭台などのピューター製品。 G.ポート・ロイヤル唯一知られるピューター職工Simon Benningは、自分が製作品の全てにパイナップルの意匠とSとBの刻印を入れた。 H.海底発掘中国製磁器碗。 I.輸入陶器、デルフト製陶器。 J.中国産輸入陶磁器類。 K.災害時に破損した可能性のあるピューター製品。 L.汚物容器。急激な人口増加に見舞われたポート・ロイヤルは下水設備が整っていなかったか。 M.イングランド産スリップウェア。泥漿(スリップ)とガレナ釉で文様を施した陶器。(写真提供:いずれもDonny L. Hamilton, Director, Port Royal Project, NauticalArchaeology Program, Texas A&M University)

たようで、汚物を捨てる陶器壺も多く見つかっている。

ポートロイヤルからは、皿や容器から成るピューター製の食器類が多く見つかっており、それらには"S"と"B"が刻まれているものがある。これは、ポートロイヤルに住んでいた唯一のピューター作りの職人であったサイモン・ベニングSimon Benningのイニシャルと考えられている。ある一つの建物跡(Building 5と調査チームが命名)から一式が揃った状態で発見された。なかには、"NCI"のアルファベットが刻まれた皿、銀製のフォークとスプーンがあった。これは作り手の職人の名前ではなく、使っていた人物の名前と考えられた。研究チームの丹念な文献調査は、ここに住んでいたある家族の名前を浮かび上がらせた。"N" athaniel "C" ookとその妻の"J" aneのイニシャルである(イギリスでは当時、"J"を"I"と表記した)。ナサニエル夫妻は、サイモンが作ったピューターの食器類を使っていた。

ポートロイヤルで実践された災害考古学は、津波で水没した17世紀人々の日常生活を復元することに成功した。発掘調査は、映画で登場する海賊の港町が物語の世界でなく、実際の生活痕跡として、今も海底に沈むことを教えてくれている。災害と水中遺跡の関係が、着目されつつある。自然災害で、水没した遺跡の先駆的業績が、ポート・ロイヤルの発掘調査であった。歴史を通じて、人類が直面してきた災害について、その痕跡を現代にとどめる水中遺跡が世界、そして日本にもある。(文:木村淳)

恩馳島の海底にある黒曜石。水深約10mの位置に，貝やサンゴに混じって，多数の黒曜石の破片が堆積している。（写真提供：日下宗一郎、木村淳）

神津島・恩馳島の黒曜石

COLUMN 2

旧石器・縄文時代に利用された海底に眠る黒曜石

伊豆諸島の一つである神津島は，伊豆半島の南約50kmに位置している。神津島のさらに西4kmにある小さな島が恩馳島である。この恩馳島は良質な黒曜石を産出する。そのため恩馳島産の黒曜石は，先史時代より石材資源として利用されてきた。

神津島の東側にある砂糠崎には，海上に見事な黒曜石の露頭がある。砂糠山の地層が海岸側へ露出し，黒曜石を含む数メートルの厚さの地層を観察することができる。露頭は急な崖となっているために，船上から見るのが良い。日光を受けてキラキラと輝く姿は，圧巻である。先史時代人も黒曜石に魅了されていたと推察される。

現代の恩馳島は，標高60m，大小の小島が海面上に突き出している。海面下約10mのところには，黒曜石の岩塊が存在している。ここからは石器製作に適した良質な黒曜石を採取することができたので，旧石器時代より人々によって利用されてきた。

ガラス質火山岩である黒曜石は，鋭利な刃を作りやすいために狩猟の道具として活用されてきた。旧石器時代の

A.神津島の砂糠崎にある黒曜石の露頭。日光を反射して輝いている。海上からみごとな姿を観察できる。 B.恩馳島の海底黒曜石。流紋岩に特徴的な縞状の流理構造が見られる。海底黒曜石らしい付着物がある。 C.恩馳島の海底に広がる黒曜石の岩塊。見渡す限り黒曜石が存在する。（写真提供：日下宗一郎）

Obsidian on Kozushima and Onbase Island

台形様石器やナイフ形石器，縄文時代の尖頭器や石鏃の原材料だったのだ。それではなぜ恩馳島の黒曜石が利用されてきたことが分かるのだろうか。

黒曜石は列島内での原産地が限られている。神津島のほかにも静岡県の伊豆天城・柏峠，長野県の諏訪や神奈川県の箱根などの原産地がある。これらの産地の黒曜石は，それぞれ独特の元素組成を示すことが知られている。蛍光X線分析と呼ばれる方法で，非破壊で石器の元素組成を調べることができる。その結果，伊豆半島などの遺跡から出土した石器の中に，恩馳島産黒曜石が存在していることが明らかとなったのだ。

とくに興味深いのは，沼津市などにある旧石器時代初頭の遺跡からも，恩馳島産黒曜石が見つかっていることである。このことは，旧石器時代人が渡航する技術を持ち合わせていたことを示している。

また，伊豆半島の河津町にある見高段間遺跡からは，約19.5kgの大きな黒曜石が見つかっている。多数の黒曜石製石器が出土しており，黒曜石の水揚げ地としての集落の性格が推定されている。縄文時代人も黒曜石を求めて航海を行い，それらが本州内を流通していたのだ。

旧石器時代には，寒冷な気候で海水準は現在よりも低く，恩馳島の露頭は海上にあったのかもしれない。縄文時代になると海水準は上昇し現在に近かったはずであり，縄文時代人も水中の黒曜石を採取していたのだろうか。

恩馳島の黒曜石は，長距離の渡航をしてまで入手されており，石材資源として貴重だったのだろう。海面下に広がる黒曜石を目にしたものは，その光景に魅了される。それは先史時代でも現代でも不変のものかもしれない。

（文：日下宗一郎）

水中ロボット「観海（みかん）」
（写真提供：坂上憲光）

水中ロボットの話し

COLUMN

3

海底遺跡の調査では水深や潮流，潜水時間等を考慮してしばしば水中ロボットが利用される．水中ロボットは自律的に動くロボットと人間が遠隔操縦するロボットに大別されるが，遺物を目視確認することが多い遺跡調査では遠隔操縦型の水中ロボットが利用されることが多い．

筆者は，沖縄県石垣市屋良部沖海底遺跡および滋賀県長浜市葛籠尾崎湖底遺跡の調査のために水中ロボットを開発してきた．

石垣市にある屋良部沖海底遺跡の調査ではロボット機材の輸送を考慮し，持ち運びが容易な小型・軽量水中ロボット（約13kg）を利用した．海底遺跡の水深は約20mであり，透明度も高いことから，水中位置計測のための高価なセンサは用いず，水中ロボットに搭載されたカメラの映像をもとにロボットを操縦し，調査を実施した．カメラ映像を通して考古学者が船上から遺跡

A

A. 水中ロボット「ケイちゃん」。
B. 屋良部沖海底遺跡の四爪鉄錨。
（写真提供：坂上憲光）

B

Underwater robot

の様子を確認することができる．また，映像の記録や遺跡の3Dモデル構築にも活用してきた．写真1は水中ロボットとそれによって撮影された遺物の一つである四爪の鉄錨である．この水中ロボットは遺跡調査だけでなく，地元の高校生を対象にした水中文化遺産の教育活動にも利用した．高校生自身が水中ロボットを操縦し，海底遺跡を見学するものであった．

琵琶湖の北湖にある葛籠尾崎湖底遺跡の調査にも異なる遠隔操縦型の水中ロボットを利用した．調査水域は水深50m以上で光がほとんど届かないため，ダイバーによる調査は難しく，水中ロボットの利用が不可欠であった．利用したロボットは約40kgであり，小型漁船から人力による投入・回収が可能である．ロボットはライトおよびカメラはもちろんのこと，超音波を利用した自己位置を計測するセンサが取り付けられており，調査エリアの把握や遺物の位置情報記録にも役立つ．さらにロボットには湖底の表土を除去できるスクリューが取り付けられており，遺物発見時には発掘に利用することもできる．（文：坂上憲光）

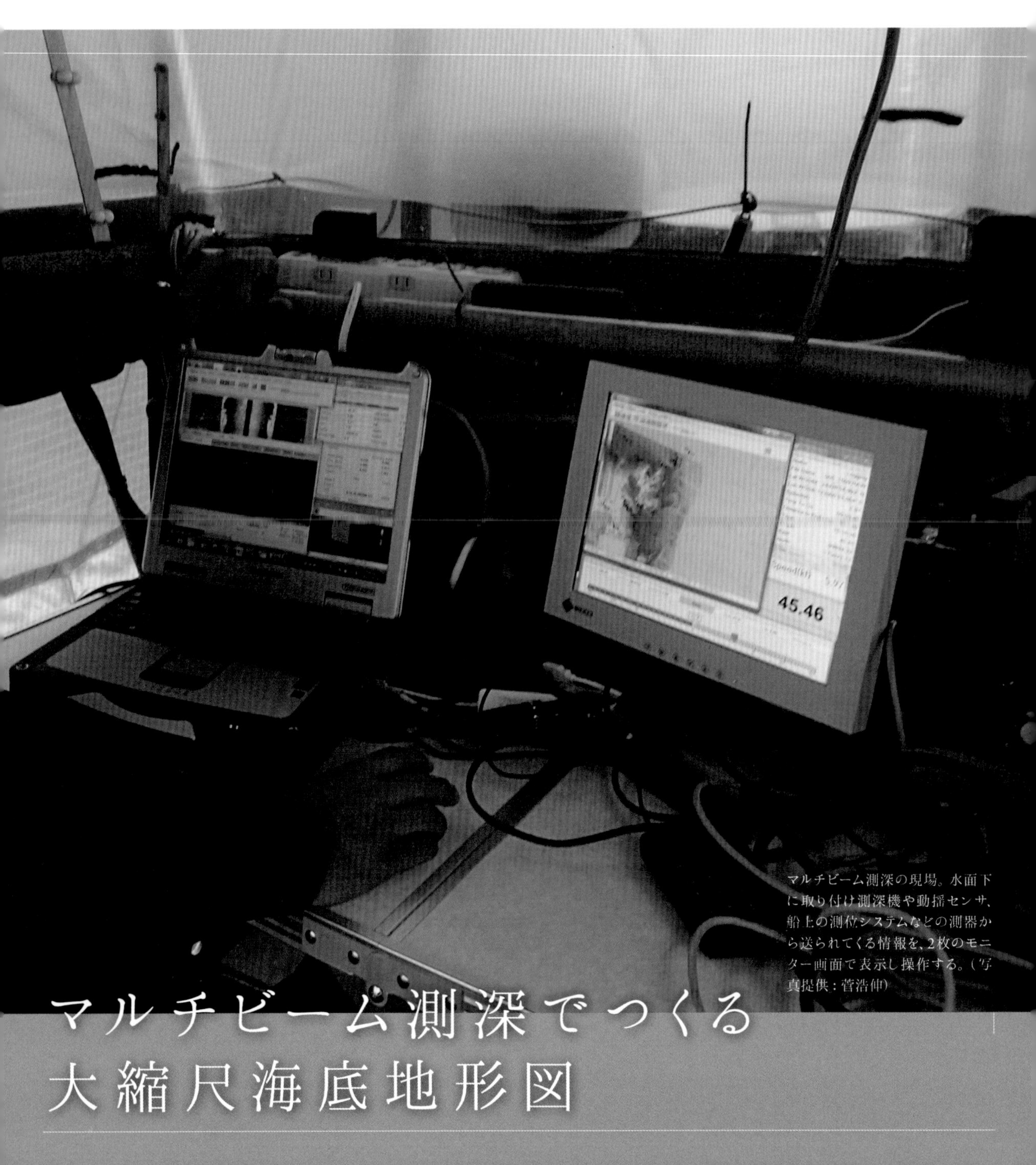

マルチビーム測深の現場。水面下に取り付け測深機や動揺センサ、船上の測位システムなどの測器から送られてくる情報を、2枚のモニター画面で表示し操作する。（写真提供：菅浩伸）

マルチビーム測深でつくる大縮尺海底地形図

COLUMN

4

マルチビーム測深は、音響ビームを船から海底に向けて放射状に発振し、海底地形を広く計測する装置である。従来のシングルビーム測深機では船の進行に沿った地形断面しか測量できなかったが、マルチビーム測深では海底地形を三次元的に計測することが可能になった。マルチビーム測深機は、1970年代にシングルビーム測深機の拡張機能として開発されたが(Finkl and Makowski, 2016)、実用に供されるようになったのは全地球的測位システム（GPS）やモーションセンサー等の周辺機器の精度が向上した1990年代終盤以降のこと。特に、沿岸浅海域の海底地形探査は、測深機が小型化した2010年前後から実施されるようになった。上の写真は測深調査を実施しているときのモニター画面である。

マルチビーム測深によって沿岸域の海底地形を1ｍグリッドで地図化した例を図1に示す。この解像度であれば

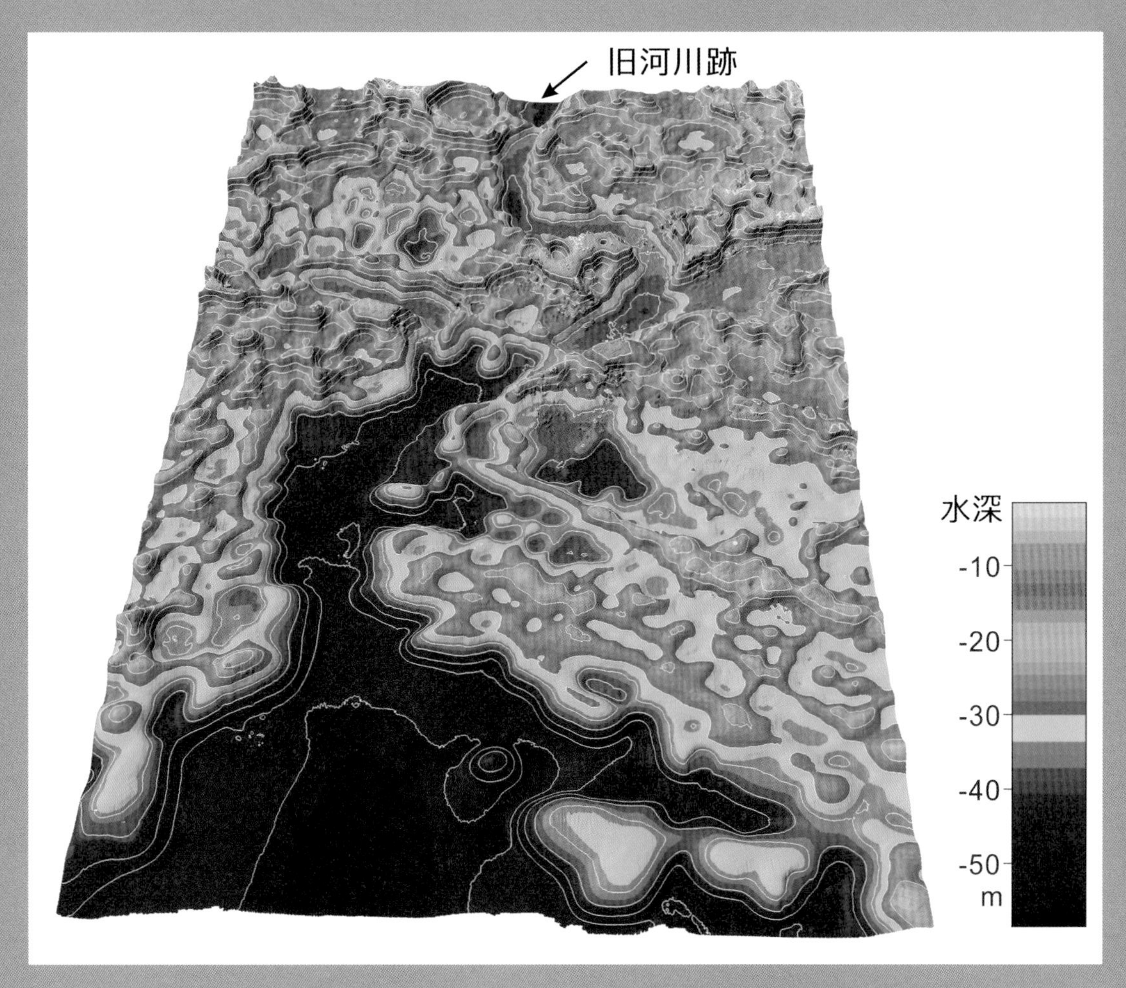

マルチビーム測深によって1mグリッドで地図化した石垣島名蔵湾の海底地形。1.85×2.7 ㎞の範囲を、沖側斜め上から俯瞰。等深線（白線）は5m間隔。中央に蛇行した河川跡が現れた。（画像提供：菅浩伸）

High-resolution seafloor map produced by multibeam bathymetry

1/1,000～1/5,000の海底地形図を作成することが可能だ。上の図に示した海底地形は、石垣島西海岸の名蔵湾で発見した大規模な沈水カルスト地形である（Kan et al. 2015）。海底には氷期の河川跡とみられる蛇行した谷が走り、多数の閉じた窪地が分布している。氷期の低海水準のもとで地下水系によって形成されたカルスト地形が基になっていると考えられる。マルチビーム測深による高解像度海底地形図の作成によって現地での潜水調査が可能となり、珍しい地形や大規模な造礁サンゴ群集が発見された。人口約5万人の石垣島沿岸域でこのような未知の地形と大規模な生物群集が発見されたことは，人里に近い沿岸域であっても未だ科学的知見がきわめて少ないことを物語っている。

考古学においては、遺跡の立地や遺物の位置を正確に捉えることが重要だ。陸上の遺跡調査は高解像度地形図を基に遺物の分布図を作成するのが常である。しかし、海域では陸上の1/2,500や1/5,000の国土基本図に相当する地図はもとより、1/25,000地形図に相当する地形図も整備されていない。今後、水中考古学を陸上の考古学と同様のレベルで行うためには，マルチビーム測深を用いた大縮尺（高解像度）海底地形図が必須となるだろう。

（文：菅浩伸）

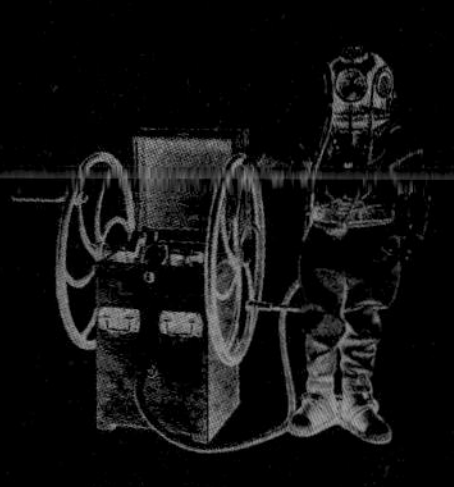

Maritime Sil Route to
the Age of
Maritime Commerce

アジア

第3章

海上シルクルートと海上商業時代の水中遺跡

098 — 099

Belitung Shipwreck

A

B ELITUNG／INDONESIA

海上シルクロード商人の沈没船—

ビリトゥン沈没船

インドネシア

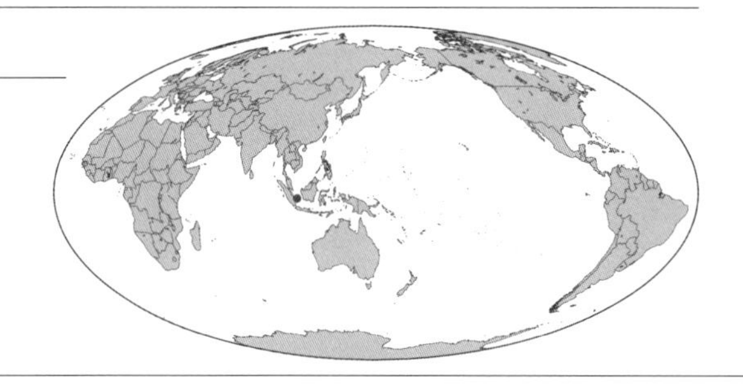

陸の道、海の路

唐の時代、海上交易が隆盛し、海の路が拓かれていた。海上シルクルートと形容される。海上シルクルートを航行した船の名前が漢籍に記される。崑崙舶ほか、南海舶など、東南アジア海域を航海していた在来の船や、同時期に波斯舶、波羅門舶、師子國舶といったインド洋から遠距離航海を経て中国の広州を訪れた交易船の存在が記録される。7世紀後半には、インド洋からは、ペルシア(波斯)やソグド商人が、広州に進出していた。

B

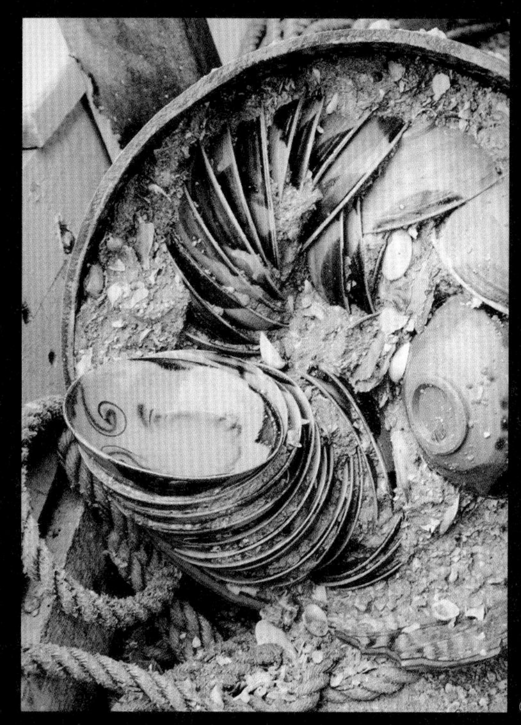

C

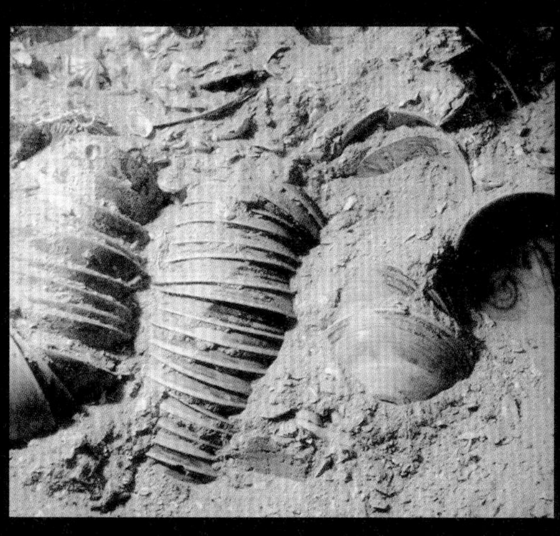

D

A.アラブ商船とされるビリトゥン船復元模型（ニック・バーニングガム製作）。 B–D.ビリトゥン船は、唐代、中国内陸で焼かれた陶磁器を多量に積載、広州から出港し、あるいはインドネシアに栄えたシュリーヴィジャヤ王国との交易中に沈んだ。交易品であった小碗は、輸送の効率を考え、貯蔵運搬容器である甕に詰められて船上に載せられていた。（モデル製作：Nick Burningham, photo: Michael Flecker and author）

彼らのインド洋系の船舶は、東南アジア島嶼国・半島国と中国南沿岸に囲まれた南シナ海域を頻繁に往来、インドネシアに栄えたシュリーヴィジャヤなどの港市国家や広州などの港市間の海上回廊を航海していた。750年、イスラム帝国アッバース朝成立の政治的安定以降、ムスリム系アラブ商人の進出など、さらなる活性化を迎えることとなった。海上シルクルートにおけるヒトとモノの海上輸送と海域交流は、各海域からの多種多様な船と海商によって担われていた。文献上では、船舶名に象徴される出港地・建造地などの地域性以外については判然としない。しかしながら、インドネシアで、発見された1隻の沈没船が、インド洋系の海上シルクルート交易船の実態解明に有益な情報をもたらすこととなった。

ビリトゥン沈没船の発見

1998年、インドネシア・スマトラ島東部ジャワ海のビリトゥン島沖合で海鼠採りのダイバーらが、中国湖南省長沙窯生産の陶磁器碗を引き揚げことによる沈没船の存在が明らかとなった。発見地から、ビリトゥン沈没船（Belitung shipwreck）と名付けられたこの船は、インドネシア政府がドイツのサルベージ会社に許認可を与えて、遺物の売買目的の引き揚げが行われた。引き揚げ遺物の組成から、9世紀頃のインド洋地域出港したアラブ商人の交易船であったとサルベージ関係者によって指摘されている。東南アジア海域では、最古級の沈没船遺跡であり、インド洋系の造船技術によって建造された船体考古資料は、当時、本事例だけであった。その歴史的重要性が広く知られる

E

F

G

H

I

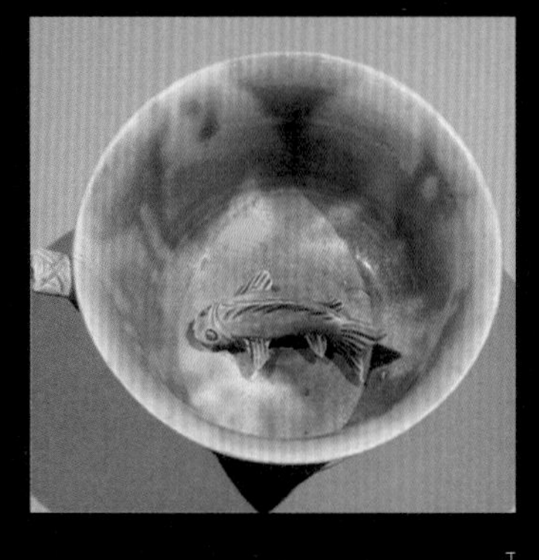

J

E.ビリトゥン沈没船出土の白釉緑彩竜首水瓶。 F.7世紀法隆寺献納宝物首竜水瓶(東京国立博物館所蔵)。 G.ビリトゥン沈没船出土の黄釉褐彩貼花葡萄文水注。 H.博多鴻臚館跡出土黄釉褐彩貼花葡萄文水注。 I.ビリトゥン沈没船出土の白釉緑彩獅子握手水注。 J.ビリトゥン沈没船出土の白釉緑彩杯。(写真提供:木村淳)

一方で、考古資料としては認められず、その学術価値を逸失したとの批判が今も根強く残る。

遺物は、引き揚げ後に、シンガポール政府の観光局がオークションを通じて購入し、同国のアジア文明博物館によって管理展示されている。60000万点以上の中国産陶磁器片が回収されており、長沙窯釉下彩碗や越州窯系青磁の壺・碗類、装飾を施した白釉緑彩製品の壺・カップ類ほか、青花皿など、高品質な陶磁器を含み、その多くは完形を保っていた。陶磁器には、幾何学模様を基調とした装飾が多く、東アジア海域におけるムスリム系商人の需要に応えた交易品とも考えられる。一方で、動物や、人物を意匠した製品も少数発見されており、製品需要の多様性を感じさせる(Q・R)。その他交易品として積載されていた品には、金・銀製品の器類や、漢代の青銅鏡などが含まれる。積載物の多くが引き揚げられた一方で、海底で発掘された船体は、現在は散失したとされる。

海底では、竜骨長約15m、幅5m程の船体が残存していた。船材の接合に

K

L

Belitung Shipwreck

M

N

O

P

K.長沙窯釉下彩碗。幾何学文様が多く、ムスリム市場向けであった。 L.白磁小碗。 M.青花皿。青を発色させるコバルト顔料を陶磁器に使用する技術は、イスラム世界からもたらされたとされる。 N.越州窯系青磁香炉。 O.P.金属の交易品として、金・銀製品の器類が回収されている。29点の青銅鏡も出土しているが、漢の時代に製作された鏡がアンティーク商品として積載されていた。(写真提供:木村淳)

釘を使用しない完全な縫合船であることが確認されている。厚さ4cm、幅20－40cmほどの船材の端部に継ぎ目に沿って、5－6cm間隔で開けられた直径1.6cm程のロープを通す縫合用の穴が開けられている。船材同士の継ぎ目に、ヤシ皮の繊維の束を充填剤として詰め、その上をヤシ皮の繊維ロープで交互に縫い合わせていく。船体外板にはアフリカ産のマメ科の樹木が使用されていたとするが、詳細は判明しない。ブリトゥン船の船体構造や接合技法は、現在のオマーンで建造されるダウ型の船の造船技術と類似するとされる。ブリトゥン船の船体は、船長18m程で排水トン数は55トンと、研究者によって推定復元が試みられた。これらの知見に基づき、復元模型の制作が行われた後に、推定実寸での復元船の建造が行われた。ジュエル・オブ・マスカット(Jewel of Muscat)とオマーンの港湾都市の名前を冠した復元船は、同国からシンガポールまでの航海実験に成功した。　(文:木村淳)

Q

R

中央に龍の図案が配された皿(Q)と口を開けた鯉をイメージしたデザインの壺(R)。いずれもイスラム圏ではあまり見られない珍しい意匠とされている。

Chau Tan Shipwreck

VIET NAM

謎の航海民、崑崙人の船水底に眠る

チャウタン沈没船

ベトナム

サルベージされたチャウタン沈没船の船材。
（写真提供：木村淳）

チャウタン沈没船の発見

奈良の平城宮跡で出土した765年の木簡の一つに、ペルシア人（波斯）を示す、破斯の人物性が書かれていたことが注目された。波濤を超えて、奈良に渡来した波斯人か、あるいはその血縁者か、想像するに興味深い。7－9世紀の海上交易では、大形で遠距離を航海する商船として、インド洋系の波斯舶、婆羅門舶の名があがる。これらは、ビリトゥン沈没船や、タイで発見された船体考古資料の事例で、船材同士を椰子実の紐を編んで縫合接合し、船体を建造していた。

海の絹の路、あるいは海の陶磁の路と呼ばれる海上シルクルート世界活況の背景には、これらの交易船と共に、歴史に記録される謎の船の存在が知られる。崑崙人が操船した、東南アジア系の交易船、崑崙舶である。オーストロネシア語族であった崑崙人は、航海民として知られるが、彼らが操った船は、断片的な記述と、インドネシアの仏教遺跡ボロブドゥールの壁画に刻まれる船であろうといった不確な史料でしか語られなかった。

しかしながら、近年の海事考古学の成果で、崑崙船の構造や造船技術が明らかとなってきた。マレーシアやタイといった東南アジア半島の沿岸域で見つかっていた船材、さらにはフィリピン、インドネシアのジャワ島の沿岸と水中で発見された沈没船遺跡の情報が集約され、東南アジア在来系船の船体構造が明らかとなってきた。

そうした沈没船遺跡の1隻が、ベトナム中部クアンガイ省ビンソン地区チャウタン村沖でサルベージされたチャウタン沈没船である。発見後、地域の住

A

B

A. インドネシアの仏教建造物ボロブドゥール壁画に刻まれる船。東南アジア航海民の船とも比定されるが、実際は不明。 B. チャウタン沈没船引き揚げ陶磁器。唐後代から五代の中国生産品であるが、同一産地、同一器種の製品が複数セットであるため、海上輸送された交易品であることがわかる。 C.D. 墨書が残っている甕や壺、その蓋。甕や壺は、他の交易品（酒・油類、香辛料など）を詰めるコンテナ容器であり、内容物、所有者、行先がわかるように墨書きされた。写真（左）のように六芒星と共に「アッラーは偉大なり」と書かれている例もある。墨書は、アラビア文字ほか、漢字、インド系文字など多岐で、これらの言葉を使えた商人らが乗船していた。（写真提供：Nishimura Project、青山享、西野範子、田中克子、野上建紀）

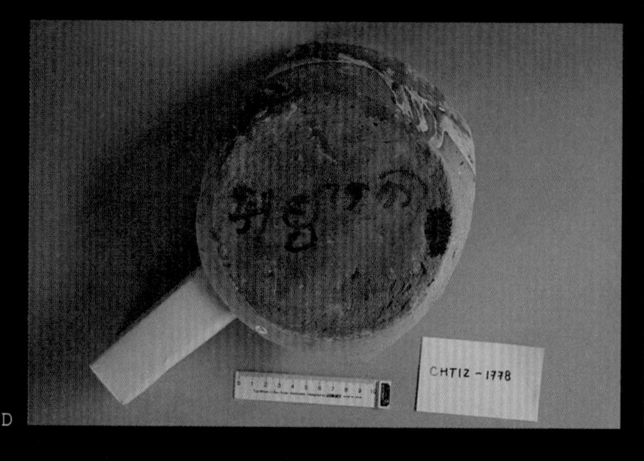

C D

れた。その後、クアンガイ省在住の古物収集家によって、大規模なサルベージが行われ、船材と積荷が引き揚げられる。これをベトナム考古学が専門の日本の研究者が知るところとなり、収集家に船材と積荷の保全を依頼、チャウタン沈没船と命名し、その研究を進め、筆者らの研究グループに引き継がれた。

サルベージされたのは、交易により生産地外へ広く輸出された陶磁器で、日本ではこれらを“貿易陶磁器”と呼んでいる。チャウタン沈没船からは、越州窯系青磁、長沙窯製品、華北産白磁、広東産製品など、中唐期にインド洋方面まで輸出された初期貿易陶磁器を中心とした陶磁器類が多量にサルベージされた。これらの陶磁器の一部には、墨書が認められ、なかでも容器として使われた広東産の陶磁は、数百点に北インド系・南インド系のブラーフミー文字やアラビア文字の墨書が確認された。解読を試みたところ、アンバーラックと、イラン国内の都市名であることが判明、唐代海上シルクルートの西

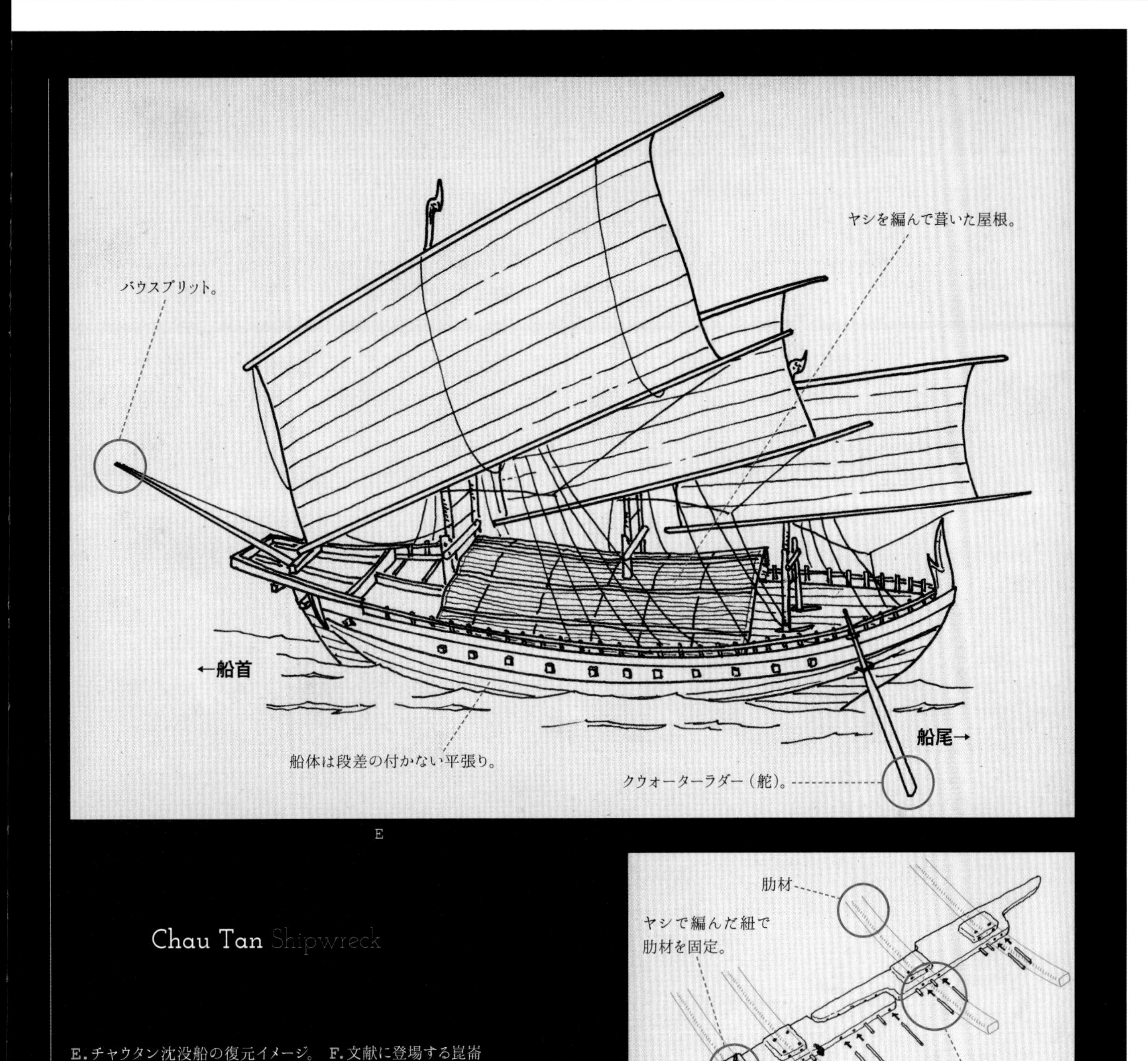

E.チャウタン沈没船の復元イメージ。 F.文献に登場する崑崙船は謎に包まれた船であったが、チャウタン沈没船などの発見で、その実態が明らかになりつつある。船材は鉄釘ではなく、ペグで固定されていた。(写真提供：Nishimura Project, 青山亨、西野範子、田中克子、野上建紀)

側の主要貿易港であったシラフ近郊に位置することもわかっている。

崑崙人の造船技術

チャウタン沈没船は、まず船材外板をダボ(木栓)で接合し、ヤシ葉鞘の繊維を編んだロープで緊縛する技術を採用している。構造的には、外板を接合して船殻を最初に組上げ、その後に肋材(フレーム)を内部に配置固定しており、船殻先行建造法と呼ばれる技術で建造された。船の肋材は、ロープによって、船内に並んだ突起台座(ラグ、lug)によって固定される。船内を横切るかたちで突起台座、うち12列で肋材が残存していた。肋材のズレを防止する丸材が、縦貫材として肋材の上に配置されていた。崑崙船は、耐航生と積載量に優れた船であった。チャウタン船以前に、インドネシア・ジャワ島沿岸で、プンジュルハロジョ船と呼ばれる同型の崑崙系の船体が、良好な保存状態で発見されていた。船体は、15m程度であった。プンジュロハラジョ船の発掘調査では共伴遺物の確認は限られた。

一方で、竜骨材の長さから復元できるチャウタン船は、船長22m以上と、肋材の大きさも考慮すると、その船幅は最低でも6〜7m程度と考えられる。積載能力では、チャウタン船はこれまで確認された東南アジア在来系の船でも、最大級の規模といえる。9世紀前後に南シナ海を航行していた船としては、インド洋系の商船と同様の海上運搬性能を持った船であり、ブリトゥン船のように唐代に広州から輸出された多量の陶磁器の輸送にも関わることができた。(文：木村淳)

Flat-bottom freighters of the Shira, Goryeo, and the Joseon Dynasty

遣唐使も頼った平底船

新羅・高麗・李氏朝鮮王朝時代の沿岸輸送船

韓国

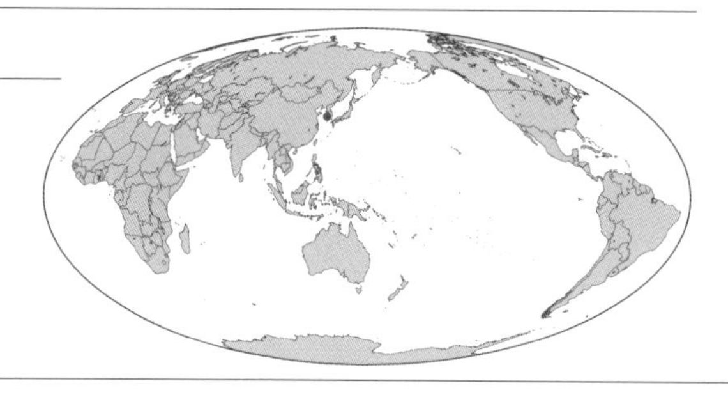

黄海域の平底船

650年、遣唐使船建造のために、百済大寺建立の指揮にあたった倭漢書県ら、渡来系の技術を持つ人物を安芸国（広島）に派遣したことが知られる。造船されたのは、2隻の百済舶というが、この百済舶の詳細については、分かっていない。その検証ができれば、おぼろげながら、遣使が乗船した船の実像に迫れる。朝鮮半島より日本へ、造寺や造仏のための技術導入があったことが知られるが、船の建造においても、半島系の造船工がもたら

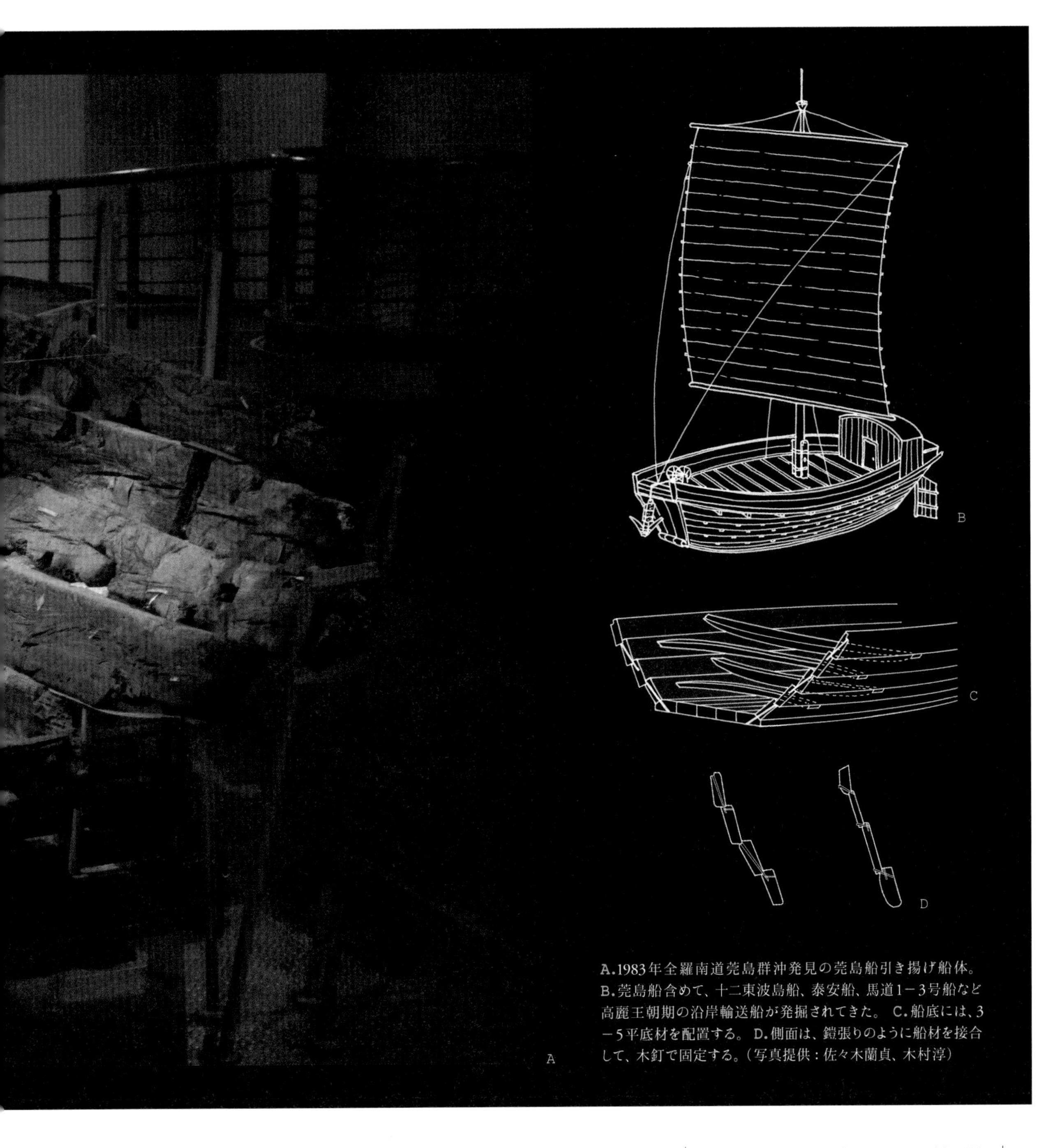

A.1983年全羅南道莞島群沖発見の莞島船引き揚げ船体。B.莞島船含めて、十二東波島船、泰安船、馬道1－3号船など高麗王朝期の沿岸輸送船が発掘されてきた。 C.船底には、3－5平底材を配置する。 D.側面は、鎧張りのように船材を接合して、木釘で固定する。（写真提供：佐々木蘭貞、木村淳）

した技術があったかもという仮説も、荒唐無稽でない。

朝鮮半島の西岸の黄海海底では、近年、新羅時代から李朝時代までの沈没船含む豊富な船体考古資料が、時に漁業関係者によって、さらに韓国国立海事文化研究所の水中考古学調査で、発見されてきた。これらは沿岸航洋船で、平均水深が50m弱の海での航海に適し、干潮時に露頭する発達した干潟で碇泊し易いように、平底構造をした船であった。こうした海洋環境は、一部、九州西岸に似るが、古代海上交通が発達した瀬戸内海とは異なる。日本列島海域は多様であるが、朝鮮半島の黄海域の海運で利用されてきた船は一貫して平底で、その造船技術が発展してきた。

水中発掘された船体

百済が興った三国時代に遡る平底船は発見されていないが、仁川近く甕津郡島の一つ霊興島沖合海底では、統一新羅時代（668－900年）の船の部材が発掘されている。船底材は、平材を並列に組んで、それらを角材の閂で、横に貫入して接合する。平材を閂接合して船底の平な船を建造する方法は、その後の朝鮮半島在来の造船技術に継承されている。

1983年、全羅南道莞島群沖での莞島船の発掘調査では、11世紀初—12世紀初とされる高麗青磁と共に、水深10mの海底に埋没していた船体が引き揚げられた。残存長6mの平底船の船体は、船底材の接合は前述の技術を踏襲して、さらに莞島船には外板が残存していたことから、黄海系の造船技術が明らかとなった。外板を木釘やダ

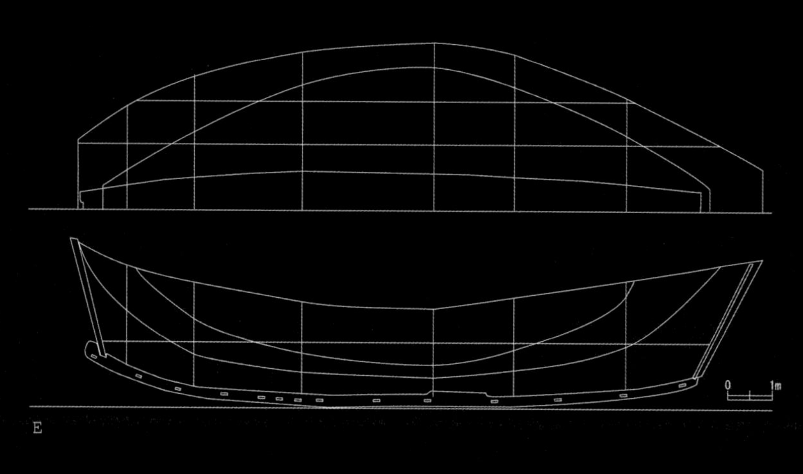
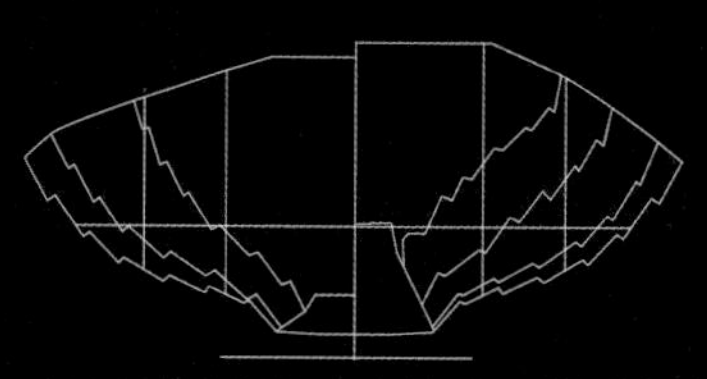

E

Flat-bottom freighters of the Shira, Goryeo, and the Joseon Dynasty

F

G

K

CHINA

遣唐使も頼った平底船

新羅・高麗・李氏朝鮮王朝時代の沿岸輸送船

韓国

ボで接合し、鎧張りすることで船殻の強度を高め、内部には梁材を横に張っていた。横梁の船内には、十分な積載空間を確保することができた。のち、縦接合した船首材が発見された十二東波島船、高麗青磁優品が多量に出土した泰安船、馬道1－3号船、安佐船など、11－14世紀の高麗時代の船が相次いで確認されている。黄海西岸の沿岸海上輸送とそこで活躍した平底船の詳細が明らかとなった。

全羅南道新安郡安佐島の潮間帯の干潟で発掘された14世紀後半の安佐船は、船長15m弱（残存長約14m）の大きさである。平底を基本構造としながら、朝鮮半島系の造船技術は緩やかに発展を遂げてきた。江戸時代の朝鮮通信使の船に関する絵画史料が国内に、残されているが、一見して、平底船である。さらに方形の船首材が縦接合し、船体の強度に横梁を用いる構造は、考古資料にも確認されている。黄海域で発展した造船伝統といって良い。船体考古資料を基に、復元船を建造し、航海実験も行われている。

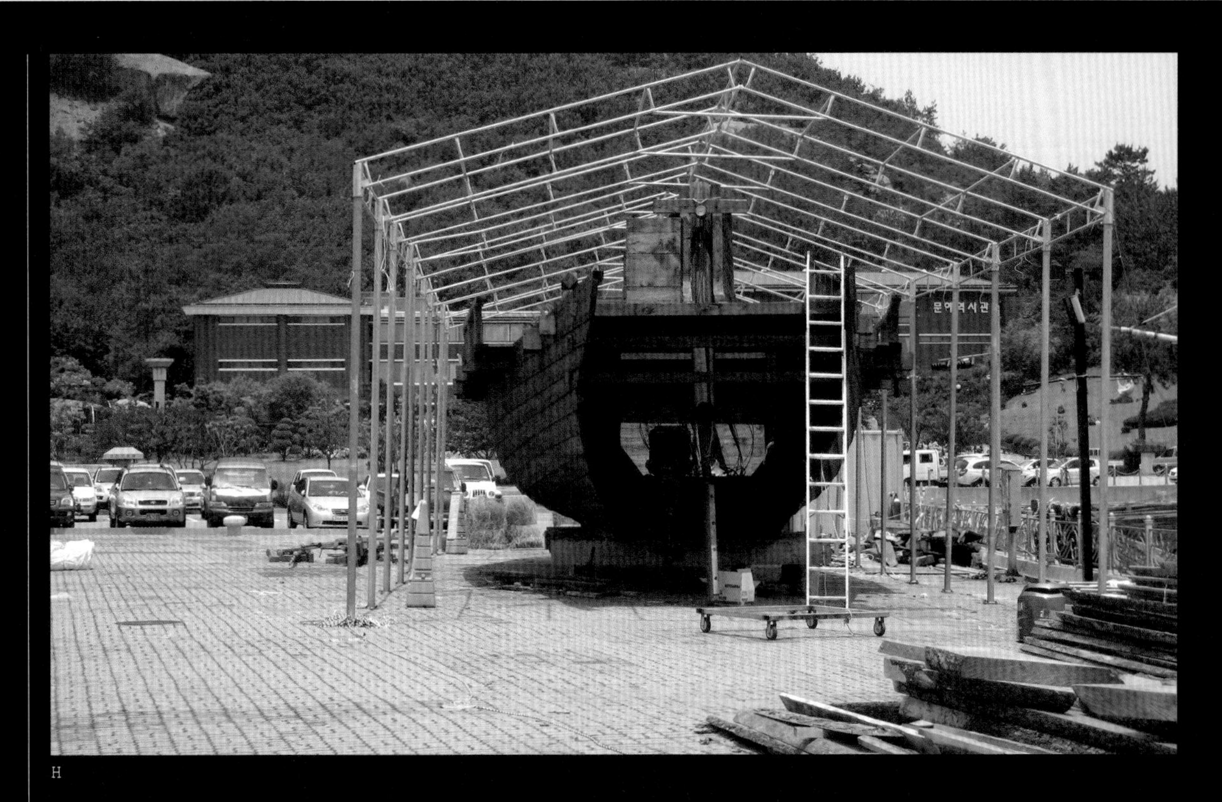

H

I

E.14世紀の安佐船は残存状況が良好で、船形を復元可能である。 F.朝鮮半島系の造船技術では、横梁を用いることも構造特徴の一つである。 G.『朝鮮通信史正使官船図』(佐賀県立名護屋城博物館所蔵)。平底船建造を主とする、黄海域造船伝統には持続性があった。朝鮮通信使が乗船したとされる江戸時代の絵画史料にも平底船が描かれる。 H.木浦市の国立海洋文化財研究所敷地内で建造中の復元船。 I.出土した平底船の復元船での航海実験も行われている。(写真提供:いずれも木村淳)

朝鮮半島沿岸輸送と韓国水中考古学成果

高麗王朝時代(918−1392年)には、半島南部で生産された高麗青磁や穀物、食料品を、朝鮮半島西岸沖の沿岸航路を利用して、海上輸送していた。交易、租税や宮廷の要求に応えるための物資輸送に航路利用が不可欠であった。この航路には、船にとって危険な海域もあり、海上交通の隆盛に伴い、何隻もの輸送船が座礁した。

韓国国立海洋文化財研究所によって、2007−2008年に忠清南道泰安郡の竹島沖で発掘調査された12世紀の泰安船からは、約2万5千点の高麗青磁品出土している。高品質の製品含む陶磁器は、半島南部康津から開城への平底の輸送船であり、木枠で梱包された状態の青磁碗・壺類が確認されている。青磁碗類を30−40点程重ねて一束にし、四方を木の棒で囲み、藁縄を巻き付けて木枠梱包していた。

同研究所は、アジア有数の水中考古学調査機関として、成果をあげてきた。泰安郡海域での継続的な調査で、馬島周辺で、2009−2011年に高麗王朝時代の輸送船を3隻(馬道1−3号船)、2014−2015年にかけて李氏朝鮮王朝時代の沈没船(馬道4号船)を続けて発掘している。出土木簡・竹簡に、1207−1208年に全羅北道高敞郡付近で稲・粟・蕎麦を収穫して積載した記録が残る馬道1号船は、穀物輸送を主としていた。馬道2号船も穀物輸送船であったが、高麗青磁筒形盞が蓋をつけたままの状態で木枠梱包されているのが海底で確認され、多量の高麗青磁も同時輸送していたことが分かっている。

J

K L

K
OREA

遣唐使も頼った平底船

新羅・高麗・李氏朝鮮王朝時代の沿岸輸送船

韓国

船内で発見された壺から、豚・鹿類の骨、犬骨のほか、鶏や鵜などの骨多種の獣骨が検出されており、20名弱の船員は、肉食中心の船上生活をおくりながら、これらを輸送したと考える。馬道3号船は、荷札の木簡に高麗王朝の官職名・組織名の墨書が多数確認されることから、1260－1268年頃に、宮廷向けの公貿易に携わった船と考えられている。海底の出土遺物から分かる同船の公品は、陶磁器でなく、穀物ほか、干貝、犬の乾燥肉、魚油、塩漬けの魚である。

水中遺跡発掘は、海底に残りやすい陶磁器に目が向きがちであるが、残りにくい有機物、特に穀物輸送に、船が歴史的な役割を果たしていたことを、韓国の沈没船遺跡は教えてくれる。高麗に続く、1392年に成立した李氏朝鮮時代の馬道4号船の発掘調査においても、船内で粉青沙器碗が、網状に編んだ紐籠に包まれた梱包状態で検出されており、陶磁器の海上輸送において、黄海域の航路利用が引き続き重要であったことがわかる。（文：木村淳）

Flat-bottom freighters of the Shira, Goryeo, and the Joseon Dynasty

M　　N

J.国立海洋文化財研究所の調査船シーミューズと発掘調査台船。忠南泰安馬島沿海一帯では、歴史的に航海の難所で、これまで何隻もの沈没船が発掘されてきた。 K.調査台船から、空気送気するフーカー式潜水に使用するコンプレッサー類。 L.ダイバーとは有線式の通話装置でコミュニケーションがとれる。 M.N.フルフェイスマスクを装着し、潜水準備が完了したダイバー。泰安馬道海域の水中の視界は、常に悪い。（写真提供：いずれも木村淳）

O.泰安馬道海域の沈没船からは多量の墨書木簡が出土。 P. 台船引き揚げ陶磁器。ラベルを付けて引き揚げ地点を特定できるようにする。 Q.泰安出土青磁獅子形香炉蓋。獅子を造形した香炉の蓋である。他にも麒麟（きりん）など想像上の動物をあしらった装飾香炉蓋が出土。これらの多くは、香煙が、胴体の空洞を通って口から出るよう工夫されている。 R.泰安船の梱包状態の陶磁器の出土状況再現。（写真提供：木村淳（O・Q・R), Chung Sung-Jun / スタッフ(P)）

泰安海域での発掘調査。
（写真提供：いずれも小野林太郎）

Song Dynasty

Nanhai No. 1 and Quanzhou Ship

A

C HINA

水下考古学成果から中世東アジア航洋船を読み解く

宋代の南海1号と泉州船

中国

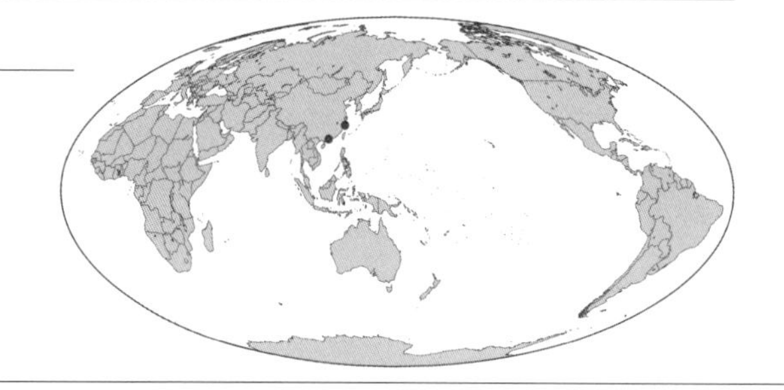

国家プロジェクト南海1号

国家主導により、水中文化遺産調査と保護の分野において、世界有数の体制を築いたのが中国である。80年代、まだそのような体制が整う以前、1隻の宋代の沈没船が発見され、中国水下考古学（*中国では水中考古学とはしない）の方向性に大きく影響した。中国歴史博物館（当時）での水下考古学研究室設置準備が進む最中の1987年8月、外国サルベージ会社との探査中、水底に埋没している沈没船の存在が明らかとなった。南海1号の発見である。

A. 海上シルクロード博物館内で発掘される南海1号船。 B. 木製イカリに装着され重しとなる石製アンカーストック（碇石）。 C. 広東省陽江市沖海底からの南海1号引き揚げイメージ。 D. 広東省陽江市海陵島の海上シルクロード博物館。 E. ケージに収まった南海1号船。（写真提供：いずれもQuanzhou Martitime Museum）

場所は、広東省陽江市沖、海陵島から東南約70kmの水深22−24mの海底であった。遺物の確認ための試験潜水調査では、竜泉窯・景徳鎮窯、福建産の閩清義窯系の碗・皿、徳化窯系の碗・小罐・小瓶・水注・盒子、磁灶窯系の緑釉・褐釉陶器など陶磁器類ほか、金製腰帯と銀錠、錫製壺など金属製品ほか、銅銭など、陶磁器・金属製品など、いずれも目を見張るほどの状態の良い優品247点が回収された。宋海商（宋代に活躍した海上交易に携わる商人）の交易品、または乗船していた人物の携行品であった。

1989年には、日中合同調査が実施されたが、中国は南海1号については国家事業と位置づけ、自国の水中考古学発掘調査技術の成熟を待ちながら、慎重に調査を継続した。海底面下の音波探査と試掘により、船体の中央部の位置を特定、右舷であることを突き止め、この時、陶磁器類は4565点を引き揚げたが、さらに数千点〜数万点の陶磁器が、積載時の様子をとどめた状態で埋没されていると判明した。2000年代の調査と検討を経て、南海1号沈没船は、特殊鋼板のケージを、船体が埋没する水底を周辺に打ち込み、船体を周囲の土砂ケージを海底から引き揚げ、ケージを博物館内に移送し、掘削を継続するという、世界でも類いをみない手法で発掘を行うことが決まった。2007年12月、これが実現し、ケージに収まった船体は、海上シルクロード博物館に移された。

12世紀後半の南宋時代、東南アジア半島海域あるいはインド洋海域を目指して航行中に沈んだ交易船であった。船体の残存長は、23.8m、最大残存幅は9.6mで高さは約3mとされる。博物

F

G

Song Dynasty Nanhai No. 1 and Quanzhou Ship

H

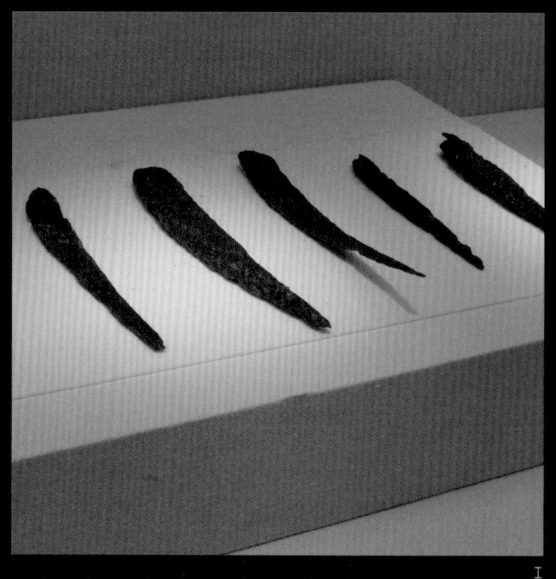

I

館館内で、船体発掘が進むにつれ、船内を仕切った隔壁が現れ、13の狭い船倉に積載物が、隙間なく満載されていた交易船の姿が露わになった。中国南部、広東省の港を出港して目的地に向けて南シナ海航行中に沈没した船に積載されていたのは、中国産の輸出品であった。中国内陸部の各地で大量に生産された陶磁器は、河川交通を利用し、沿岸に運ばれ、広東省広州といった大規模国際港市から輸出された。南海1号船内には、同形・同型の碗・皿・盤などの多量の陶磁器が、横向きに重ねて列をなすように収められている。陶磁器は、一つ一つは手で持てるが、数が集まれば重い。船で多量に運び利益を出す製品であった。他の主要な積載品の一つは、やはり重量のある、鉄製品あるいは鉄原材料であった。ある船倉では、褐釉薬の壺、さらには香木が確認でき、これらもその重量とサイズから、宋海商が最新鋭の輸送船を使って取引した中世の交易品であった。

交易で活躍した泉州古船

対外海上交易の拡大にともなう税徴

J

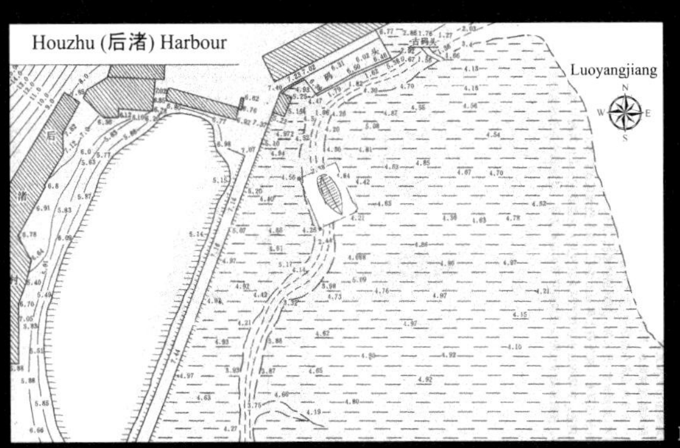

K

L

F.貯蔵運搬用“コンテナ容器”壺。 G.船体を仕切る隔壁の間に整然と積載された陶磁器。 H.船倉には隙間なく陶磁器が積まれている。その重量で、積荷がバラストの役割を果たした。 I.南海1号の主要積荷である鉄材。 J.南宋代の泉州船。 K.船体は福建省泉州市の干潟で発見された。 L.発見地で解体され、泉州市内で復元される泉州船。(写真提供：木村淳・小野林太郎・Quanzhou Maritime Museum)

収や、沿岸港市の発展など宋代は、海域活動が社会経済に、大きな影響をもった時代であった。そこで主役となったのは交易船である。中世博多に盛んに渡来した宋海商や日宋貿易隆盛の背景にも、外洋を航行できた航洋船の活躍があった。南海1号の発見以前、中国福建省泉州沿岸で発見された1隻の南宋の交易船が、研究者らの中世の宋海商の交易船の理解を深めてくれた。元の時代、マルコ・ポーロによって、世界一の港とも形容されたのが泉州であったが、既に南宋時期から国際色豊かな貿易港であった。

1973年、泉州市の後渚港の干潟で発見された泉州船は、東南アジア海域航海を経て、帰港の際に座礁し、そのまま遺棄された船と考えられる。大勢の泉州市民の手によって発掘されたのち、泉州古船として、市内の開元寺で復元展示された。海上交易史に謳われる泉州を支えた交易船の船体構造や造船技術を、間近で実見できる貴重な船体考古資料である。筆者が、船材の一部を放射性炭素年代測定したところ、建造年代は1270年代、南宋が滅亡する前後の船と判明した。残存船長は約24m、船幅約9mである。船形が、船の長さに対し、船幅が広く、喫水が浅いといった特徴により、南海1号と同じく、東シナ海型造船伝統系に連なる船であるいえる。

マルコ・ポーロは泉州の繁栄を記すとともに、そこに停泊する交易船についても描写を残している。フナクイムシに食害される木造の船体は、古い船材を覆うように板の継ぎ足しが施されたという。泉州船は、二〜三層と外板を重ねて多層構造にしている。多重層外板の最も内側の外板は厚く、継ぎ目は平継

船内を仕切る隔壁。

マストが入る台座。

上から見た図

舵が入る丸い孔。

隔壁の間に積荷を搭載した。

横から見た図

船形の図面

M

Song Dynasty Nanhai No. 1
and
Quanzhou Ship

M. 泉州船平面・側面図。隔壁によって細かく仕切られた船内。船倉は狭い。第1隔壁と第6隔壁の前には、前帆柱と中央帆柱の基部を填める檣座が残存している。船尾の最後方隔壁材の中央には、円い孔が確認できる。ここに舵の身を挿入した。側面図からは、竜骨が三つの部材で構成されていることがわかる。 N. 主部竜骨の接合面。円い孔は造船工が安全を祈願して穿った保寿孔。円い鏡を詰めた。 O. 泉州船の多重外板構造。マルコ・ポーロの記述にも登場する。 P. 中央帆柱檣座。

N

O

P

ぎが基本だが、一部の継ぎ目には段差が設けられ、半鎧りの様な外観となる船殻が特徴である。船倉は、狭小な間隔で隔壁が12壁配置され、南海1号と同じ造りとなる。発掘時に一旦解体された泉州船は、船底の基部の竜骨の造りも判明しており、三部材からなっている。竜骨部材の接合面には円形のくぼみがあり、銅鏡が、北斗七星を模した銅銭とともに嵌っていた。航海の安全祈願を願う風習であった。

船の考古学では、船体の平面以上に、断面をみる。泉州船の断面をみると、竜骨からから延びる外板の勾配が鋭い角度をとり、V字船底を形成しているのがわかる。これにより波が高い外洋でも、高い航海性能を発揮できる。船幅を広くして安定性をもたせ、船首帆柱と中央帆柱の主帆に風を受けて、速力を出しながらも、船尾の大形の固定舵のお陰で高い操船性を発揮した。船材に使われている樹種の選択にも工夫がある。丈夫なクスノキを竜骨に使うのに対して、船体を覆う被覆材には、コウヨウザンスギと呼ばれる、より軽い木を使った。　（文：木村淳）

Q

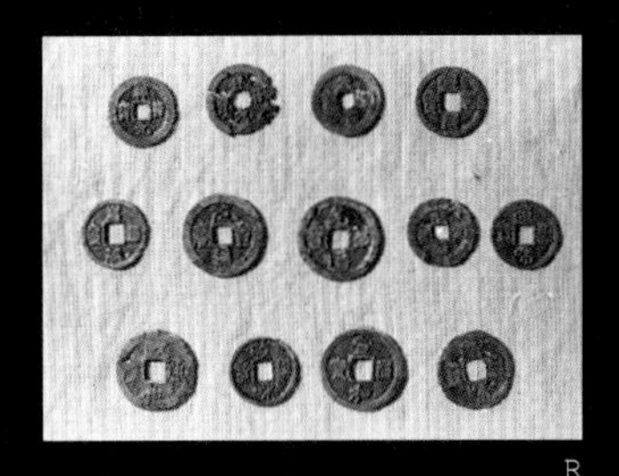

R

S

T

U

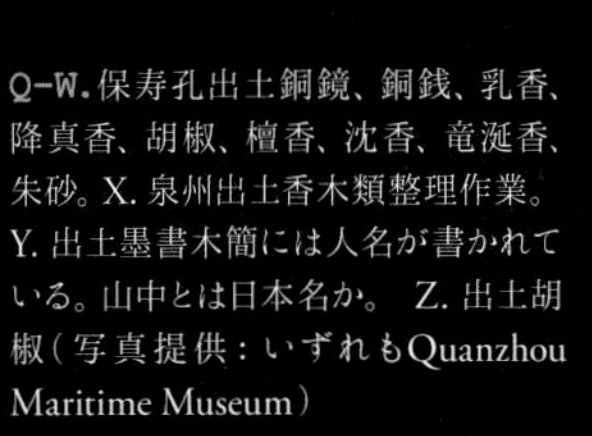

Q-W. 保寿孔出土銅鏡、銅銭、乳香、降真香、胡椒、檀香、沈香、竜涎香、朱砂。X. 泉州出土香木類整理作業。Y. 出土墨書木簡には人名が書かれている。山中とは日本名か。 Z. 出土胡椒（写真提供：いずれもQuanzhou Maritime Museum）

V

W

X

泉州船を特別な交易船としているのは、その座礁時に残された船の積荷で、胡椒のほか、降真香、檀香、沈香、龍涎香、乳香などの海上交易で貴重な取引物であった主要な香料類、朱砂などが見つかっている。

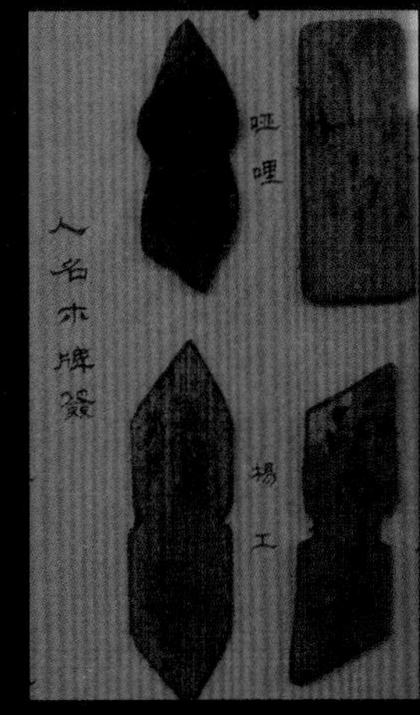

Y

Z

Takashima Underwater Site

中世の蒙古海上侵攻の戦場地

鷹島海底遺跡 ―Naval Battlefield Archaeology

日本

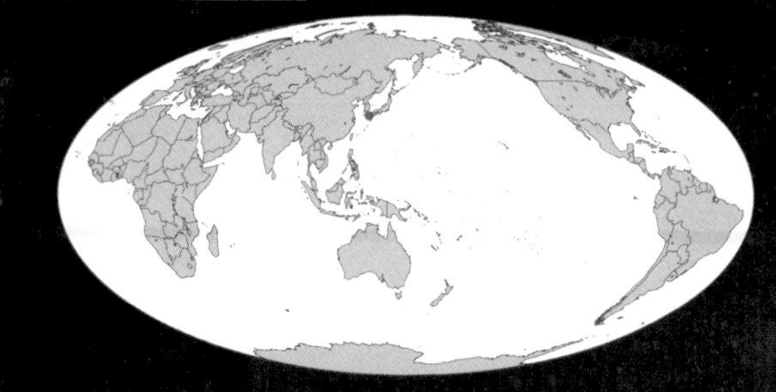

NAGASAKI ╲ JAPAN

Takashima Underwater Site鮮やかな朱色の小札が海底で出土。蒙古軍兵士の甲冑の一部か。（写真提供：山本游児）

A.「火薬兵器てつはう」の3Dプリンター復元品（九州国立博物館所蔵）。実際の出土品をX線ーCTスキャンして出力。孔から火薬導線を延ばし、黒色粉火薬を詰めて使用された。X線ーCTスキャン分析で、炸裂時には、内部に詰められた鉄片や陶磁器破片が散弾のように飛び出したことが判明。 **B.**海底出土青磁碗。底部に墨書で"王百戸"とある。百戸はセンチュリオン、百人隊長の意。 **C.**『蒙古襲来絵詞（模本）』（九州大学附属図書館所蔵）。鎌倉御家人竹崎季長と騎馬は、炸裂した「散弾式火薬兵器てつはう」で裂傷を負っている。 **D.**クビライ船団、中国寧波出港の江南軍の軍船の隔壁材。 **E.**海底出土矢束。蒙古兵の短弓に使われた。 **F.**海底出土兜。蒙古兵が身に着けた。（写真提供：いずれも山本游児）

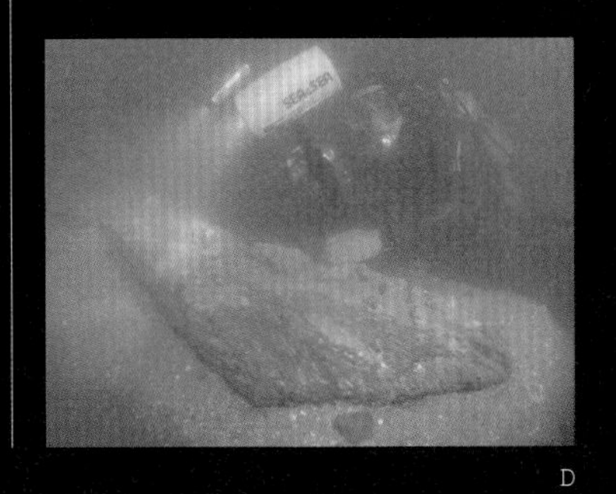

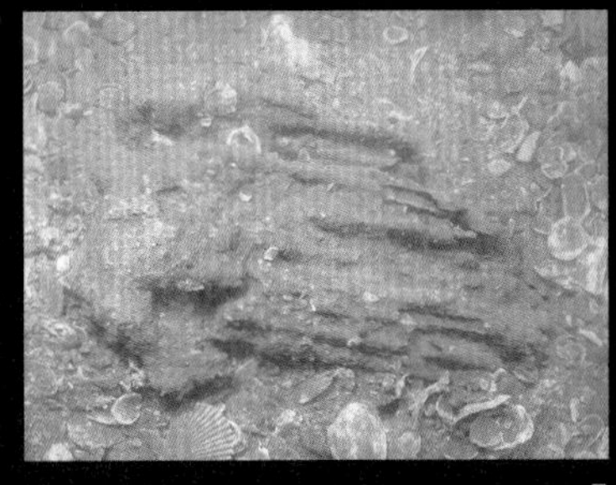

海戦場の考古学

ヒトの歴史は、海戦や海上侵攻の歴史である。紀元前2450年頃、エジプトが、現在のレバノンやパレスチナなど、東地中海岸に侵攻したのが、最も古い記録である。"海上戦地の考古学 Naval Battlefield Archaeology"は、その痕跡を探求する。日本の海底には、モンゴル帝国の覇権を物語る海戦場の遺跡が残る。

九州の伊万里湾口に浮かぶ長崎県鷹島には、日本で最も知られる水中遺跡、鷹島海底遺跡が位置する。モンゴル帝国第5代皇帝にして、元王朝創始者クビライの船団が壊滅、今日、水底面下に、その残滓が埋没している。鎌倉期の1274年、第1次海上侵攻に失敗したクビライは、1281年、再度の船団派遣を試みた。弘安の役、2度目の海上侵攻時の船団規模は、一説には、朝鮮半島を出港した蒙古・漢軍兵・高麗軍兵が乗船した900隻と、中国を出港した旧南宋兵主体の3500隻とされる。両船団は、別ルートで、北九州を目指し、各島に侵攻しながら、最終的に鷹島を合流地とした。一帯海域で、船団と九州地方勢力との戦端が開かれるなか、船団は、鷹島南岸で、停泊地とした。海上侵攻から2ヶ月が経過し、日本周辺海域は、台風に見舞われる時期となっていた。閏7月1日、暴風が鷹島海域を直撃、船団は甚大な損害を被り、多くの兵船が損害を受け、日本勢力の掃討もあって、多くが沈没した。

国史跡の鷹島沖の海底遺跡

鷹島南岸沖では、1980年から学術探査が開始、潜水夫が海底で回収した遺物には、投石戦の際に使用する石弾が含まれていたほか、付近海岸でク

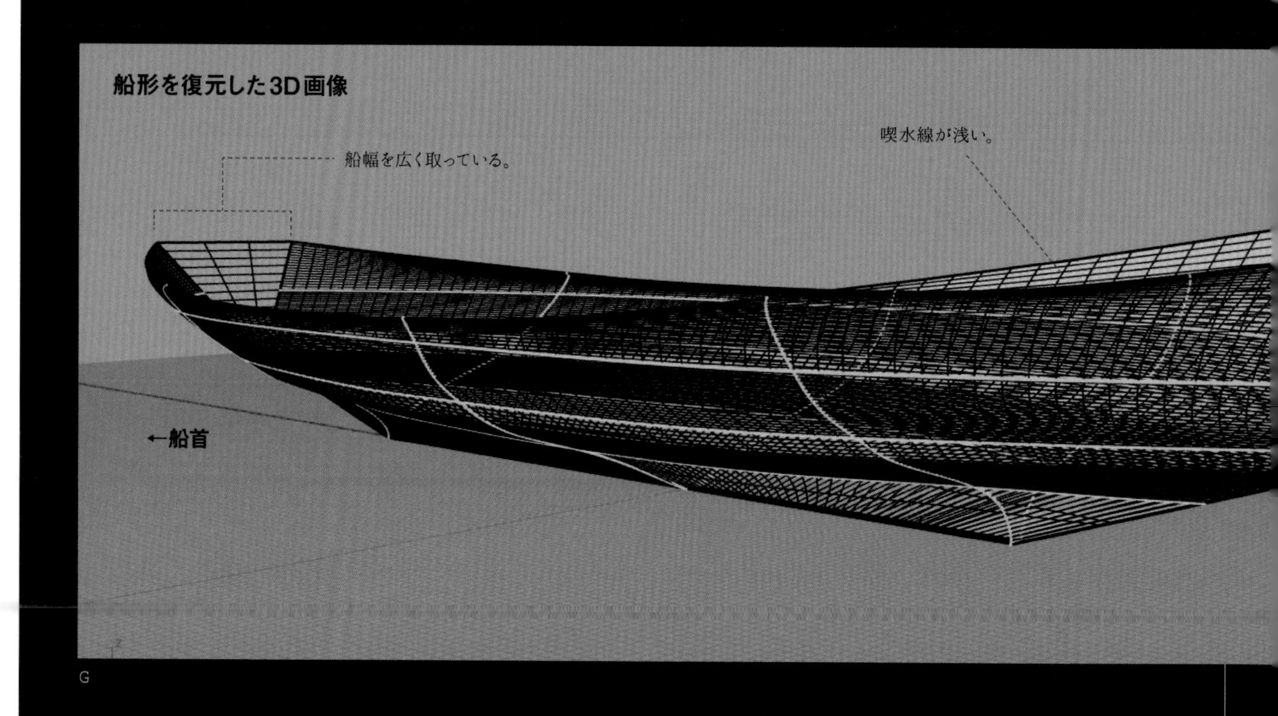

G

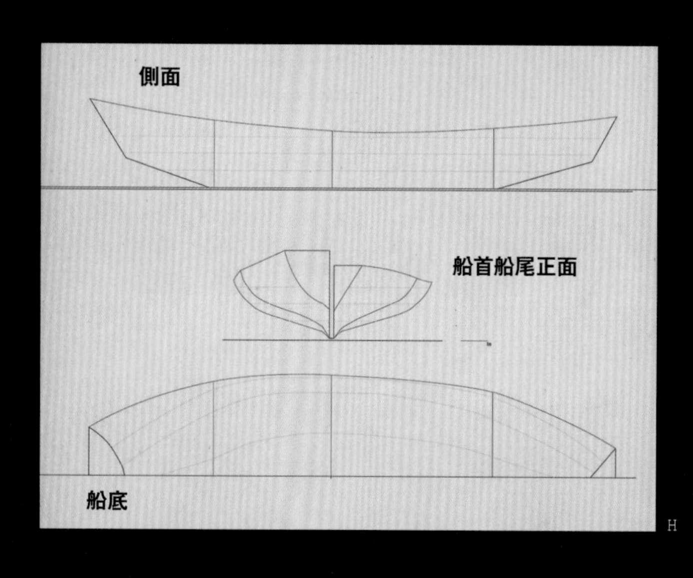

H

Takashima Underwater Site

G.鷹島出土2号船の復元研究(九州国立博物館、APPARATUS)。 H.鷹島2号船の船形図(Nick Burningham)。泉州船と類似する。 I.蒙古兵と宋兵。蒙古襲来の海戦は、弓矢戦と接舷戦であった。 J.『蒙古襲来絵詞(模本)』より、矢を射かける兵士。船上での火砲使用は、元代末期と考えられる。 K.徴用軍船は兵士の輸送を主たる任務とした。 L.モンゴル船団軍船のイメージ図。(作図:九州国立博物館、APPARATUS(G), H. Nick Burningham(H)/『蒙古襲来絵詞(模本)』九州大学附属図書館所蔵(J・K))

ビライが公式文書に使用したパスパ文字が刻印された青銅印が発見されるなどしていた。これらによって、遺物の大まかな分布は、海底遺跡とされた。90年代の海底発掘調査では、海底面下1〜2mにクビライ船団の船舶が使用した木製イカリが複数出土、2000年代には、兵士らの武器・甲冑類、さらには、当時最新鋭の火薬を使った球状兵器も発掘された。海底出土の兵器は、完形・損傷品があったが、全て球形でなかが空洞の一方、底が平らで、船に積載や多量輸送、投てきを容易にするための造作が加えられている。海岸では、この火薬兵器が不発の状態で発見された。発見から数年を経てのX線CTスキャンと3次元プリンター解析により、爆発時に鉄片や陶器欠片を散弾として飛散させた兵器であることが判明した。

2010年、鷹島海底から、初となる船団の1隻が発見、続いて、より状態の良好な鷹島2号船の船体も確認された。これ以前、海上侵攻の主役であった船団の軍船を知るには、絵巻や文献に頼らざるを得なかった。史料では、第1次侵攻時について、朝鮮半島の出港の船

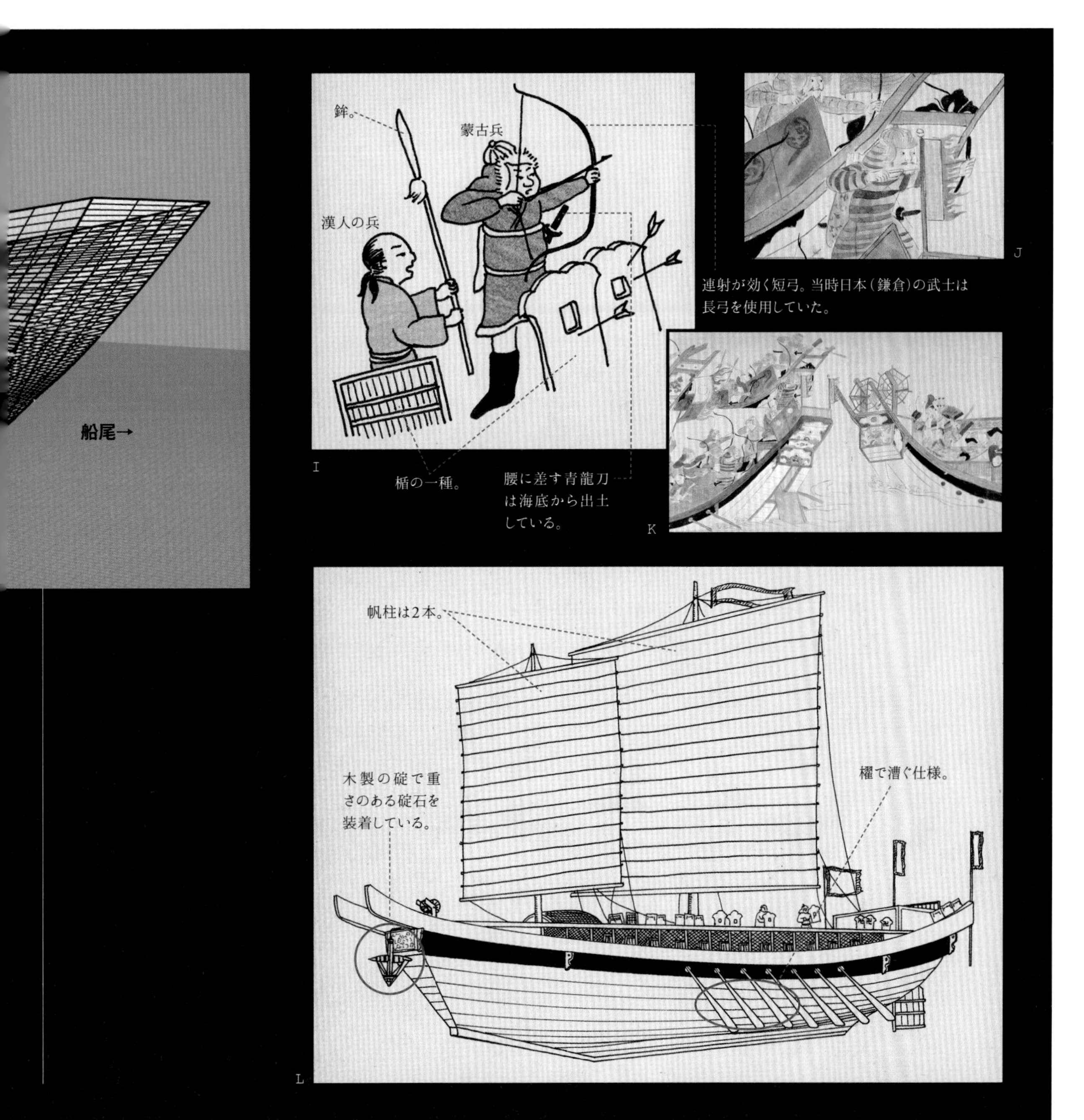
船尾→
鉾。
蒙古兵
漢人の兵
楯の一種。
腰に差す青龍刀
は海底から出土
している。
連射が効く短弓。当時日本(鎌倉)の武士は
長弓を使用していた。
帆柱は2本。
木製の碇で重
さのある碇石を
装着している。
櫂で漕ぐ仕様。

団について千料舟、抜都魯軽疾舟、汲水小舟の名前が記録されるのみである。第2次海上侵攻の船団は、現在の韓国木浦出港の船団と、中国中部港市寧波を出港した船団に分かれるが、鷹島から出土した船材や船体のなかで、復元できる船体考古資料については、後者、中国を出港した船団の軍船である。国際貿易港市と知られる寧波で徴用された25m前後の商船、その内部を仕切った隔壁材などである。中国沿岸域でも、寧波がある杭州湾以北で使用された東シナ海系統の船である。一方で、鷹島2号船の船体は、宋代の沈没船である南海1号や泉州船と同系の徴用された交易船と考えられる。これら交易船は、船幅が広く、外洋で安定性を保つ構造となっており、東シナ海系ではあるが、福建省からそれ以南の海域で建造され、南シナ海方面に遠距離航海した船である。海上侵攻船団が、複数の型式の交易船を徴用し、艦隊編成したものであったことが分かる。

モンゴル船団の海上侵攻

日本への第3次目の船団派遣は、遂に無かったが、クビライは、ベトナム海上侵攻(1287－88)、インドネシア海上侵攻(1287)で船団の大規模遠征を行っている。ベトナム北部白藤江では、船団が壊滅した河川戦場遺跡が、インドネシア・カリマンタン島では、侵攻船団が上陸時に残した、爪哇(ジャワ)と至元の銘が線刻された碑文が残る。アジア海域のいずれも失敗に終わった船団派遣、そのなかでも、水中遺跡として、長きにわたる調査がされてきた鷹島海底遺跡は、特別な価値を誇る。

(文:木村淳)

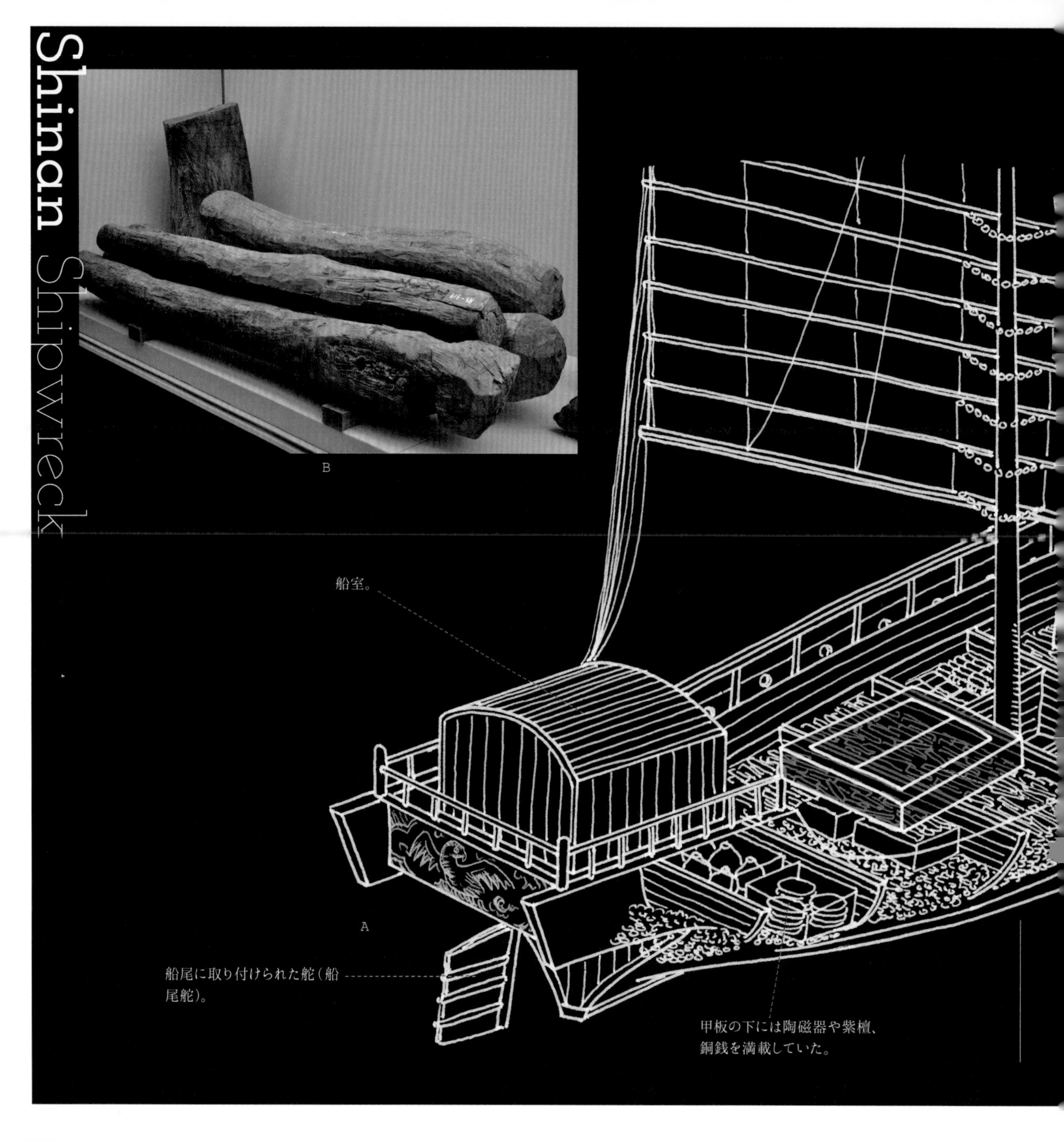
Shinan Shipwreck
B
船室。
A
船尾に取り付けられた舵（船尾舵）。
甲板の下には陶磁器や紫檀、銅銭を満載していた。

K OREA

沈没船のアナトミー（解剖学）

新安沈没船

韓国

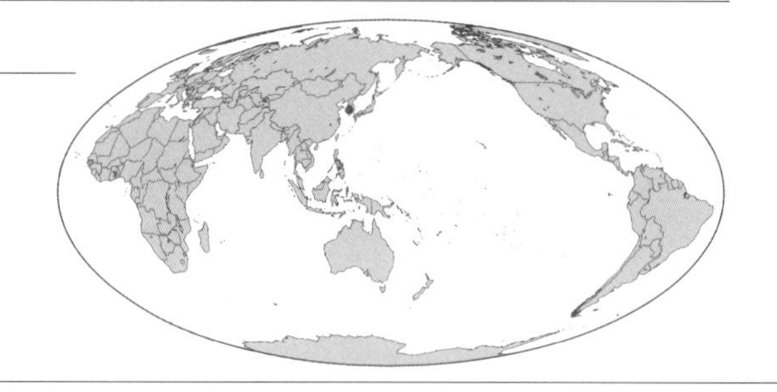

東アジア最高峰の沈没船

新安沈没船は、元代に、東アジアを渡海していた交易船である。モンゴル帝国の海上侵攻が、東アジア圏に、爪痕を残すなか、国同士の公式な貿易である公貿易ではなく、私貿易船として、中国から、日本への航海の途中、現在の韓国海域で、14世初頭に沈んだ船であった。

東アジア圏の水中考古学史上、新安沈没船は、最大の発見とされ、南海1号とも比肩される。韓国全羅南道新安郡防築里の島嶼域、漁網に掛か

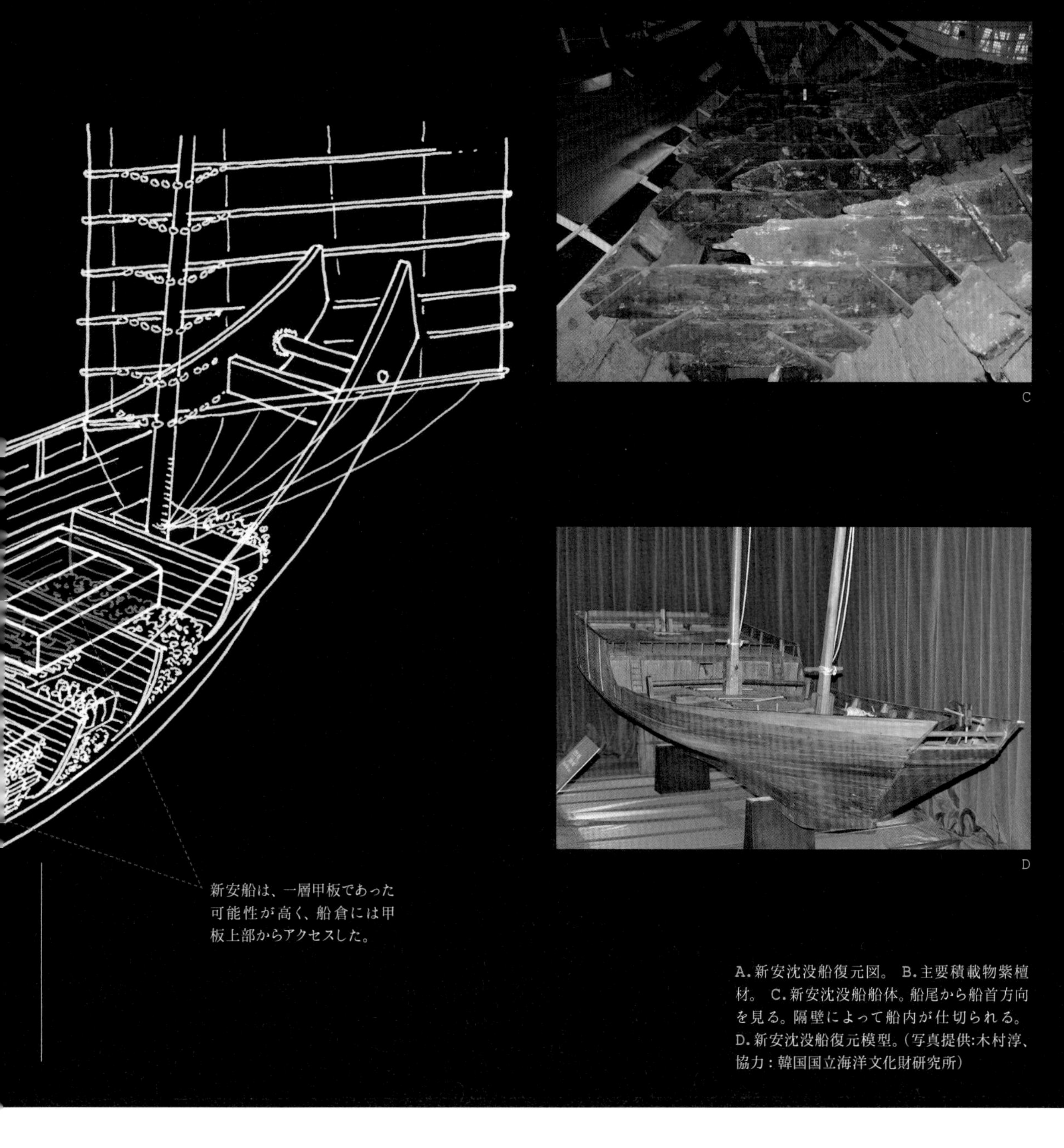

新安船は、一層甲板であった可能性が高く、船倉には甲板上部からアクセスした。

A.新安沈没船復元図。 B.主要積載物紫檀材。 C.新安沈没船船体。船尾から船首方向を見る。隔壁によって船内が仕切られる。 D.新安沈没船復元模型。（写真提供:木村淳、協力：韓国国立海洋文化財研究所）

った陶磁器でその存在が明らかとなり、韓国水中考古学の黎明期、海軍の協力を得ながら、透明度が悪く、海流が早い海底で発掘が進められた。慎重に発掘された多量の積荷には、2万点を超す陶磁器が含まれていた。一部は、木箱に収められていた。木箱の墨書、京都や博多の寺社名や僧侶の名前が書かれた荷札・木簡により、日本に向かっていた交易船であることが判明した。

木箱には、同型・同形の器のみではなく、優品や個人の需要に応えるために吟味した陶磁器製品が梱包されていた。新安沈没船の水中発掘調査時には、図面が作成されている。これによれば、木箱が、第2船倉から第7船倉に広く積載されていたことがわかる。船倉最下部に、数十トンにも及ぶ多量の銅銭が、陶磁器を積載したうえに、高級な紫檀の材を積んでいた。新安沈没船の船体中央部の第4船倉の両舷にはドライ区画があった。ここには特に重要なあるいは濡れては商品価値が下がる、書物や織物品を収めた。万一、浸水があっても、区画の隅の排水孔から水が抜けるように工夫がされていた。新安沈没船の船体の残存状況は良好であり、船首部の構造が分かるほか、右舷側の船体上部構造が残っていることで、甲板構造が判明した。甲板は1層構造で、船倉には、上部のハッチから出入りできた。舷側は一段下がっており、水面に櫓を突き出し易く、櫓走に適した構造であった。船底部には、帆柱を固定する前檣座と主檣座が、残存していた。新安船は、二本帆柱であった。

E

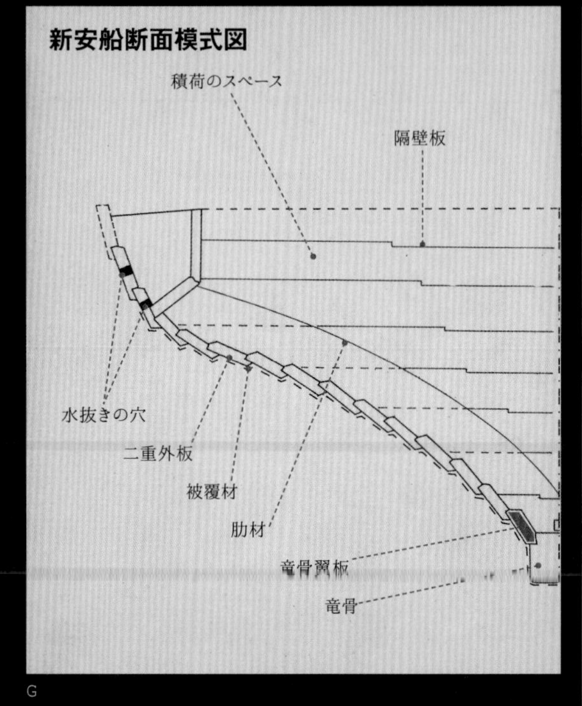

G

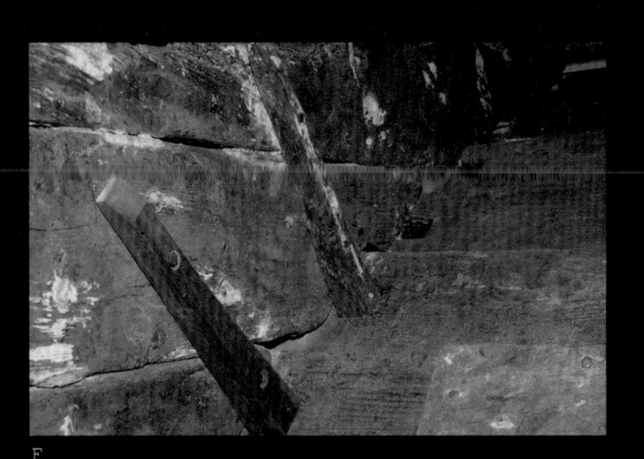

F

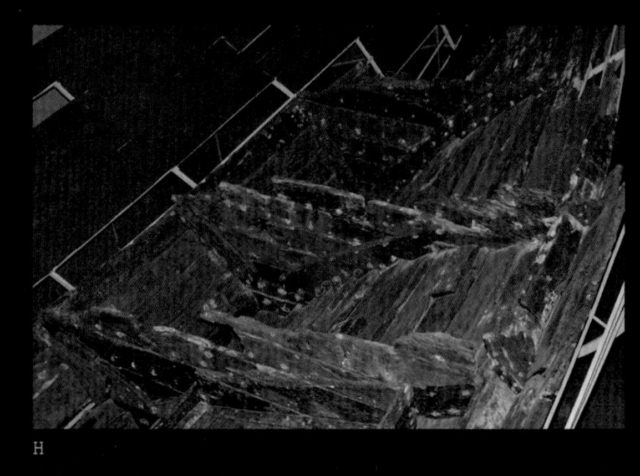

H

E.船底部残存する前帆柱基部と檣座。檣座は竜骨の上に置かれる。四角いビルジ(船底に溜まる水を抜く)孔がある。 F.隔壁材には、補剛材かフレーム(肋材)のいずれかが、船首側の隔壁面か、船尾側の隔壁面に固定される。 G.新安船断面図。船体右舷の一部は、甲板付近まで残存していた。水抜き孔の舷側に空いている。 H.船内俯瞰写真。船尾側の隔壁面に肋材が固定されている。(写真提供:木村淳、協力:韓国国立海洋文化財研究所)

発掘調査時に船体は解体され、船材ごとに引き揚げが行われた。薬品による保存処理を経て、木浦市の国立の施設内に復元展示され豊富なデータが揃う新安沈没船は、この時代の船体をアナトミカル(解剖学的)に分析することに、最適な船体考古資料である。船首材から船尾までが良好な状態で残っていることが、これを可能としている。船形を線図復元すると、船首から船尾にかけて全体の船幅が広く、船長幅比が小さい、という特徴があらわれる。

新安船は、南海1号や泉州船と同じく、東シナ海系であり、三つの部材からなる竜骨を基本構造として建造された。船首竜骨材、主竜骨材、船尾竜骨材は、互いに特殊な腰掛け接ぎで接合される。船体考古資料の解剖学的見地から興味深いのは、竜骨を側面から見た際に、中央部の主竜骨部材が上反りしている点である。船体の線図を復元する限りでは、この反りは、建造後の後天的なものである。波の荒い外洋を航行する際、船体が波の山や谷で、大きく縦曲がりすることがあ

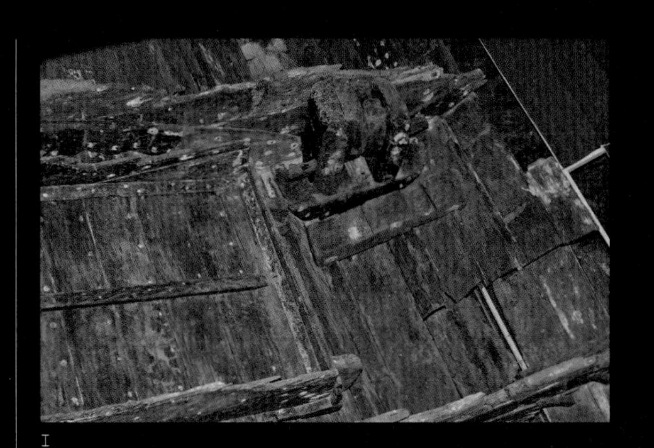

I

I.船底部に残存する主帆柱基部と檣座。 J.右舷に残存する積載区画。水抜きの孔があり、濡れると商品価値が下がる交易品(書物など)を載せた。 K.船体を覆う木製の被覆材。新安船もまた多重外板構造であった。表面には、フナクイムシに食べられたあとが。食害にあった被覆材の上に、さらに、三重、四重へと板を重ねたといわれる。 L.隔壁材の側面、フレームが固定されない側面に、補剛材が固定される。(写真提供:木村淳、協力:韓国国立海洋文化財研究所)

Shinan Shipwreck

J

K

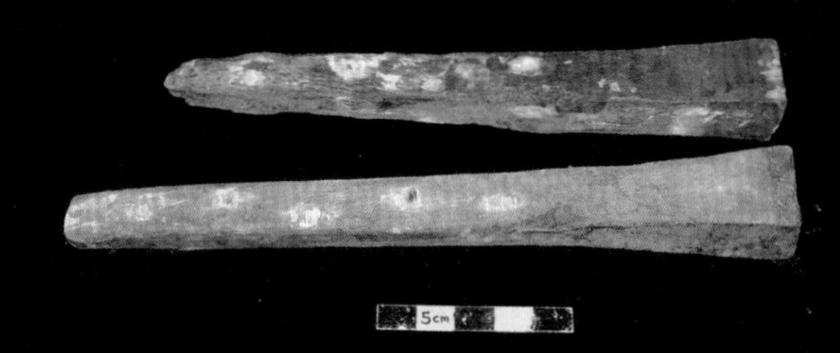

L

る。この現象によって、船体に歪みが生じていたと診断できる。上反りは、船体の破断に繋がるような深刻なものであったかもしれない。

次に、新安船の、南海1号と泉州船との比較分析として、隔壁構造に着目する。船内部を仕切る隔壁が配置されるが、その数は、7壁と、南海1号や泉州船の12壁と比べて著しく少ない。さらに各隔壁をみると、船底部に近い隔壁材については、厚さが、そのうえの隔壁材の倍近くになるなど、隔壁部材の厚さが均一な泉州船と異なる構造となっている。一方で、類似構造としては、隔壁と外板との固定方法があげられる。新安船の隔壁には、片側に肋材、もう片側には木製の大型の補剛材(泉州船は鉄製)を使用するなど、固定によって、船殻強度を保持する基本構造原理は、泉州船との共通性がある。

船舶考古学では、船の構造の断面をみることが重要となる。断面診断で、まず目に付くのは、竜骨に取り付ける最初の外板である竜骨翼板の取り付け角度である。泉州船と同様に、竜骨上部にほぼ垂直に固定される。竜骨翼板から甲板に向かって立ち上がる外板は、反りをみせ、断面で、鋭い船底勾配をみせV字船底を形成する。V字船底により適度な喫水があるが、喫水線上の乾舷は相当小さく、全体に横長で舷側の低い船、という形容が新安船には当てはまる。このような描写は泉州船に共通する。

新安船の船殻構造は、二層の多重外板構造であるが、泉州船の船殻ほど堅牢には設計されてはいない。多層構造であるが、新安船の最外層の外

M

N

Shinan Shipwreck

M.逆三角形形状の船首部材。 N.保存処理を終えた被覆材。 O.新安沈没船の船形復元。 P.船首部俯瞰写真。アジア海域の沈没船遺跡で、船首部材が残存するのは極めて珍しい。（写真提供：木村淳（M,・N・P）/作図：木村淳（O））

板は厚さが薄い被覆材で、内層の外板の継ぎ目を、効果的に被覆できない。新安船の外板接合は、段継ぎのみの鎧張りで、外板接合に、段継ぎと平継ぎを併用し半鎧張りとなる泉州船の外観とは異なる。

新安沈没船は、新安海底遺跡とも言われ、貿易陶磁器を中心とする積荷の研究が進んできた。ここでは、船体に着目し、その構造をみることで、当時の日中韓を往来していた航洋船の造船技術の水準を明らかにしてみた。

（文：木村淳）

船形図面（Shiplines）

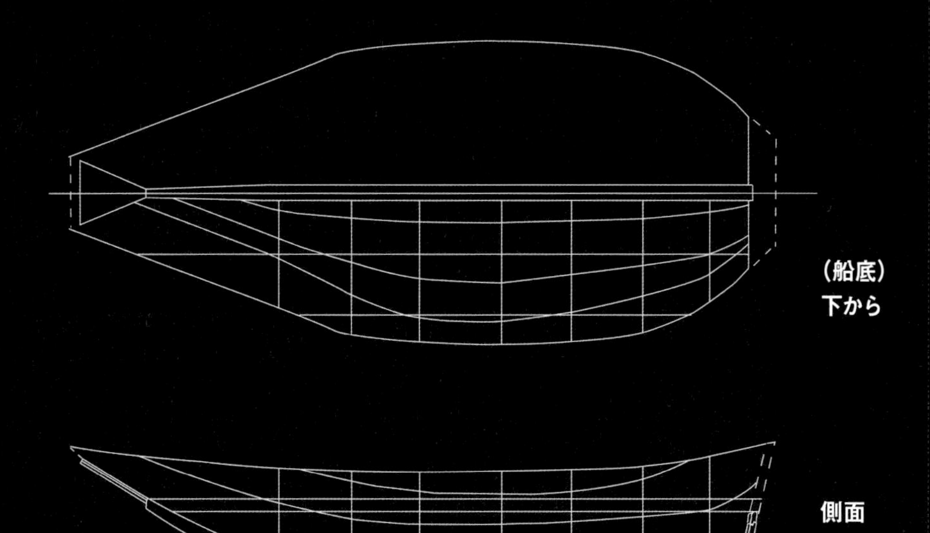

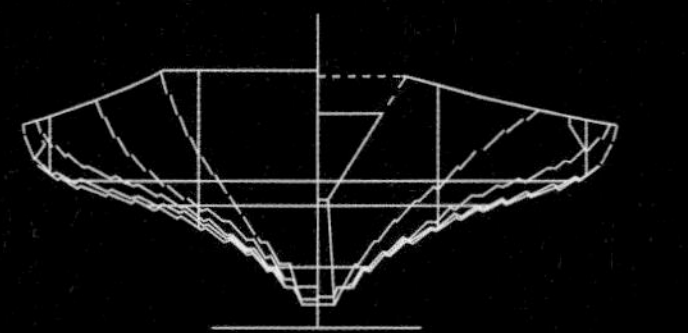

O

P

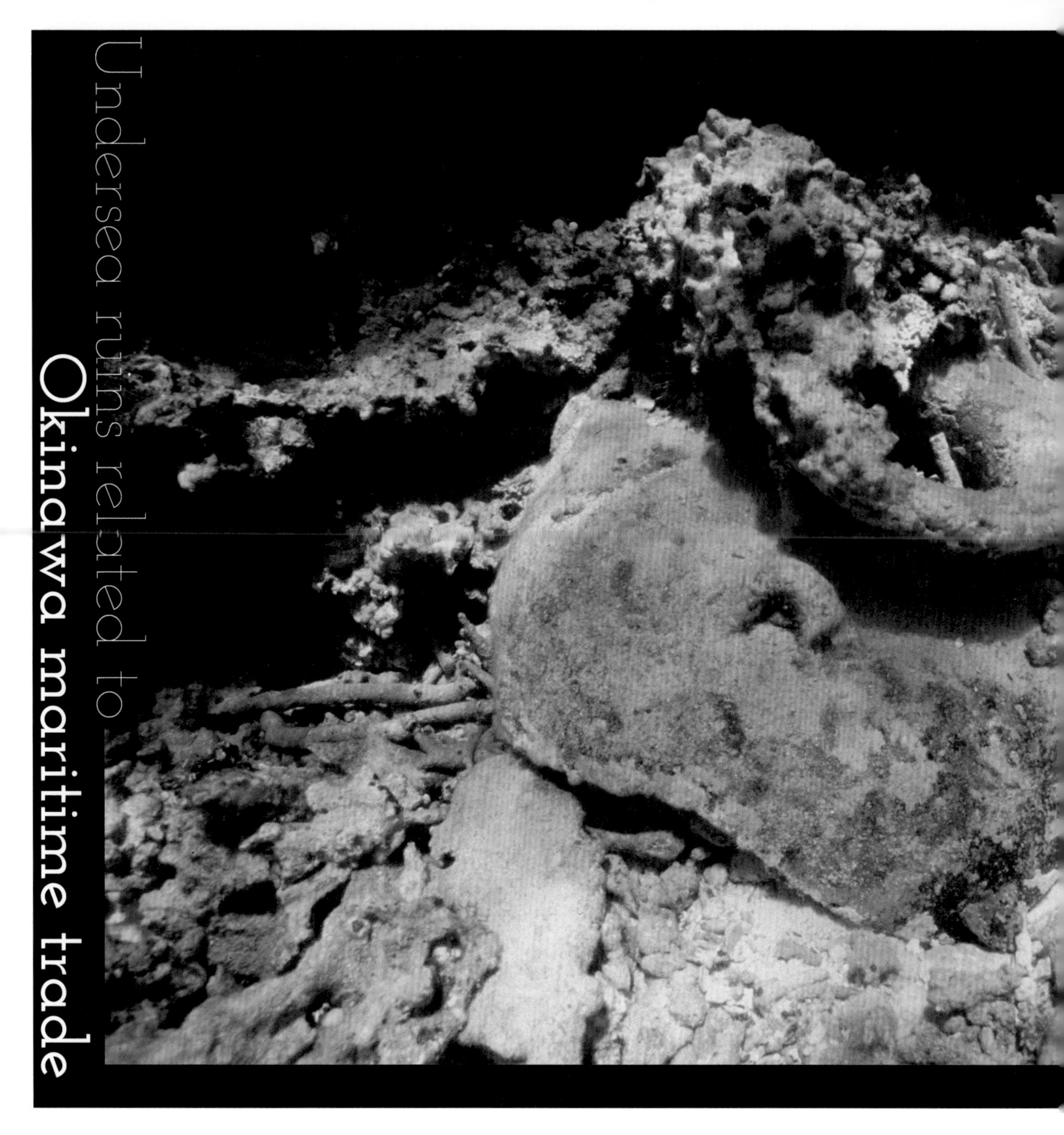

琉球王国の活発な海上交易を物語る水中遺跡たち

沖縄海上交易関連の海底遺跡

日本

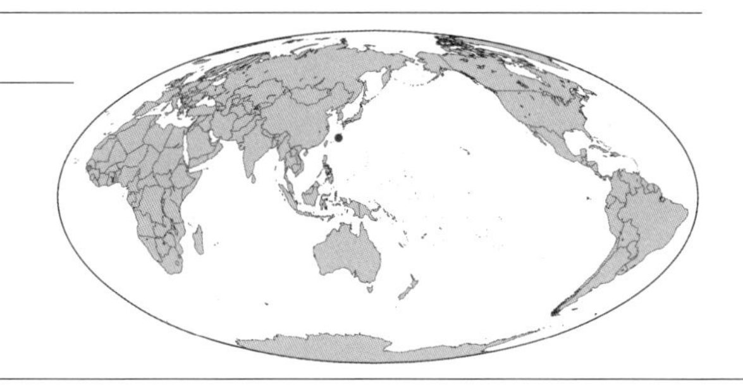

琉球王国とその海上交易網

琉球列島にはかつて琉球王国(1429～1879年)と呼ばれる独立国家が存在していた。最大の島である沖縄島には、王宮である首里城があり、そこに住む王が島々を統治していた。琉球王国は海洋貿易国家だった。国際港那覇を拠点とし、中国船と同系の外洋船を駆使し、日本・韓国・中国、そして東南アジアを結ぶ中継貿易によって繁栄した。14～15世紀は琉球王国が貿易によって最も繁栄していた時期である。

主力商品は中国陶磁器。琉球王国

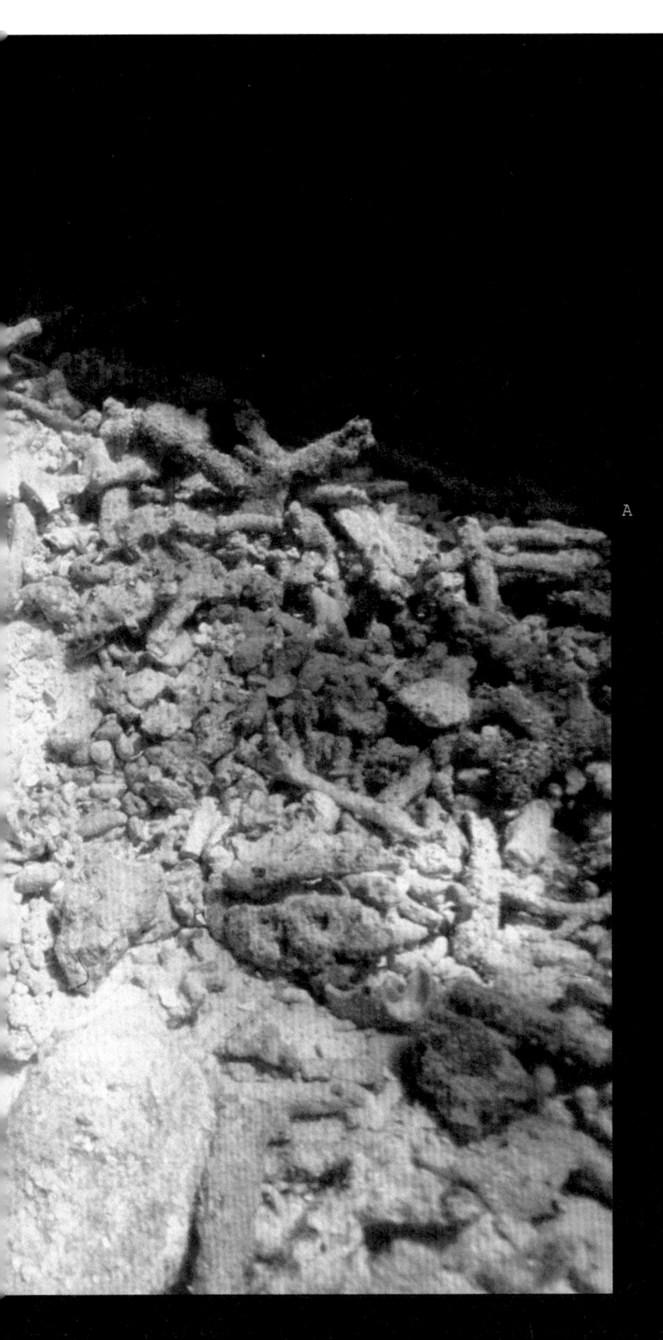

A. 水納島沖海底遺跡（本部町）。タイ陶器の壺。15世紀。水納島は那覇港から日本本土（鹿児島）へ向かう北方ルート上にある（写真提供：沖縄県立埋蔵文化財センター）。 B. 長間浜沖海底遺跡（宮古島市来間島）。中国産青花。16世紀初頭。海底には多量の中国青花や青磁が散布している（写真提供:沖縄県立埋蔵文化財センター）。C. 東奥武（オーハ）島沖海底遺跡（久米島町）。密集する中国青磁。14世紀後半～15世紀前半（写真提供：沖縄県立埋蔵文化財センター）。

の島々には中国陶磁器が満ち溢れていたことが城跡や集落など陸上遺跡での発掘調査によってわかっている。

16世紀になると、琉球王国は中央集権化が進み広大な海域を支配することとなった。王国内の島々は、外洋船を小型化したマーラン船と呼ばれる船による交易ネットワークが発達し、王国内の生産品の流通も活発になった。

17世紀、中国王朝が清朝へと交代してからも琉球王国は清王朝と日本に従属しつつ、現代に繋がる多くの独自の文化が発達した。清朝時代でも朝貢貿易は引き続き行われ、福建と那覇と結ぶ海域が重要な航路となっていた。

このことを証明するように、海底には活発な海上交易を示す様々な時代の海底遺跡が確認されており、その中には中国陶磁器を積載していた船に関係する海底遺跡も多く確認されている。船そのものの沈没によって形成された海底遺跡もあれば、船の沈没を免れるために重い積荷を投棄した結果形成された海底遺跡もあり、それらはまとめて海難事故遺跡と呼んでよいだろう。船に積載されていた陶磁器からその海難事故遺跡を時代別に見ると、12～13世紀のものが1ヶ所、14～15世紀のものが4ヶ所、16世紀のものが1ヶ所ある。

14～15世紀を主体とするものが最も多いが、これは、琉球王国と中国が最も密接に貿易を行っていた時期と合致している。このことは貿易の頻度と海難事故の割合が比例することを裏付ける。そして、そのような遺跡は、すべて東シナ海に集中している。このことから、琉球王国では、太平洋側よりも東シナ海側が船の航行にとって重要な海域であったこともわかる。

D

Undersea ruins related to Okinawa maritime trade

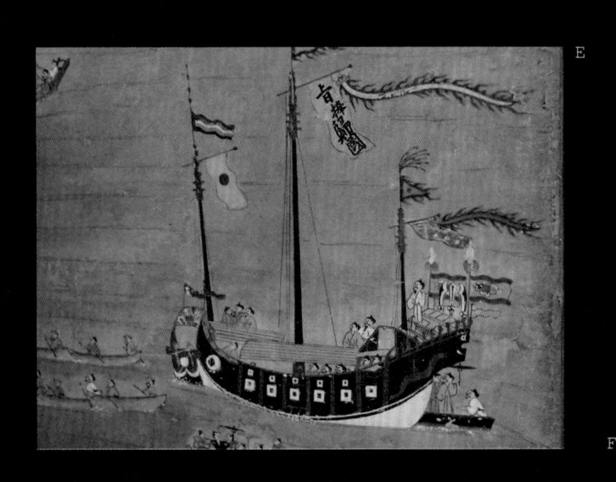

E

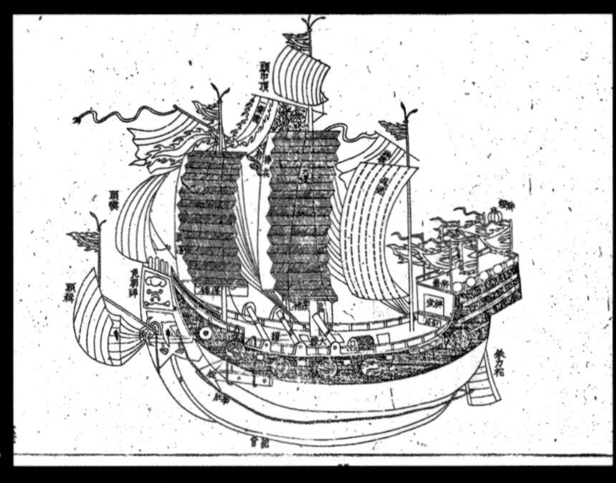

F

中継貿易と国際航路

琉球王国の国際的な海上貿易を考える上で最も重要な海域は、琉球王国の国際港那覇から中国の国際港福建とを結ぶ航路上にある慶良間諸島、久米島海域である。慶良間諸の座間味島の阿護の浦は歴史的な風待ち港として知られており、海底には当時停泊した船から何らかの理由によって投棄されたと考えられる中国産陶磁器や沖縄産陶器など多時期にわたる様々な船の積荷の散乱が見られる（阿護の浦海底遺跡）。そして、久米島は那覇港から福建港へと向かう船の最後の補給地であり、逆に福建港から那覇港へと向かう船にとっては最初の寄港地となる重要な島である。しかし、島の東側には「ハテノハマ」と呼ばれる長い砂州があり、船の航行にとって危険な暗礁海域となっている。17世紀前半に作成された「正保国絵図」（所蔵：東京大学史料編纂所）は、琉球王国内の港湾と航行ルートが描かれた貴重な古地図であるが、そこには、まさに「ハテノハマ」が強調されて描かれており、当時から危険な暗礁海域として認識されていたことを示す。

G

H

I

D.首里城と那覇港の様子が描かれた「首里那覇港図屏風」(所蔵：沖縄県立博物館・美術館)。 E.「首里那覇港図屏風」に描かれた琉球王国の進貢船。琉球王国はこのような大型外洋船で交易を行っていたと考えらえる(所蔵：沖縄県立博物館・美術館)。 F.『中山傳信禄(上)』に描かれた中国船。(所蔵.沖縄県立博物館・美術館) G.復元された中国船の木石碇(所蔵：福岡市埋蔵文化財センター・写真提供：沖縄県立博物館・美術館)。 H.復元された琉球船の木碇(所蔵・写真提供：沖縄県立博物館・美術館)。 I.木石碇に使用された様々な碇石(手前から宇検村生涯学習センターの碇石、鷹島海底遺跡の分離型碇石、屋仁小学校の碇石。写真提供:沖縄県立博物館・美術館)。

その危険さを示すようにハテノハマ周辺の海域では3ヶ所もの海難事故遺跡が確認されており、その内の2ヶ所は中国陶磁器を積載した船(ナカノハマ沖海底遺跡、東奥武島沖海底遺跡)だった。重要な港の周辺や危険な暗礁海域には交易に関する沈没船遺跡が集中していることがわかる。また、久米島からは中国の伝統的な貿易船(ジャンク船)に装備されていたとみられる木石碇に使用されていた石材が二つも確認されている。これを中国型碇石(いかりいし)と呼ぶ。碇石とは、碇そのものではなく、木の碇を海底に沈め固定するために用いられた「いかりの付属品」である。碇は船の特徴をあらわす重要な史料であり、中国型碇石の存在は、まさに久米島近海に中国型の貿易船が存在したことを証明する。

琉球王国は中継貿易によって繁栄した国家である。当時、世界的に貴重品であった中国陶磁器を中国から輸入し、それらを日本や東南アジアへと再輸出していた。国際港那覇に集積された中国陶磁器は日本へも輸出されたことだろう。那覇港から鹿児島へと向かう海上の北方ルート(大和航路)があったが、航海をする船は、つねに島影を見ながら進むことが可能である。これは「島伝い航行」といって、島影を確認しながら島から島へと航海する、原始的ながらも安全な航海方法だ。その中でも、沖縄島北部にある本部港は沖縄本島における最後の重要な寄港地であり、現代でも避難港として利用されている港である。この航路と港の周辺でも海難事故遺跡が複数確認されており(瀬底島沖海底遺跡、水納島沖海底)、その重要性がうかがえる。

J

J.名蔵シタダル遺跡（石垣市）出土の中国産陶磁器群。15世紀中葉。青磁が主体となる（所蔵：石垣市立八重山博物館・写真提供：沖縄県立埋蔵文化財センター）。 K.長間浜沖海底遺跡（宮古島市）出土の中国陶磁器群。16世紀初頭。青花が主体となる（写真提供・所蔵：沖縄県立埋蔵文化財センター）。 L.久米島で発見された中国型碇石（所蔵：名護博物館・写真提供：沖縄県立埋蔵文化財センター）。

K

L

琉球王国内の航路

琉球王国が輸入した中国陶磁器は中国や東南アジアといった外国に運ばれただけではない。宮古島や八重山諸島といった南方の先島諸島にも広く運ばれていった。その証拠に、先島諸島の様々な島々の集落遺跡からは中国陶磁器が出土する。この南方ルート（先島航路）は鹿児島への北方ルートと異なる困難さがあった。沖縄本島と宮古島の間の海域は慶良間海裂と呼ばれ、その距離は約200㎞。慶良間諸島で一番高い山の上に登っても、南の島である宮古島は見えない。もちろん宮古島からも慶良間諸島や沖縄諸島を望むことはできない。つまり宮古島と本島の間では、島影を見ながら航海する「島伝い航行」はできない。ただし宮古島までたどり着ければ、多良間島を経て石垣や西表島へと島伝い航行ができる。

宮古島は国際港那覇と南の島々とを繋ぐ先島航路上に位置する。島の北には「八重干瀬（やびじ）」と呼ばれる広大な暗礁海域があり、船の航路は東西に分かれてそこを避けている。八重干瀬で

M

N

O

Undersea ruins related to
Okinawa maritime trade

M.海底調査の様子。オレンジのブイにポータブルGPSを設置して、海底にある遺跡（遺物）の位置座標を記録する（写真提供：沖縄県立埋蔵文化財センター）。 N.海底調査の様子。陶磁器の散布状況の写真撮影（写真提供：沖縄県立埋蔵文化財センター）。 O.海底調査の様子。海底で確認された遺物の真上にGPSを設置したブイが位置するように、ロープを引っ張っている（写真提供：沖縄県立埋蔵文化財センター）。

は3ヶ所で海難事故遺跡が確認されていることからも、重要な航路に位置することがある。張水港は宮古島で最も重要な港であり、国際港那覇と八重山諸島を繋ぐ中継港となっている。この港から八重山諸島へ向かう航路付近では中国陶磁器を積載した船の海底遺跡が確認されている（長間浜沖海底遺跡）。

八重山諸島は琉球王国の支配領域の南限である。最も重要な港は石垣港である。名蔵湾は先述した宮古島の張水港と石垣港を結ぶ先島航路上に位置し、歴史的に重要な避難港ともなっている。琉球王国時代には実際に船が沈没した記録も残されている上、ここでも、2ヶ所で海難事故遺跡が確認されており、その内の1ヶ所は中国陶磁器を積載した船に関係する海底遺跡である（名蔵シタダル遺跡）。

さらに、石垣港から西に広がる島々を結ぶ海域は石西礁湖と呼ばれ、琉球王国時代にはそれぞれの島々へ向かう複雑な航路網が発達したが、一方で危険な暗礁海域でもある。この海域でも3ヶ所で海難事故遺跡が確認されており、その内の1ヶ所では中国陶磁器も積載されていたことがわかっている。

これまで紹介した海底遺跡は、中国産陶磁器を主体として船に積載したものばかりだが、実は、そこには生産国が異なるタイ産陶器もわずかながら積載していた船もあったことがわかっている。つまり琉球王国の海域を航行する貿易船には中国とタイという、それぞれ産地が異なる陶磁器群を積載することがあったことになる。海上交易に関係する海底遺跡には、琉球王国の複雑な貿易システムを解明する鍵が隠されている。　（文：片桐千亜紀）

Yarabuoki Underwater Site

屋良部沖海底遺跡で見つかった多数の陶器壺。
（写真提供：沖縄県立埋蔵文化センター）

島沖に眠る近世琉球交易の謎

YARABU／JAPAN

屋良部沖海底遺跡

日本

石垣島の海底に眠る謎の鉄錨と壺

屋良部沖海底遺跡は、石垣島西岸の屋良部崎の沖合、水深約20-35mの海底に位置する水中遺跡だ。この遺跡は2010年に地元のダイビング関係者により発見された。その報告を受け，同年に沖縄県立埋蔵文化財センターが行った調査では、近世期以降と推測される8本の四爪鉄錨と沖縄島産とされる壺屋焼の陶器が多数確認された（図A, B）。

四爪鉄錨は、琉球以外の日本列島では近世期の和船に搭載される錨とし

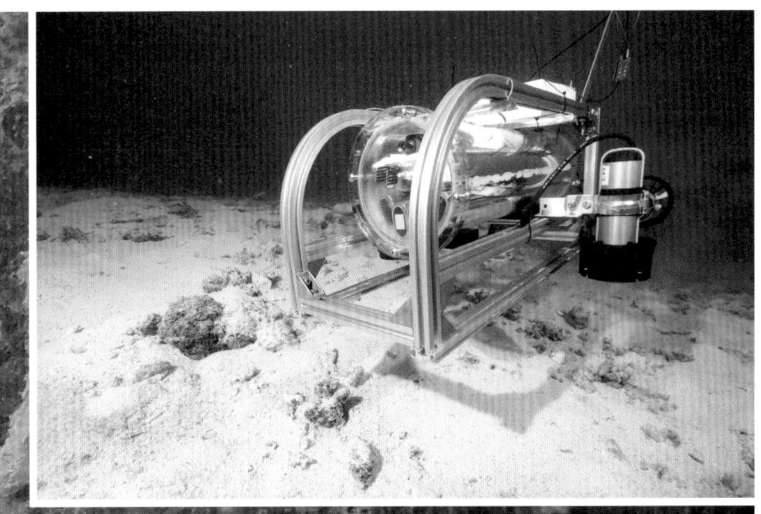

屋良部沖海底遺跡の四爪鉄錨を調査する水中ロボット。(写真撮影：山本游児)

て、主に利用されたことが知られてきた。しかしなぜか沖縄県内では陸上はもとより、海底においてもこの鉄錨は確認されたことがなかった。よって琉球では、より古いタイプの木碇が主流と考えられていたのだ。ところが、琉球列島でも最も南に位置する八重山諸島の石垣島で、同時に8例もの四爪鉄錨が見つかったのである。

その後、2011年から行われた東海大学らによる水中考古学的調査では、陶器壺群と計8点の四爪鉄錨を対象としたGPS座標と深度の確認、フォトグラメトリーの技術を駆使した四爪鉄錨の3D実測に成功した。また東海大が開発した水中ロボットによる撮影実測(図B,F)なども試みられてきた(小野ほか2013；小野・木村2018)。さらに九州大学との共同調査では、海底マルチビーム測量により正確な海底地形図に基づく、3D遺跡地図も完成している(Ono et al. 2016)。これで海底にどのような状況で各鉄錨や壺群が位置し、これらが海底に残された当時の状況を推測しやすくなった。

屋良部沖海底遺跡を調査する

水中遺跡の考古学的な調査法は基本的に陸上のそれと大きな違いはない。ただ大きく違うのは、それが水中にあるため調査に際して酸素が必要になることだ。このため水深が2mより深い場合は、スキューバダイビングによる調査が基本となる。屋良部沖海底遺跡のように多くの遺物が、水深20m前後に位置する場合、1回の潜水で行える調査時間は長くて30分ほどとなる。1日に潜れる回数は3回が限界のため、実際の調査時間は1日90分。

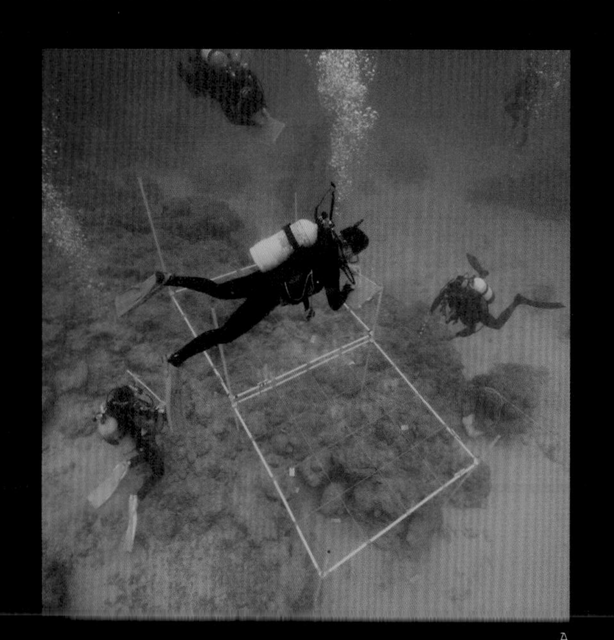

A

B

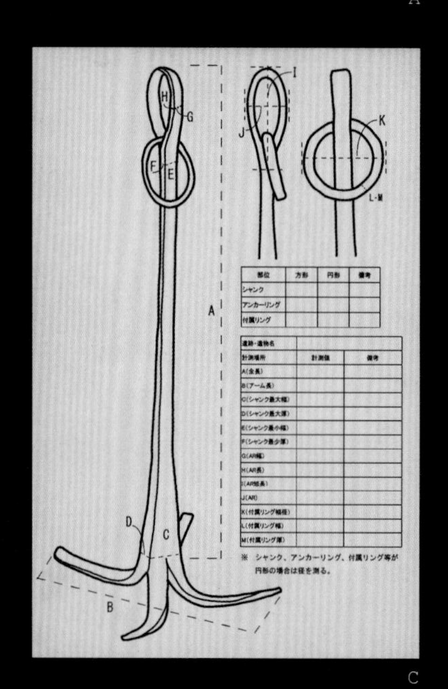

部位	方形	円形	備考
シャンク			
アンカーリング			
付属リング			

遺跡・遺物名		
計測場所	計測値	備考
A(全長)		
B(アーム長)		
C(シャンク最大幅)		
D(シャンク最大厚)		
E(シャンク最小幅)		
F(シャンク最少厚)		
G(AR幅)		
H(AR長)		
I(AR総長)		
J(AR)		
K(付属リング幅径)		
L(付属リング幅)		
M(付属リング厚)		

※ シャンク、アンカーリング、付属リング等が円形の場合は径を測る。

C

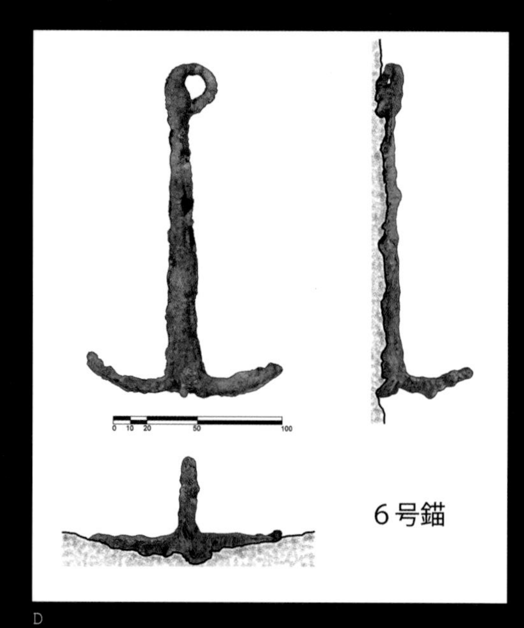

D

これは陸上における通常の発掘調査と比べると、はるかに短い。そこで1日の調査をできるだけ長時間行うには、まず調査者の数を増やすという手がある。30分の潜水後には、体内の窒素を抜くために60分以上の水面休息が必要となる。調査者が多い場合、この間に別のメンバーらが調査を続け、その後に2回目の潜水調査を行うことができる。これを繰り返せば、人数にもよるが1日4～5時間の水中調査を継続することも不可能ではない。

屋良部沖海底遺跡でも、このような手法でメンバーが連携して、海底に沈む壺や鉄錨の実測が行われた(図A,B,C)。しかし人間のみによる水中での実測には限界もある。水中では判断力や記憶力が陸上より劣ることが多いうえ、作業中の会話による連携も極めて取りにくい。このため、正確に遺物を実測し、図面化することは至難の業でもある。これに対し、近年急速に発達しつつあるフォトグラメトリーやマルチビーム測量、水中ロボットの利用は水中調査の可能性を大きく広げつつある(図B･F)。

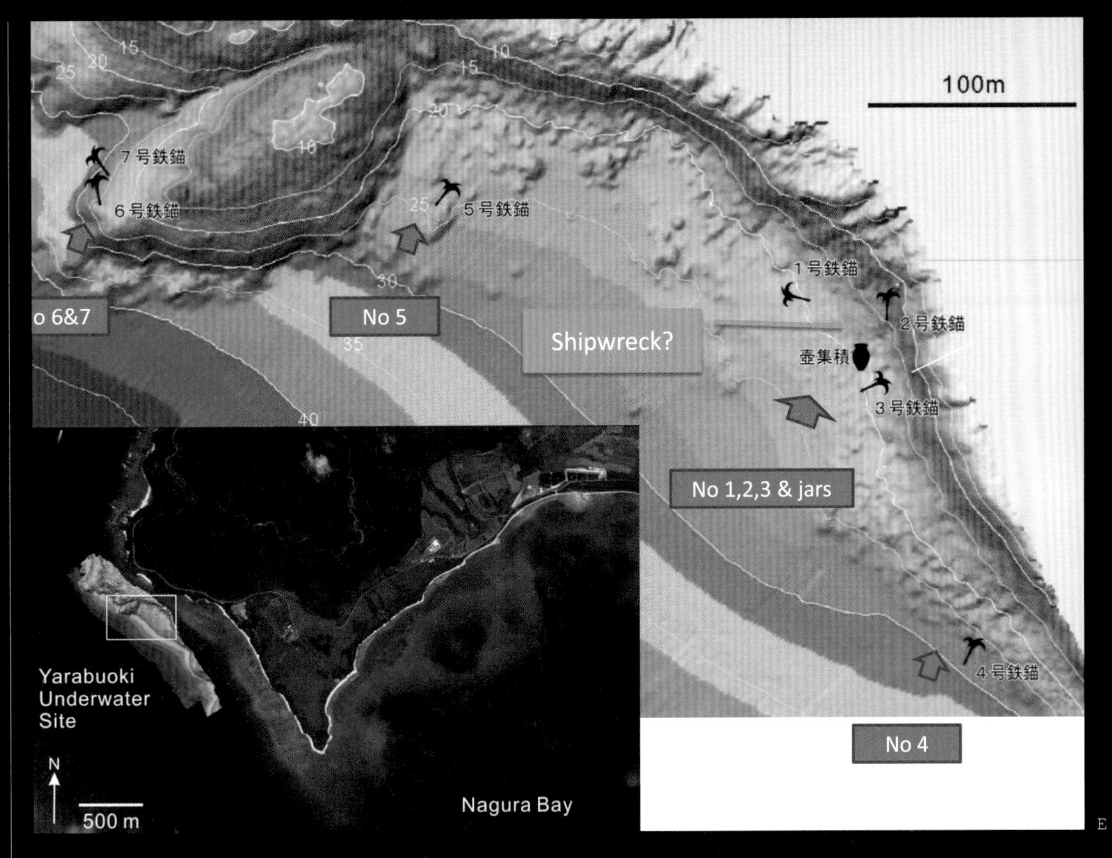

E

F

Yarabuoki Underwater Site

A.四爪鉄錨の実測に際し、2m四方の枠を設置している。作業担当は東海大チーム。(写真撮影:山本游児) B.2m四方の枠を設置後、四爪鉄錨と壺群を図面化している。(写真撮影:山本游児) C.四爪鉄錨の事例図と測量した各部位。(作図:片桐千亜紀) D.フォトグラメトリーによって実測された6号四爪鉄錨。E.マルチビーム測量によって作成された3D海底地形図。(基図:九州大学浅海底フロンティア研究センター・菅浩伸、作成:片桐千亜紀・小野林太郎) F.東海大学(海洋学部)が開発した水中ロボット。有線による操作で動画や写真撮影が可能。(写真撮影:山本游児)

フォトグラメトリーは、カメラやビデオを用いた映像記録から対象物を3D化する技術だが、その実測は数m単位の誤差で行うことが可能で、人為的に行うよりも精度が高い。加えて決定的に異なるのは水中での作業時間である。人為的に行う実測は先に述べたとおりだが、フォトグラメトリーの場合は写真撮影ができれば3D化が可能である(図D)。このため錨1点の実測は、1名のカメラマンが1回のダイビングで十分に実現可能だ。遺物が密集していれば同時に数点の実測も可能かもしれない。また3D化された実測図から断面の形やサイズを割り出すことも容易である。

一方、マルチビーム測量の場合は別に船を走らせ、対象とする海域で測量を行う必要があるが、1m以内の誤差という精度で遺物の位置やその周囲の海底状況を3D化して表現できる点で大きなメリットがある。また九州大学のチームが作成した3D海底遺跡地図は、屋良部沖海底遺跡の観光ダイビングでも有効利用されており、何よりその見やすさが際立っている(図E)。

水中ロボットのもつ可能性も多彩だ。浅海域では人間による作業の補助を行うことが期待されるが、人間と異なり電力が続く限り、何時間でも水中に滞在が可能である(図B, F)。また潜水病の恐れもないので1日に何度でも水中に入れる。人間が潜れない深海域は、水中ロボットの独壇場でもあり、今後の水中考古学的調査でも多方面で活躍が期待されている。

鉄錨をめぐるミステリー

これらの水中調査のほかに、屋良部沖海底遺跡を巡る文献調査では、

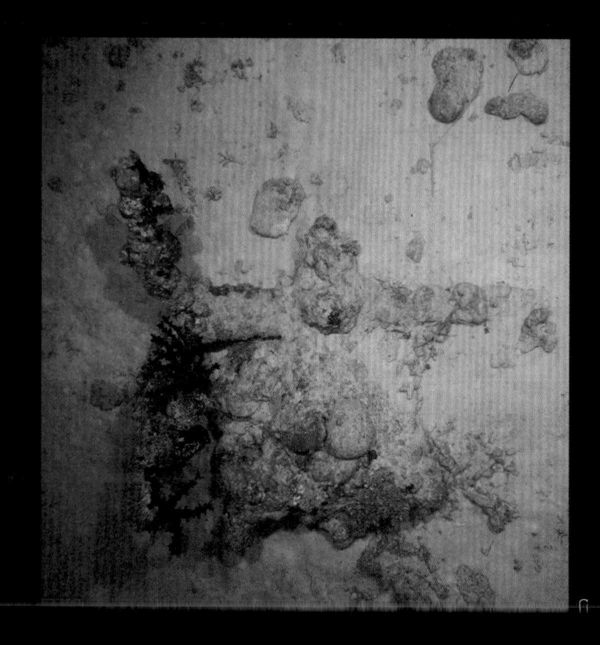

G

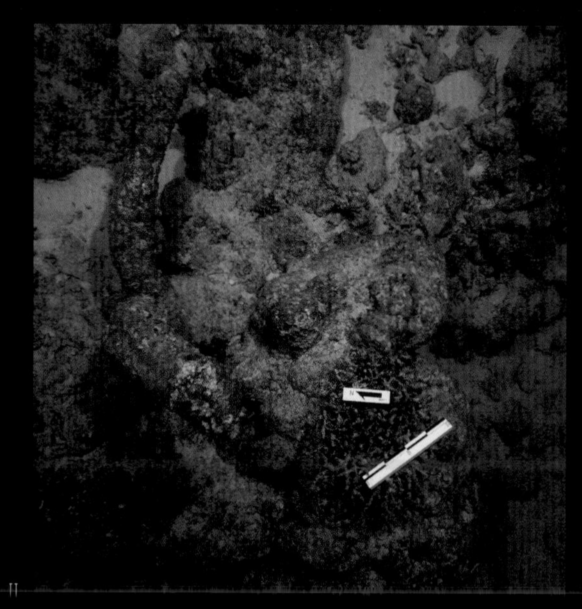

H

Yarabuoki Underwater Site

I

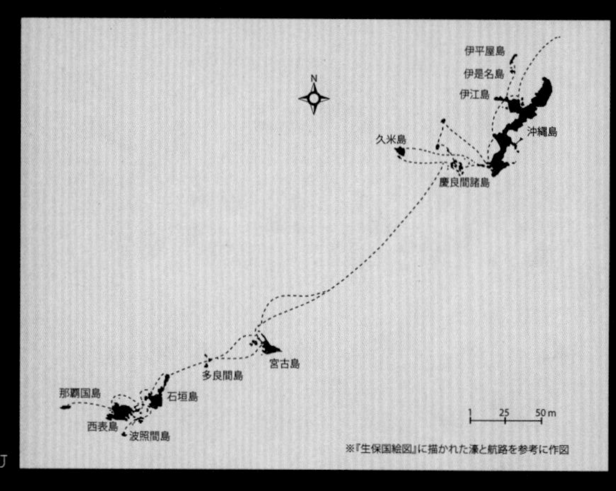

J

琉球王国時代の古文書や絵図に基づく史料からの新たな事実が発見されつつある。まず遺跡で多数発見された鉄錨だが、最も大型のものは2m強クラスの錨も確認された(G·H)。これは当時の文献記録に従うなら、千石積み級の和船によって利用された可能性がある。しかし、当時の琉球船や中国船がどのような錨を装備していたかに関する文献は極めて少なかった。

一方、近世琉球王国期に描かれた絵図には琉球船となる進貢船(図I)や馬艦(マーラン)船のほか、薩摩船(図L)や中国船の搭載する錨(碇)が描かれていた)。このうち必ず鉄錨がセットになるのは和船の仲間である薩摩船で、琉球船や中国船は木碇が主に描かれるも、同時に鉄錨が描かれている絵も存在した(図L)。興味深い結果ではあるが、絵図からだけでは屋良部沖海底遺跡に四爪鉄錨を残した船を特定するのには限界があった。可能性としてはどの船もあり得るためだ。

これに対し、近世琉球期の古文書となる『尚姓家譜(辺土名家)』や『呉姓家譜(久高家)』には、1685年に中国か

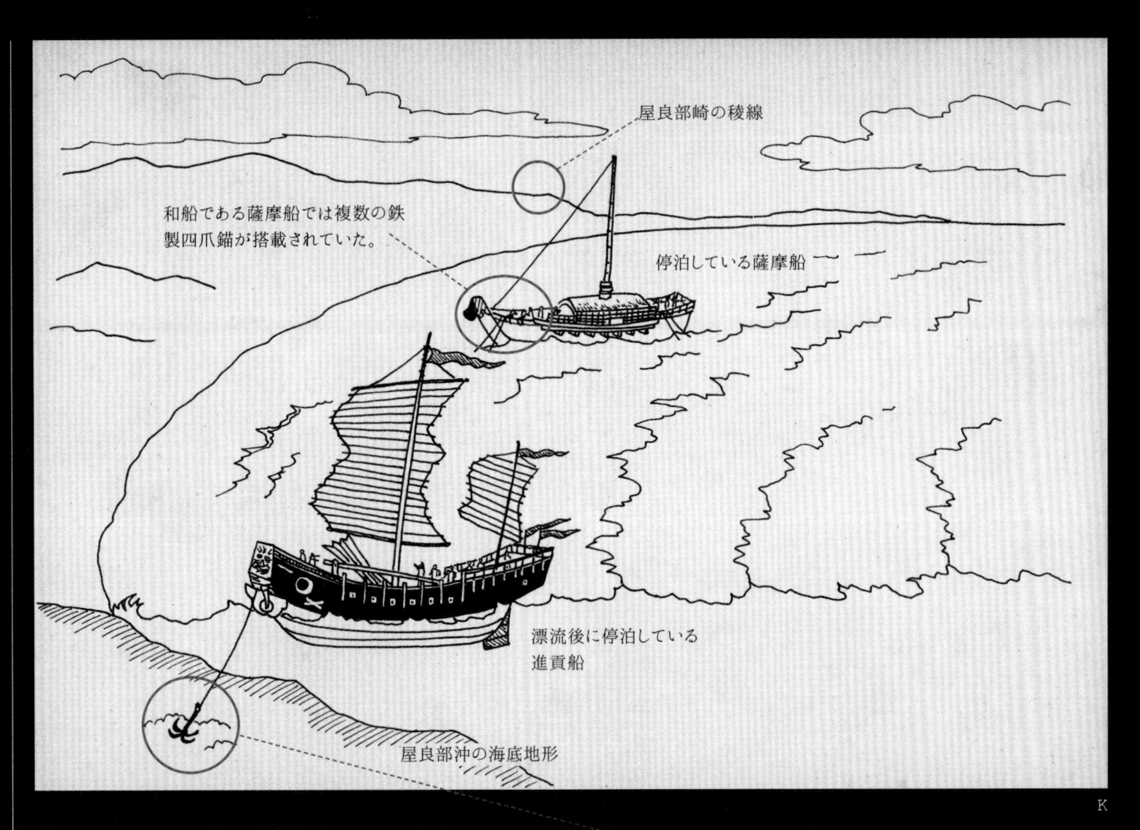
屋良部崎の稜線
和船である薩摩船では複数の鉄製四爪錨が搭載されていた。
停泊している薩摩船
漂流後に停泊している進貢船
屋良部沖の海底地形
K
進貢船の場合、木碇の他に、鉄製四爪錨が搭載されることもあった。

L

G.屋良部沖海底遺跡の四爪鉄錨1号（水深20m）（写真撮影：山本游児）。 H.屋良部沖海底遺跡の四爪鉄錨2号（水深20m）（写真撮影：山本游児）。 I.進貢船の図に描かれた木碇。沖縄県立博物館・美術館蔵。（写真提供：沖縄県立博物館・美術館） J.正保国絵図から復元される琉球王朝内の国内航路（作画：片桐千亜紀） K.屋良部沖に停泊していた船たちの想像図。 L.「那覇港図屏風」に描かれた薩摩船（沖縄美ら島財団蔵）。（所蔵：沖縄美ら島財団）

ら那覇へ帰る途中の小唐船が屋良部崎沖で破船し、やがて沈没したとの記録があった。小唐船とは琉球の進貢船を意味する。本来、進貢船は石垣島や八重山諸島を通る航路は使わないが、台風か暴風雨に遭遇し、遭難した可能性が高い。屋良部沖では進貢船も沈没していたことが明らかになった。

さらに別の古文書となる『参遣状抜書』には再び屋良部沖が登場する。1734年にここに投錨した船があったが、海底にある隠干瀬（暗礁）のためにイカリ綱が切れたとの記事であった。その他の古文書にも屋良部沖で風待ちをした船の記事が確認でき、近世期には屋良部沖が重要な風待ち場であったことが確認できた。つまり屋良部沖は多くの船が投錨して風待ちや遭難から逃れる海域だったのである（図K）。

絵図や古文書の検討により、なぜ屋良部沖の海底にこれほど多くの大小様々な鉄錨が存在するのかは明らかになりつつある。また3D海底遺跡図からは、古文書でも指摘される暗礁が存在し、その周囲にも大型の鉄錨が点在していることも確認できる。

一方、水深20mの海底に集積する壺群は、沖縄島産とされる壺屋焼の陶器であり、おそらくは那覇港を出港した船に積載されていた可能性が高い（図J）。この陶器集積地では、潜水調査により船釘も発見されており、船そのものが海底に沈んでいる可能性も出てきた。これが1685年に沈んだ進貢船かはまだ不明だが、その謎の解明に向け、今後の更なる調査に期待したい。

（文：小野林太郎）

Bangkachai Shipwreck

A

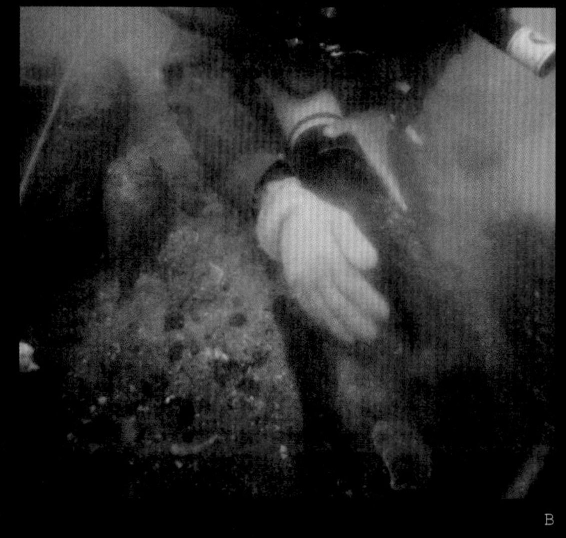

B

C

D

A.タイの東、チャンタブリ県バンカチャイ湾沖の2隻沈没船遺跡が水中発掘調査された。B.水中掘削し、2隻目の沈没船が特に良好な状態であったことが確認。 C.発掘された船底部の檣座、帆柱基部の脚を填める穴に、陶器壺がのる。 D.自作の調査台船が浮かぶ。（写真提供：いずれもcourtesy of Worrawit Hassapak, Thai UAD）

THAILAND

蘇芳貿易、暹羅船

バンカチャイ沈没船

タイ

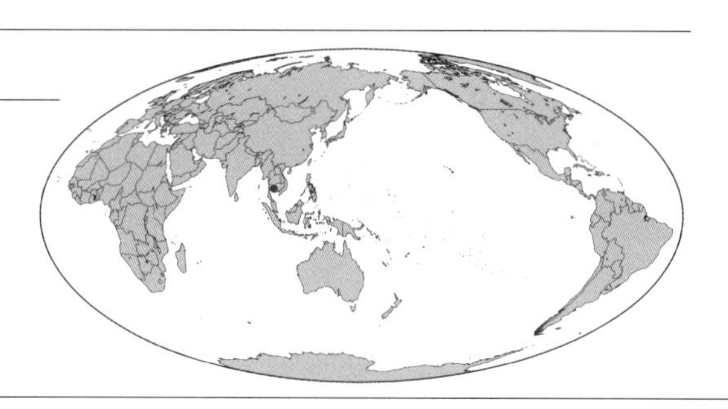

蘇芳の海上輸送

長崎県平戸松浦史料博物館蔵の『唐船ノ図』に描かれる暹羅船、長崎に入港していた東南アジア出港の奥船と呼ばれる交易船について、タイ研究者と意見を交換したのは、2007年であった。若くして他界したタイ水中考古学局の友人が、国立海事博物館のオフィスで、バンカチャイ（Bangkachai）沈没船の発掘調査成果を、その出土遺物と共に説明してくれた際のことであった。

国家文物局の水中考古学部門と国

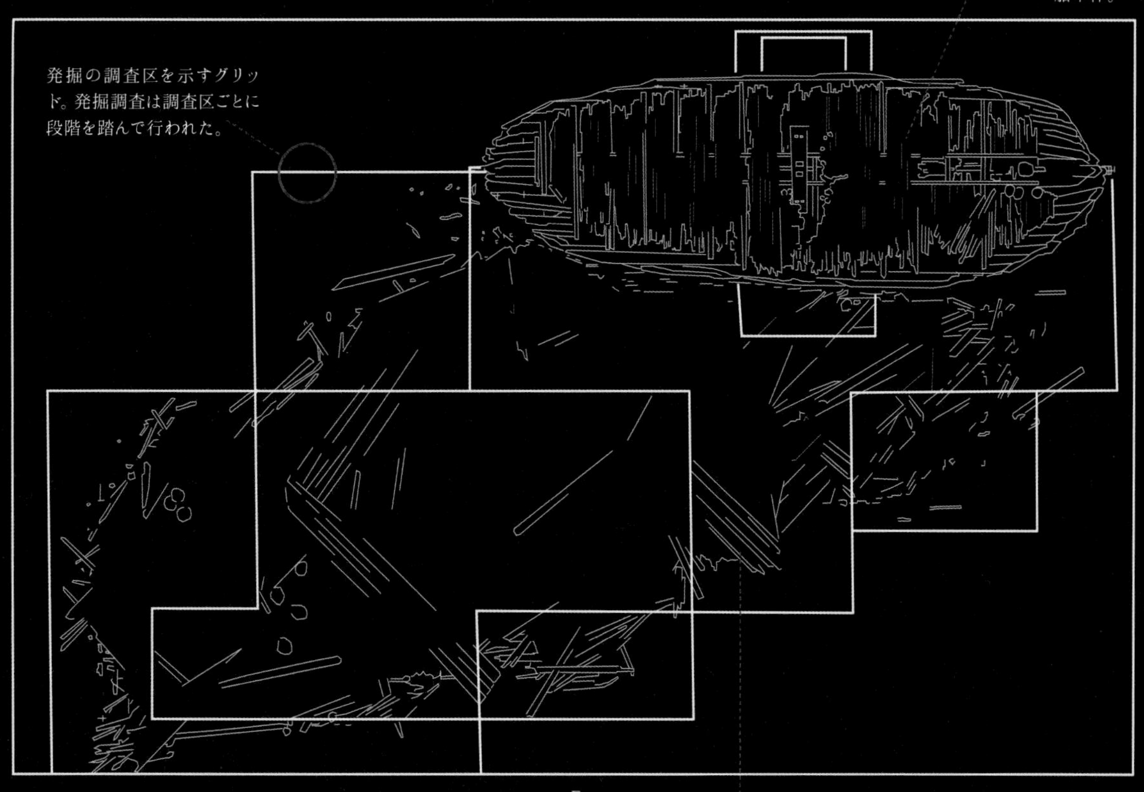

船本体。
発掘の調査区を示すグリッド。発掘調査は調査区ごとに段階を踏んで行われた。
船体部材ほか、蘇芳材が、発掘調査区内から、多量に出土した。

E

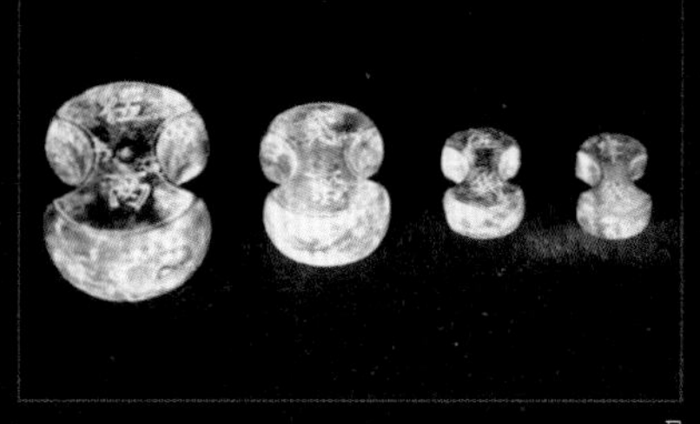

F

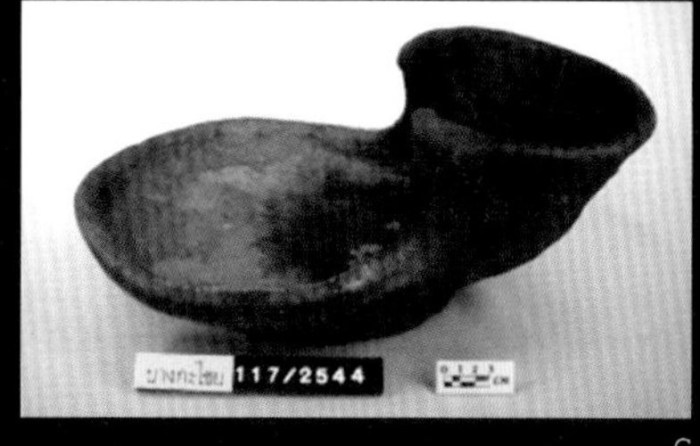

G

E. バンカチャイ2号沈没船と積載物（蘇芳木）出土状況平面図。蘇芳は、奈良東大寺の正倉院にも納められており、古代から染色原料や生薬として取引され、海上運搬されていた。 F. 分銅。大きさの異なる分銅が出土しており、商取引時、天秤で交易品の質量を量るために使用された。 G. 土製焜炉。アジア各地の沈没船遺跡からの出土事例が多い。形状を大きく変えること無く、歴史上、航海者によって長くにわたって使われてきたことが分かっている。（写真提供：いずれも courtesy of Worrawit Hassapak, Thai UAD）

立海事博物館は、バンコクから東、チャンタブリ県に位置する。チャンタブリ県バンカチャイ湾海岸から沖合の約2kmでは、2隻の沈没船が1982年とさらに1992年に発見された。1970－80年代、タイの水中考古学発掘調査は、デンマークやオーストラリアと共同で行われていた。1992年発見のバンカチャイ2号沈没船は、タイの水中考古学部門のみで完掘し、大きな成果を上げた沈没船遺跡である。

比較的良好な状態で海底に埋没していた船体は、残存長約24m、幅6mであった。船体は、隔壁で仕切られており、その船倉からは多岐にわたる遺物が出土している。特に多量に出土したのが、染料や薬として交易品として広く流通していた東南アジア産のスオウ（蘇木）で、同船の主要積載物と考えられる。このほかには、10トン以上の純銅のインゴット、鉛インゴット、多種青銅製品、ビンロウの実、香辛料などが交易品として積載されていた。共伴して出土した陶磁器には、ノイ川窯やスコータイ窯などのタイ陶磁器のほか、ベトナム青花、景徳鎮窯系や福建窯系の中国陶磁器が含まれている。東南アジアの沈没船遺跡から頻繁に出土する船上で火を使って調理際の土製焜炉もみつかっている。この時代の交易船は、武装が当たり前で、2門の大砲ほか、船員が使う携行式の火砲も出土している。

船材に使われているのは、東南アジア地域で切り出されていた木材であることが分かっている。船の構造を詳細にみていくと、船底基部の竜骨（キール）と、竜骨翼板と呼ばれる隣り合う木材の接合には、木釘が使われている。船材を、鉄釘ではなく、木釘で接合す

H

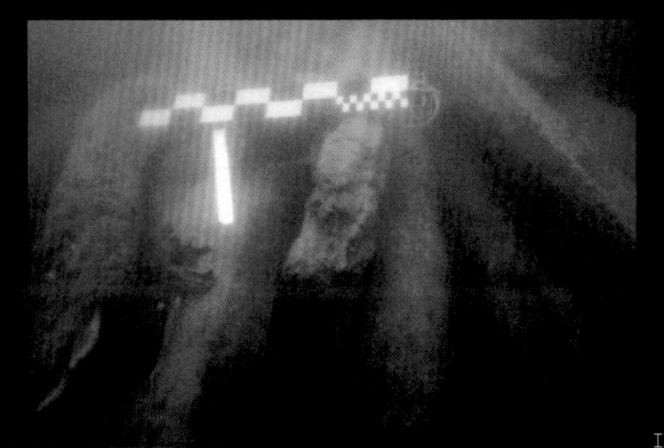

I

J

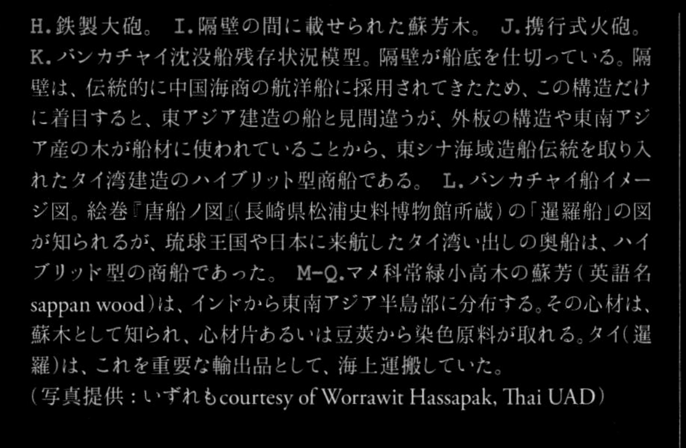

H.鉄製大砲。 I.隔壁の間に載せられた蘇芳木。 J.携行式火砲。 K.バンカチャイ沈没船残存状況模型。隔壁が船底を仕切っている。隔壁は、伝統的に中国海商の航洋船に採用されてきたため、この構造だけに着目すると、東アジア建造の船と見間違うが、外板の構造や東南アジア産の木が船材に使われていることから、東シナ海域造船伝統を取り入れたタイ湾建造のハイブリット型商船である。 L.バンカチャイ船イメージ図。絵巻『唐船ノ図』(長崎県松浦史料博物館所蔵)の「暹羅船」の図が知られるが、琉球王国や日本に来航したタイ湾い出しの奥船は、ハイブリッド型の商船であった。 M-Q.マメ科常緑小高木の蘇芳(英語名sappan wood)は、インドから東南アジア半島部に分布する。その心材は、蘇木として知られ、心材片あるいは豆莢から染色原料が取れる。タイ(暹羅)は、これを重要な輸出品として、海上運搬していた。
(写真提供:いずれもcourtesy of Worrawit Hassapak, Thai UAD)

Bangkachai Shipwreck

K

る技術は、東南アジアの船大工が、伝統的に用いる手法である。これらの事実から、バンカチャイ船は、東南アジア地域で建造された交易船であったと推定されている。船材の放射性炭素年代測定と陶磁器の年代から、バンカチャイ2号沈没船は、17世紀前半に活躍した遠距離航行用の航洋船と考えられている。

暹羅船=ハイブリッド型

バンカチャイ2号沈没船は、タイ(暹羅)湾型航洋船の代表で、広義には「ハイブリット型南シナ海系造船技術」に連なる構造をもった遠距離航行用の船(航洋船)であった。ハイブリッド型は、その名のとおり、複数の地域の造船技術の特徴を併せ持った船である。東南アジアでは、15世紀以降の沈没船遺跡の船体考古資料で、その特徴が確認されてきた。隔壁構造を採用していた前時代の東シナ海型中国船の構造と造船技術は、14-15世紀にかけて、東南アジア造船産業に波及、受容され、ハイブリッド船体をもつ交易船が盛んに建造されるようになっ

一見すると中国船に見えるが随所に東南アジアの船の特徴が見られる他、船首には西洋式の「バウスプリット」を設置するなどハイブリッドともいうべき様式とされている。

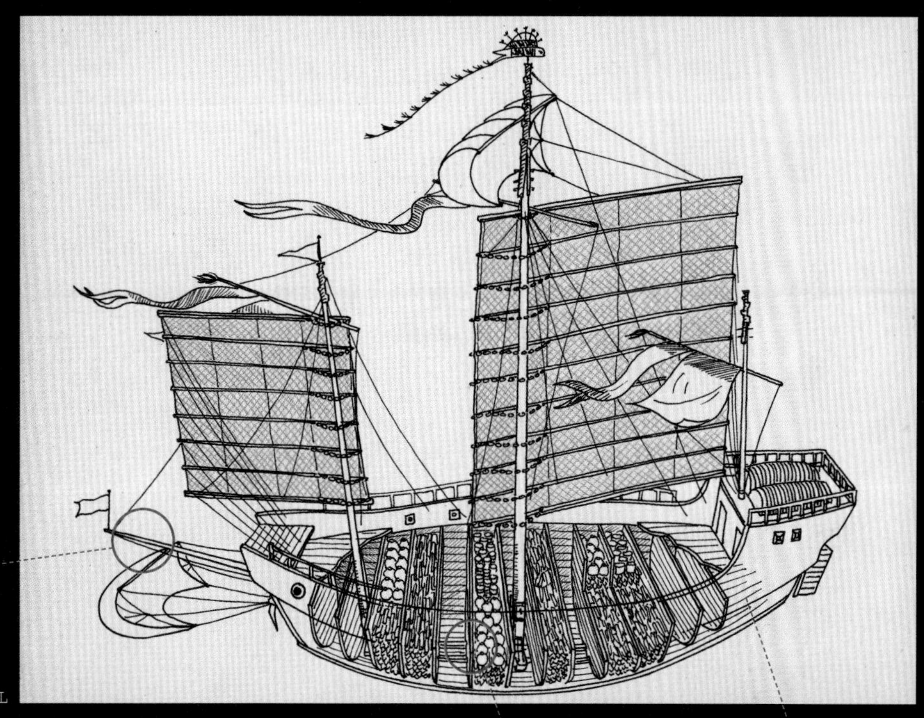

L

船首から前方へ伸びるバウスプリットは洋式帆船に類似。

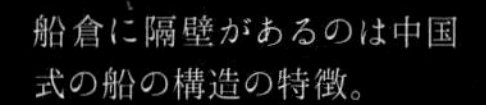

船倉に隔壁があるのは中国式の船の構造の特徴。

外板の接合の仕方は東南アジアの様式。

マメ科で花の後部には莢の中に種子が詰まる「豆果」をつける。花は鮮やかなピンク色をしている。

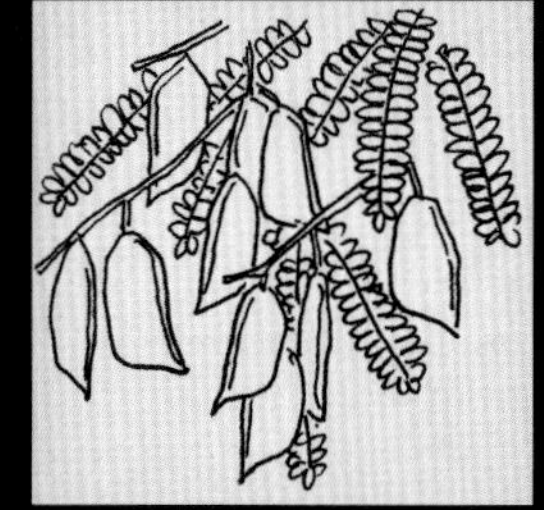

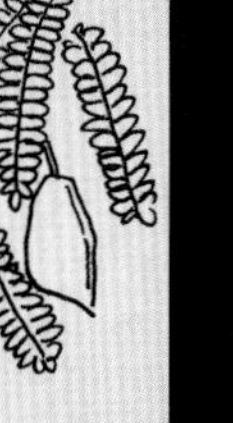

M

船倉に積まれた蘇芳。

N

蘇芳の木はインドやマレー諸島が原産地。

O

P

た。こうした船は、隔壁など前時代の東シナ海造船伝統の船の構造を採用しつつも(これにより外観は唐船に似る)、船材の接合方法においては東南アジア在来の技術を継承し、この地域で産出する樹木を使用して建造されるなどの特徴をもっていた。

耐久度のある船材、堅牢な船体構造によって遠距離航海に適し、積載能力に優れていたのがハイブリット型船体の航洋船である。東南アジアから東アジア海域までの長い距離を航海した奥船と呼ばれる交易船には、ハイブリット型南シナ海系造船技術で建造された船が含まれていた。その姿は、建造が盛んであった暹羅(タイ)の船に代表され、15世紀には、琉球王国に蘇芳などを運んでいた(Q)。多量の蘇芳を積載したまま、バンカチャイ湾で沈んだバンカチャイ2号沈没船は、ハイブリッド型交易船を議論する基礎史料ともいえる。　　(文:木村淳)

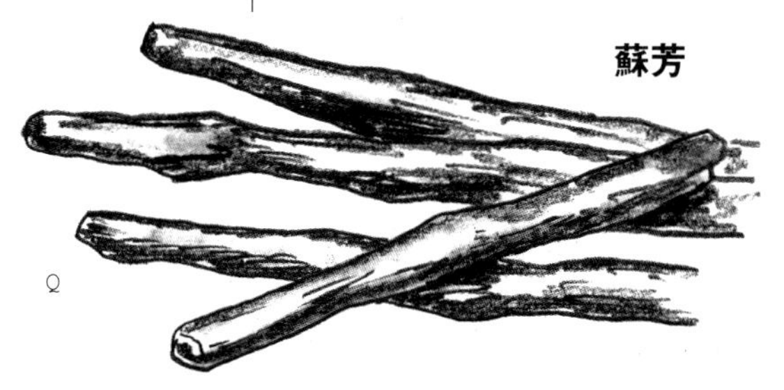

蘇芳

Q

スラヤール島の ボントシクユ沈没船遺跡

国際共同調査として行われた沈没船調査の風景（写真提供：Pusat Nasional Penelitian Arkeologi Indonesia）。

COLUMN

5

南海に沈んだ宋代のジャンク船

ボントシクユ沈没船遺跡は、スラウェシ島南部の離島となるスラヤール島の沖合に沈む船の積荷遺跡である。2005年に行われた水中考古学的調査では船本体こそ見つからなかったものの、中国製陶磁器片、タケ、木材、宋銭などが多数発見された。中国製の青磁片や宋銭などの存在から、沈没した船は13世紀末から14世紀頃にスラヤール島沖で沈んだ中国宋代のジャンク船だったと推測されている。

この難破船が積載していた青磁製品の多くは、その主要な生産地の1つであった竜泉窯の特徴を強く持つ。青磁製品は、以前は「浙江青磁」と「北青磁」に区別されていた。このうち浙江省の青磁は、浙江省の竜泉と越窯で生産され、北部の窯には、陝西省の耀州と河南省の林湖が含まれる。五王朝（906-960年）から北宋期（960-1127年）までの竜泉窯陶磁器の初期の生産は、黄色がかったオリーブ色の釉薬を持っていた初期の元陶器の特徴に似ていました。龍泉窯で知られるネフライト翡翠やプラムグリーンの色合

A

B

C

D

E

A.重なる形で確認された青磁の椀。B.撮影記録された青磁の椀。C.写真差し替え、後送 D.完形で出土した竜泉窯陶磁の皿。 E.出土した宋銭。より古い時代の開元通宝も確認された。 F.東南アジア全図と遺跡の位置。（写真提供：いずれもPusat Nasional Penelitian Arkeologi Indonesia）

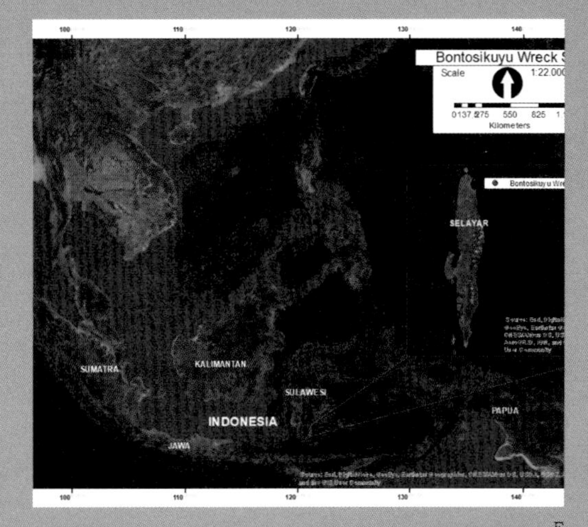

F

A junk ship that sank off the coast of Bontosikuyu

いは、南宋期に化学組成を変えることで実現したと言われる。竜泉陶磁器の卓越した生産と品質は、浙江省だけでなく中国の輸出経済全体や海外の商船にとっても重要な存在だった。この点において、今回の発見は宋朝時代の貿易陶磁が東南アジアの島嶼部にまで流通していたことを強く示唆している。

東インドネシアにおける海上交易の拠点となるスラウェシ島の南に位置するスラヤール島は、13～14世紀における香料貿易を理解する上でも重要な役割を果たしている。古代香料交易は紀元前2世紀頃より、インドとクローブの産地である東インドネシアのモルッカ諸島、さらに中国（漢時代）を結ぶ形で行われてきた。スラウェシやスラヤール島はモルッカ諸島へつながるそのルート上に位置する。遺跡は、古代からの中国と東インドネシアの島々をむすぶ海上貿易ネットワークが1000年以上に渡り存在していたことを物語っている。ジャワ海など西インドネシアと異なり、ウォーレシアとも呼ばれるこの多島海域で発見された沈没船の研究はまだ始まったばかりなのである。（文：小野林太郎・Shinatria Adhityatama）

水中の文化財を撮影する際のテクニック

矢作川の縄文の古木
（矢作川埋没林：愛知県）。
（写真撮影：山本游児）

COLUMN

水中遺跡を撮る4つのポイント

水中の文化財を撮影した写真は、現位置での保存が難しい場合や、劣化が進む環境下にある水中文化遺産を、その発見当時の段階で記録できる点において重要である。その撮影法は基本的に陸上の文化遺産を撮影する場合と同じだが、水中という特殊環境における撮影が、陸上での発掘写真と最も異なるのは、まずそこに水があるという点につきる。水中だから当たり前と言われればそれまでだが、水かあるということは、カメラと被写体との間に水という物質が存在していることを意味する。

では、その水が撮影に対してどのような影響をあたえるのかというと、水は光を吸収してしまうため、深くなればなるほど光が無くなる。実際に水中で見るときの遺物の色と、引き上げてみるときの遺物の色はまったくと言っていいほど違っているのである。そこで実際の色に近づけて撮影するには、水中ストロボや水中ライトを使用して撮影することにより、より陸上で見るときのそれと同じに近い色として撮影することが可能になる。

極端に近づいてレンズは24mmの広角レンズでひずみが出ないように撮影。水深が深く暗い海底なのでストロボ使用した。てつはうの球体を浮きたたせるために2個ストロボを使用し一個は普通に当ててもう一方は立体感出すために半逆光角度よりストロボを当てて撮影。（撮影:山本游児）

Photography techniques for Underwater Cultural Heritage

水中における2番目の特徴としては、浮遊物が多数浮いているということである。このことがどういう影響を与えるかというと、はっきりとした写真が取れなくなる。ある意味、水中遺跡・遺物の撮影で一番重要なテクニックが、この浮遊物を極力減らすということでもあろう。では、その浮遊物対策には何があるだろうか。いくつか方法はあるが、まず大事なのは被写体に可能な限り近づくことである。近づくことによりカメラと被写体の間の浮遊物を減らし、よりシャープな写真撮影ができるからだ。

また近づいて撮影するためには、広角レンズを使用するのがベストである。しかし、より広い広角レンズは、その特徴としてゆがみを発生させる。このゆがみは普通の魚やサンゴなど水中写真などでは、誇張されていても良しとされるが、遺跡・遺物の記録写真となると誇張されたひずみのある写真は大敵となる。そのバランスがとても難しいのである。そこで小さな遺物から大きな遺跡まで、いろんなタイプのレンズを使い分ける必要性がある。

そのほかに重要なのは、やはり水中で撮影する際のダイビング技術である。割と気が付いている人は少ないが、実は浮遊物の多くは撮影者自身が巻き上げていることが多々ある。いかに海（水）底面でじたばたせず、底の砂等を巻き上げないようにするダイビング技術は、水中遺跡撮影においてとても重要なのである。よってダイビングスキルのアップも一つの解決策であろう。水中にある遺物や遺跡の撮影を試みたいという方は、ぜひこうした水中撮影における注意点を念頭に置きつつ、水中遺跡写真に臨んでみてほしい。（文:山本游児）

白藤江河口は、現在は、埋め立てられ、耕地や水田として利用されている。

ベトナムの蒙古襲来
―白藤江河戦場遺跡

COLUMN

7

モンゴル皇帝フビライ・ハーンは、ベトナム（大越国陳朝）にも侵略を試みたが、白藤江の戦いで敗れている。1281－82年、10万近い遠征軍送り込んだモンゴル軍は、陳朝首都の昇龍（現在のハノイ近郊）を攻略した。

しかし、陳朝は焦土作戦や補給船団を狙い撃ちにし、首都の軍隊を孤立させることに成功した。モンゴル軍は撤退を余儀なくされ、失意に満ちた軍隊の帰路に選ばれたのが白藤江（バクダン川）であった。陳朝の将軍陳興道は、干満の差が激しいことで知られる白藤江の河口付近に木の杭を打ち込みモンゴル軍を待ち伏せにした。

伝承によると、モンゴル船団を木の杭のある場所までおびき寄せ、水位が下がって動きが取れなくなると一斉に潜伏していた小船で攻撃を仕掛けた。陳興道の巧みな戦術により、モンゴルは400隻の船を失い、侵略は完全に失敗した。戦いに勝利した陳興道は、現在でもベトナムの英雄として奉られている。

1958年、クワン・ニン（Quang Ninh）省のバクダン川の岸に位置するイェンフン（Yen Hung）地方において、防波堤の建設中に木の杭が数本発見された（AのBai Coc Yen Giang）。イェンフン地方は陳興道にまつわる史跡などが数多く存在する地域であり、陳興道が打ち込んだ杭である可能性が指摘された。もともとデルタ地帯であるため現在の地形は過去の景観とは全く異なって

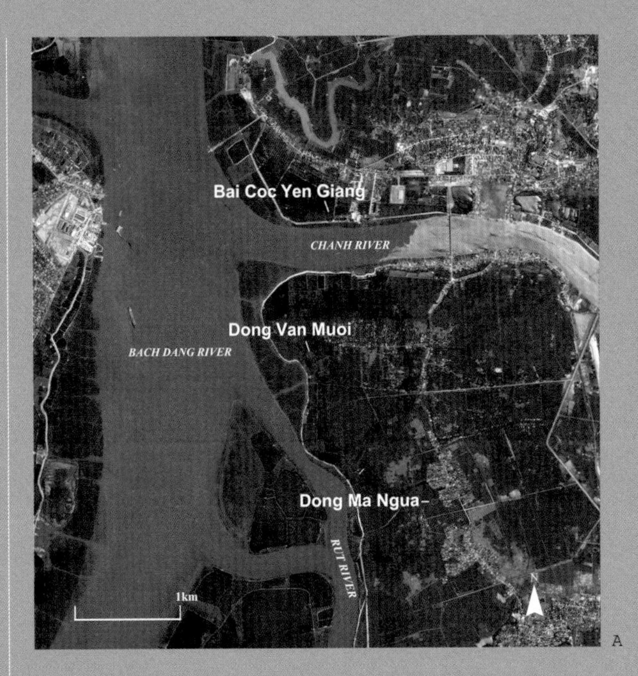

A

B

A. 赤い印は、大越陳朝軍が、蒙古軍船団を迎撃するために、河床に埋めた木杭が発見された地点。 B. 出土した木杭。放射性炭素年代により、1288年の白藤江の戦い時に切り出されたと判明。 C. ハノイの国立博物館に展示される木杭。（写真提供：佐々木蘭貞・木村淳）

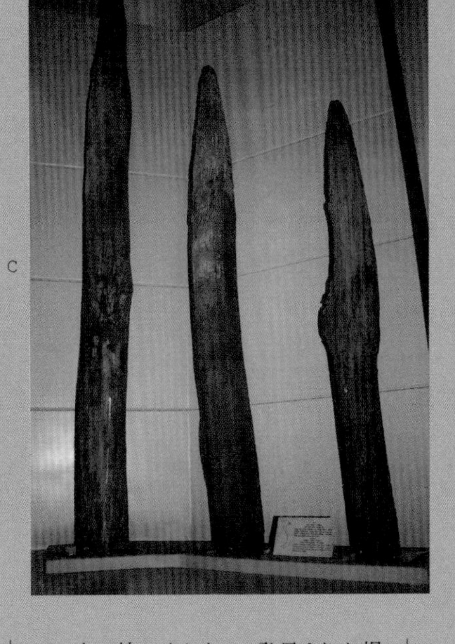
C

Naval Battlefield of the Bach Dang River in Vietnam

いる。1995年には、チャン(Chanh)川を挟み南側に1.5km離れた地点（AのDong Van Muoi)、さらに2005年にはさらに別の地点でも杭の発見が報告された（AのDong Ma Ngua)。

2008年からテキサスA＆M大学、フリンダース大学、ベトナム考古学院を中心に白藤江の戦いの跡地の調査プロジェクトが行われた。2008－2009年は、主に現地の聞き込み調査、木杭や地形などを記録し、2010年以降は、杭が発見されたエリアの発掘のほか、様々な探査機器を使用した科学的調査が実施された。

これらの調査により、白藤江の戦いの大まかな戦術が見えてきた。発掘調査では、合計で50本以上の杭が発見された。斜めに打ち込まれている杭や先端（上部）の尖った杭も認められ、単なる柵や堤でないことがわかる。

白藤江デルタは、現在確認できる小高い丘や島は、支流や砂洲などが点在する場所であった。これらの場所に史跡や寺院が集中し、また、土器片・陶器片などが発見されている。また、この地域はハーロン湾に延びる石灰岩の地層が現れ始める場所である。白藤江の通行の便を図るためにダイナマイトなどで岩盤は壊されて現在では殆ど見えないが、潮が引くと大きな岩場が現れる場所がある。これらはモンゴル船団の航海を阻んだと考えられる。これらは、いわば自然のバリアー（壁）として捉えることができる。面白いことに、木の杭がまとまって発見された場所はいずれも、これらの自然の壁に挟まれた場所にあるようにも見える。白藤江の戦いは、地形や潮の満ち干きなどの環境を巧みな戦術と組み合わせることにより、モンゴル船団に歴史的勝利を収めた事例である。

近年のベトナム考古学院による調査では、バクダン川の対岸（HaiPhong）でも木の杭が発見された。現在までに杭の発掘が行われた地域などを史跡として保護し、整備が進んでいる。現地でも歴史的景観の保存に前向きであり、偶然に歴史的発見がなされる可能性も含め、ここ数年以内に大きな成果が期待できるのではないだろうか。

（文：佐々木 蘭貞）

Voyages
in Maritime History
and
Lost Sailing Ships

第4章

大航海の歴史と失われた帆船

Viking ship

北方の水底からの発掘

海域覇者の船 ヴァイキングシップ

デンマーク

Viking Shipsロスキルドのヴァイキング船博物館は、スクルゼレウ海域で発掘された5隻のヴァイキング船を展示するために建てられ、1969年に開館した。復元されたヴァイキング船で航海体験ができる。（写真提供：木村淳）

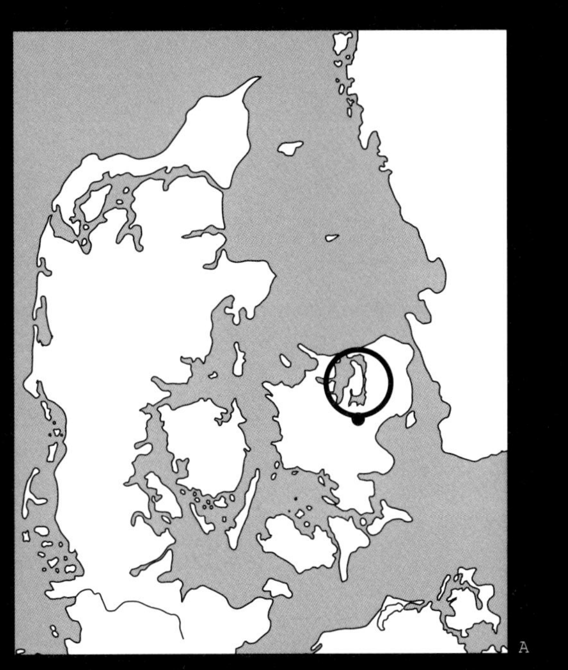

A.デンマークのシェラン島の中世都市ロスキルド(ロスキレ)。ヴァイキング船博物館は、デンマークで最も古い街のシンボル。 B.フィヨルドの最奥に位置するロスキルドの北、約20km、スクルゼレウでフィヨルドの幅は狭くなる。 C.スクルゼレウ・ヴァイキング船出土状況平面図。ヴァイキング時代末期の1000年代後期、商業の中核都市防衛のために、スクルゼレウの航路に交差するように3隻のヴァイキング船が沈められ、障壁が築かれた。後日、さらに2隻の船が沈められ、敵方ヴァイキング船の侵入を防ぐ壁が完成した。海底に15世紀に沈められた船があるという伝承はあったが、1957－59年の国立博物館の潜水調査で、中世のヴァイキング船であることが判明した。(作図資料提供:Viking Ship Museum)

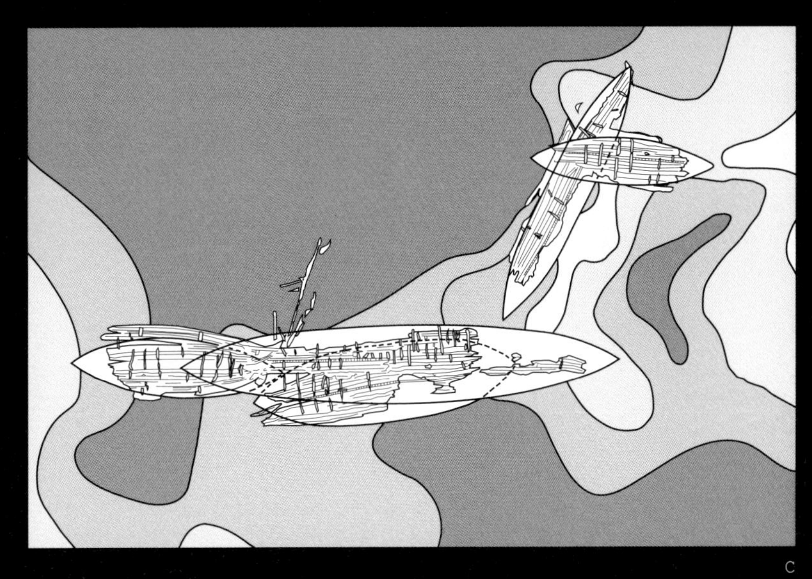

中世欧州海域の覇者の船

800－1050年間の北欧の中世期、ヴァイキング時代を築いた有能なスカンディナヴィアの航海の民は、海域の覇者であった。その活動の原動力となったのが、鎧張りの外観を持つ独特のヴァイキングシップである。8世紀に災害や政治的混乱を原因にスカンディナヴィア半島を離れた集団は、北海やバルト海に進出し、襲撃者としてそして交易者として、初期ヴァイキング時代(700－840年)と言われる繁栄を築く。民族移動の経路は、航海開拓の路であったその航海圏は、北ヨーロッパ沿岸から大西洋を横断、現在の北アメリカ大陸に及び、さらに河川を利用してヨーロッパ内陸まで深く進出した。粗暴な略奪者としてのイメージもあるが、農業者として定住・安定化し、生活圏を維持、一時代を築き上げた。

航海民としてのヴァイキングは、入植者あるいは交易者であり、その影響は各地に及んだ。航海の民が操った優美なヴァイキングシップの姿を、ノルウェー・オスロのヴァイキング船博物館に展示されているオセバーグ(オーセベリ)、ゴックスタッド(ゴクスタ)、トゥーネで発掘された船体考古資料で知ることができる。9－10世頃、船葬の慣習があるなか、遺体や伴納物を納める棺として使用されたこれらの船は20mを超す大きさであった。被葬者には、高位の女性がおり、ヴァイキング時代の社会と文化の多様性を教えてくれる。

デンマーク・コペンハーゲン国立博物館展示は、ヴァイキングの人物像や、銀貨幣・製品に基づいた豊かな経済社会について教えてくれる。一方で、歴史的面影を色濃く残すロスキルドのヴァイキング船博物館では、その沖合スクル

D

Viking ship

E

F

ゼレウ水底から発掘された船が展示されている。ノルウェーの船葬ヴァイキング船とは違う、リアルなヴァイキング社会の船の実像を見ることができる。

ロスキルドはフィヨルドの湾奥に位置し、1000年代後半に商業都市として栄え、文化遺産となっており、市内にそびえる大聖堂などが歴史の面影を残す。ロスキルドから20km余り、フィヨルドの両岸が狭くなるスクルゼレウは、このフィヨルドの港市の海防にとって重要であった。この海底で、1957－59年、デンマーク国立博物館の水中考古学調査によって、ヴァイキング時代の沈没船が埋没しているのが確認された。1962年には、鋼板を海底に打ち込み囲い堰をつくって排水、水底陸地化によるドライドック式の本格的な発掘調査が開始された。

ヴァイキング文化とともに進化した船の構造

水底で眠っていたのは、11世紀に遡る5隻のヴァイキング船である。これらはロスキルドへの船の侵入を防ぐために意図的に沈められた船で、フィヨルドの航路を塞ぐ防御壁となるように、列

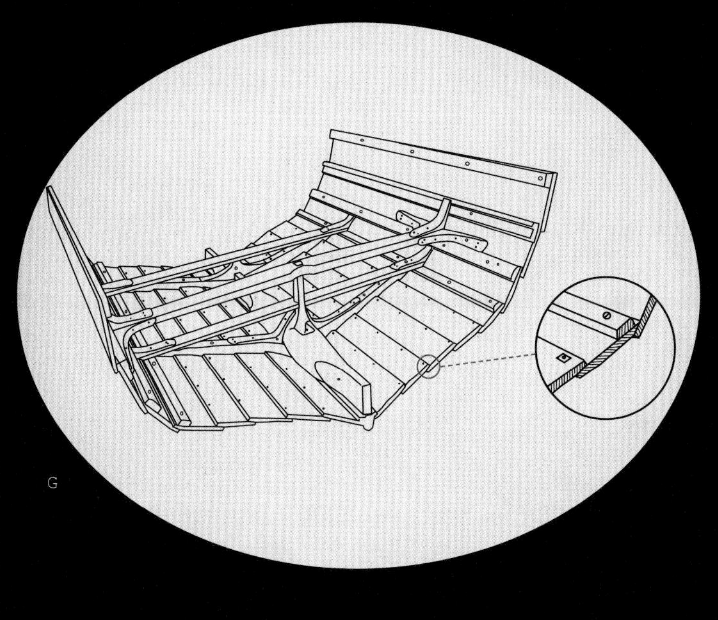

G

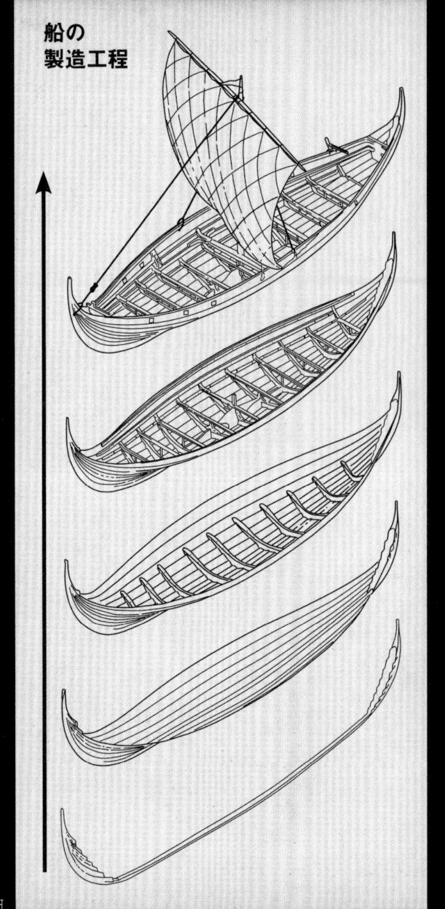

H

I

J

K

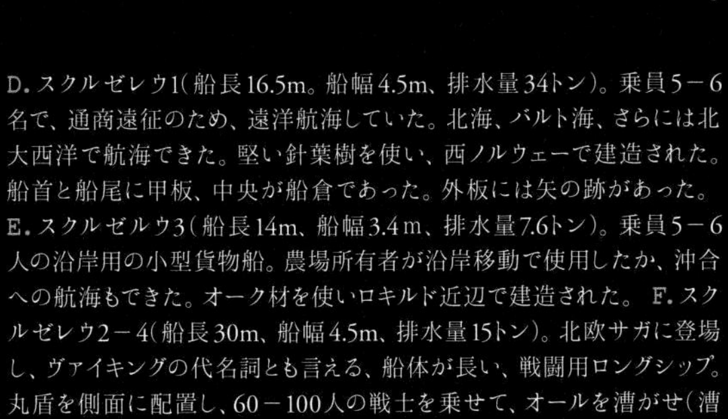

D.スクルゼレウ1(船長16.5m。船幅4.5m、排水量34トン)。乗員5－6名で、通商遠征のため、遠洋航海していた。北海、バルト海、さらには北大西洋で航海できた。堅い針葉樹を使い、西ノルウェーで建造された。船首と船尾に甲板、中央が船倉であった。外板には矢の跡があった。 E.スクルゼルウ3(船長14m、船幅3.4m、排水量7.6トン)。乗員5－6人の沿岸用の小型貨物船。農場所有者が沿岸移動で使用したか、沖合への航海もできた。オーク材を使いロキルド近辺で建造された。 F.スクルゼレウ2－4(船長30m、船幅4.5m、排水量15トン)。北欧サガに登場し、ヴァイキングの代名詞とも言える、船体が長い、戦闘用ロングシップ。丸盾を側面に配置し、60－100人の戦士を乗せて、オールを漕がせ(漕ぎ手60名ほど)長距離を5ノットで航海でき、帆走もした。樹種同定や造船技術からは、アイルランドのダブリンで建造されたと考えられる。 G.ヴァイキング船構造模式図(Viking Ship Museum)。船底に、竜骨、その上に内竜骨が乗る。鎧張りの外板が特徴である。 H.船殻先行建造技術。延ばされた竜骨に、船首材・船尾材が建てられる。外板端部を重ねて接合し、鎧張り船殻を完成させたのち、船底に下部フレーム(肋材)を固定する。舷側板、横梁、縦通材を取り付ける。樹皮繊維を編んだ綱、馬尾毛やセイウチ皮の綱、亜麻の帆(羊毛も使われる)が使われた。 I.船首材。 J.フレームに外板を固定するのでは無く、立ち上げた外板にフレームを固定する。 K.鋭角な舳先。(写真提供：木村淳、作図資料提供：Viking Ship museum)

L M

N O

L.ヴァイキング船の復元船を建造し、航海実験も行っている。風上への卓越した切り上がり性能、横風での優れた帆走性能、速力が証明された。 M.長い外板には、オーク材の丸太を半裁し、フレームには曲がった木部位が使われた。 N.ヴァイキング時代の出土遺物、絵画史料、文献資料をもとに、可能な限り当時の技術や生活を復元する。 O.ヴァイキング船博物館では、北欧の様々な伝統船舶も収集している。 P.ノルウェーのオセバーグ出土ヴァイキング船。（写真提供：Alamy/アフロ）Q.ヴァイキング船博物館は、保存処理技術などで国立博物館と協力関係にある。（写真提供：木村淳）

になって一部が折り重なって埋もれていた。出土船体は、運用によって形や大きさが異なる船であった。1隻は、5－6名が乗船可能な遠洋航海のための船長約16mの積載量は20－25トン程度の沿岸輸送のための商船。さらに、船長14mの小型貨物船。船長36mを超え、60－100名余で運用（恐らくは78名）された戦闘用ロングシップ（ロスキルド六号）。これより小型の戦闘用船。最後に船長12m程の漁船である。

ヴァイキング船文化は、初期から後期までに分かれ、船の構造も変化する。8世紀に災害や政治的混乱を原因にスカンディナヴィア半島を離れた初期のヴァイキングは集団移動用の船を使用した。冒頭のノルウェーのオセバーグ船は、820年頃に建造された船で、船幅の広い初期ヴァイキング船の姿を伝える。外板を重ねて接合した鎧張りの幅広な流線型船体で、造船技術はすでに高水準に達し、財貨と共に集団移動が可能であった。やがて9世紀末にはスカンディナヴィア半島では、さらに船体が極端に長く、巨大な四角帆に風を受けて数十名のオールの漕ぎ手で推進力を得るロ

P

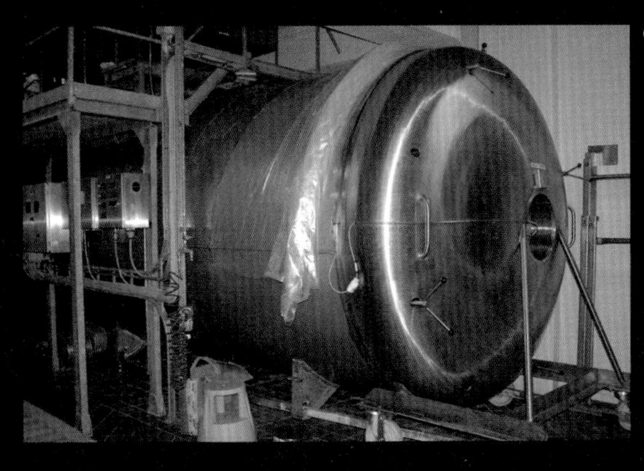

Q

Viking ship

ングシップが普及し、中期ヴァイキング時代(840－950年)にはヨーロッパ沿岸部を軽快に航海して襲撃した。

フランク王国や、アングロサクソン人が支配していたイングランドは、ヴァイキング艦隊侵入を受けており、865年には最大規模の襲撃に見舞われた。スクルゼレウのヴァイキング船は、後期ヴァイキング時代(950－1100年)に属するが、この時期には、北海帝国が隆盛し、ヴァイキング航路が発展、その航海圏が、大西洋のアイスランド、グリーンランドを経て、彼らがヴィンランドと呼ぶ現在のカナダ沿岸の北アメリカ大陸にまで及んだ。ヨーロッパにおいては地中海や内陸にまで進出を果たした。襲撃者、征服者としてヴァイキングの原動力となった船は多様な進化を遂げた。ヴァイキング船は、13－14世紀ハンザ同盟の台頭により、コグと呼ばれる大型商船が主流となる以前の時代において、北ヨーロッパを代表する船舶であった。

スクルゼレウで発掘されたヴァイキング船は、デンマーク国立博物館の保存処理施設に運ばれPEGを船材に含浸させ劣化防止の処置が施された。1969年にはロスキルドにヴァイキング船博物館が開館する。同館内には保存処理を終えた5隻の船体が整然と並ぶ。博物館外には発掘した船体を基に復元したヴァイキング船が係留されている。ヴァイキング時代の工具を使用して復元された船体、羊毛帆を亜麻綱で縫い、樹皮・馬尾・海獣の皮の繊維の索具など当時の技術を再現して復元した船体を使用して航海実験・体験を行っている。

(文：木村淳)

Mary Rose

ENGLAND

英国海軍歴戦の勇者

メアリーローズ

イギリス

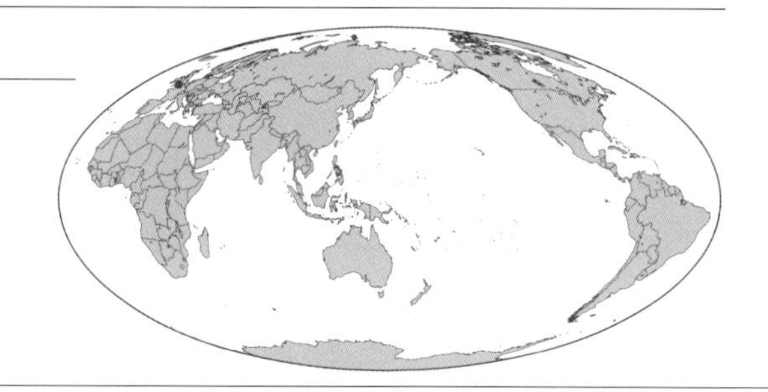

絶対王政軍、殁す

イギリスの繁栄期を築いたテューダー朝は、第5代エリザベス1世ら、絶対王政君主の名前と共に歴史に刻まれる。絶対王政を盤石としたのは、海軍力であり、王立海軍を創設したのは、エリザベス1世の父ヘンリー8世（1491－1547）であった。テューダー朝の旗艦になるべく、1510年に建造されたのがメアリーローズ号である。キャラック型横帆船として、ポーツマスで建造後、改造を経ながら、34年間、海軍の主力艦として活躍した。しかしながら、

A. 海底引き揚げメアリーローズ号展示(船尾から)。キャラック型軍艦(中世地中海コグ型の後に登場した、キャラック型は、3−4檣を備え、14−15世紀に欧州で普及した)。B. 王立海軍創始者チューダー朝ヘンリー8世。C. メアリーローズのフランドル産シップスベル(Ship's Bell)。"I was made in the year 1510"と刻まれており、"I(私は)"とあることから、この鐘が鋳造された時点では、まだメアリーローズの正式名は決まっていなかった。船体は、予定通りに1510年完成。(写真提供:木村淳、協力:Mary Rose Museum)

第3次英仏戦争の最中の1545年7月19日、ソレント海戦で数百名の乗員とともに海峡に沈んだ。その姿は、イギリス水中考古学の成果として、現代に甦ることになる。

1965年、軍事史研究に詳しいジャーナリストであったアレクサンダー・マッキーの音波探査機材サイドスキャンソナーによって、海底のメアリーローズ号の位置が特定、70年代には、ダイバーによる潜水調査が実施。一連の調査には、イギリスの女性考古学者であるマーガレット・ルールも参加、ダイバーからの情報で船体がどの程度残存しているかを判断することに限界を感じ、自らも水中考古学調査を行うことになる。メアリーローズ号の調査に道を拓いたのは、一人の女性考古学者の決断であった。

水中考古学調査により、木造の船体が残存することを確認、船体の周囲で試掘が行われ、遺物が引き揚げられるなか、メアリーローズ号であることが特定された。さらに調査と試掘が進むにしたがって、少なくとも右舷の甲板2層と船尾部付近で残っていることが有望となった。これ以後、イギリス海軍の系譜につながる船であるメアリーローズ号は、王室の支援を受けて発掘調査、さらには船体の引き揚げが行われることとなった。王室のメアリーローズ基金により、専門家による本格的な発掘調査と引き揚げの体制が整った。1979年からは、考古学と保存処理分野の研究者が、合同で組織的な水中発掘調査を実施、船体付近の出土遺物を完掘した。"Henry the Eighth, by the Grace of God King of England…"とヘンリー8世の名が刻ま

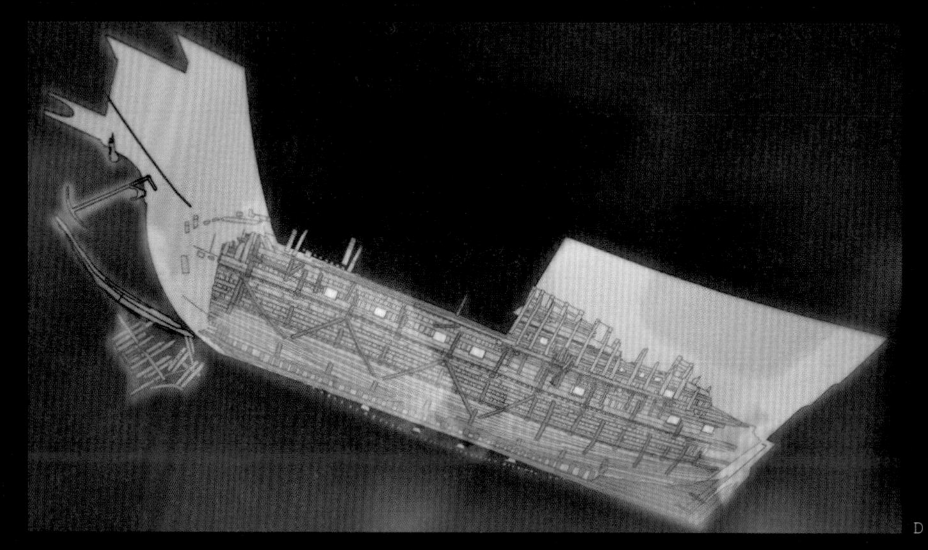

D

Mary Rose Museum

E

D.メアリーローズ号の沈没地点は、水中遺跡として、1973年制定沈没船保護法（Protection of Wrecks Act 1973）の最初の適用を受けた（作図：Mary Rose Museum）。 E.海戦の最中ソレントに沈んだメアリーローズ号の残存船体イメージ図（作図：Mary Rose Museum）。

れた、出土遺物であるデミカルヴァリン砲には、王立海軍旗艦として海戦の最中に沈んだことを思い起こさせる遺物であった。

400年の時を超えて地上へ

引き揚げでは、船体の下に鋼鉄製パイプを通しフレーム化、これを受け皿に、船体を海底から持ち上げた。1982年、メアリーローズ号は、400年以上の時を超えて、海上に姿を現した。船体は、ポーツマス海軍工廠に運ばれ、化学繊維で覆われ、木造部位が乾燥しないように、水が散布された。同時に船体の洗浄を始め、考古学者たちが、船体に残された遺物の記録作業にあたった。船体から分離していた船材をもとの位置に戻す作業も進められ、これら遺物の総数は1万9000点を数えた。

フランス艦隊との海戦で沈没したイギリス王室屈指の歴戦の軍艦には、沈んだ当時の船の状況を再現できる十分な考古情報が残されていた。海兵らの長弓・短弓などの多量の武器類は、イギリス海軍史を語る貴重な資料

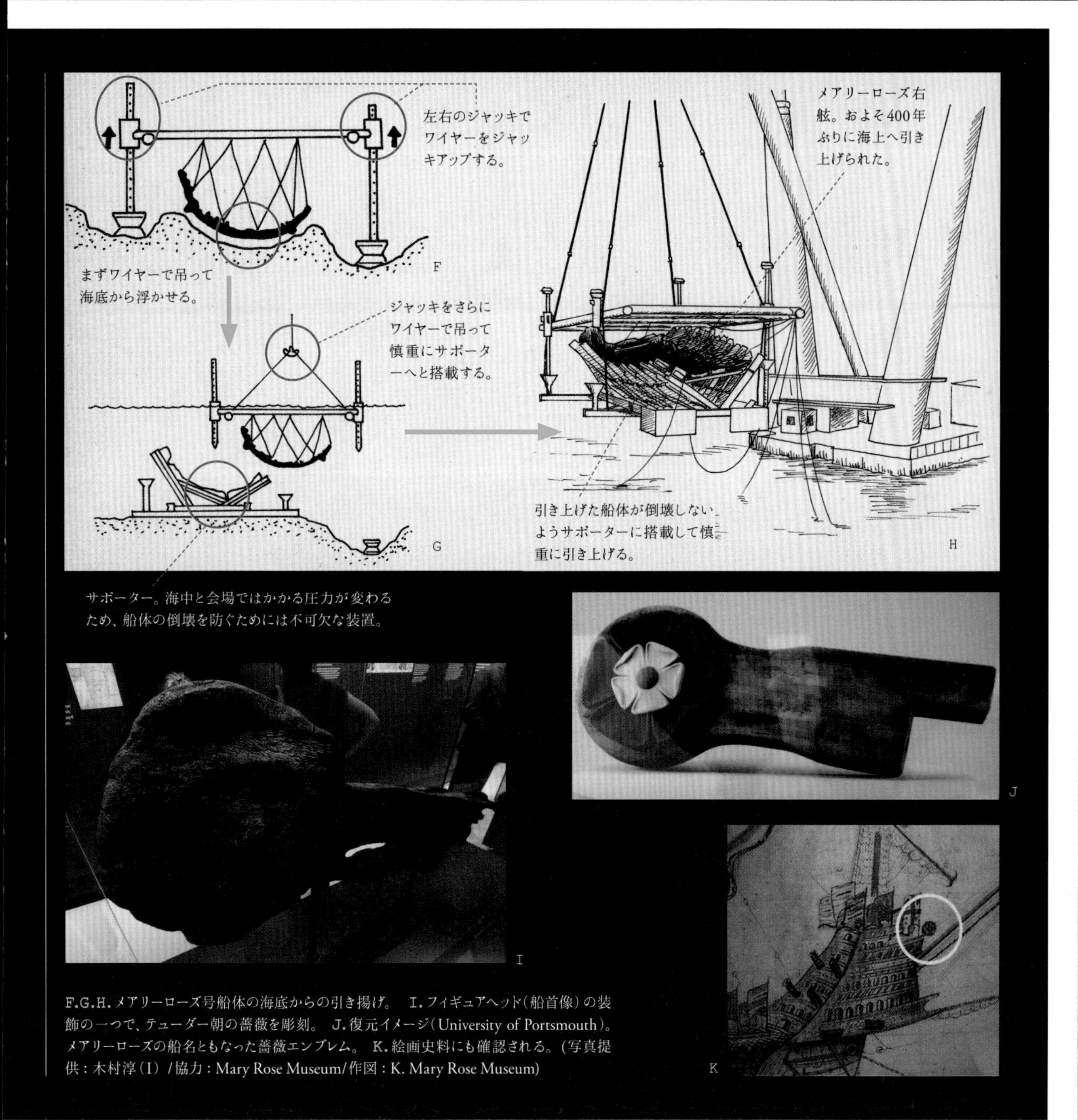

左右のジャッキでワイヤーをジャッキアップする。
まずワイヤーで吊って海底から浮かせる。
F
ジャッキをさらにワイヤーで吊って慎重にサポーターへと搭載する。
G
メアリーローズ右舷。およそ400年ぶりに海上へ引き上げられた。
引き上げた船体が倒壊しないようサポーターに搭載して慎重に引き上げる。
H
サポーター。海中と会場ではかかる圧力が変わるため、船体の倒壊を防ぐためには不可欠な装置。
I
J
K

F.G.H.メアリーローズ号船体の海底からの引き揚げ。 I.フィギュアヘッド(船首像)の装飾の一つで、テューダー朝の薔薇を彫刻。 J.復元イメージ(University of Portsmouth)。メアリーローズの船名ともなった薔薇エンブレム。 K.絵画史料にも確認される。(写真提供:木村淳(I) /協力:Mary Rose Museum/作図:K. Mary Rose Museum)

となっている。また、負傷した兵を治療する医療器具といった戦闘を物語る遺物や、士官のビール飲用のためのジョッキ、船上生活を再現可能な遺物も見つかっている。

ソレント海峡で沈没に巻き込まれた数百名の乗員の個人名などの16世紀当時の詳細な記録は残っていない。一方で、研究者らは、船内で発見された17名の遺骸の分析を進め、頭蓋骨から、メアリーローズの乗船員らの素顔を復元している。出土武器類の多くを占めた砲類を扱ったであろう砲手、料理人、船内に残された大工道具を使った船大工らの顔は、メアリーローズ号を一層身近な存在とさせてくれる。

船大工の船室と思われる部屋の引き戸の横で、一匹の犬の骨が良好な状態で検出された。戸の傍で見つかったので、研究者らによってハッチと名付けられた犬は、分析によって2年18ヶ月程の雄の褐色毛ジャックラッセルテリアと判明している。英国海軍の慣習に則り、猫を忌み、主力艦メアリーローズ号は軍用犬を船に乗せていたと考えられている。ハッチは主人の船大工と、最後の瞬間を迎えて、海底に眠ることになった。

2015年にリニューアル開館したメアリーローズ号博物館で、これら研究成果や展示されている船体を見ることができる。そこに至るまでの研究者の努力には、長年にわたる保存処理作業も含まれる。1993年より、木造の船体にPEGを散布しての保存処理が開始されたが、この作業は30年近くに及び、2014年になってようやくその作業が終了した。 (文:木村淳)

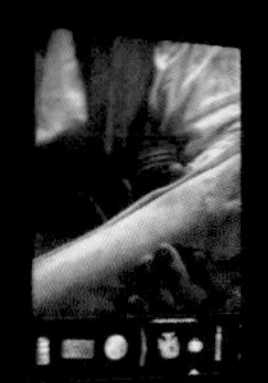

L

M

Mary Rose

N

O

L.砲手顔復元イメージ。 M.大砲・カルヴァリン砲の砲弾類。N.バレル式鍛鉄砲。O.調理場。 P.料理人頭蓋骨。 Q.料理人顔復元（写真提供：木村淳、協力：Mary Rose Museum）

P

Q

R

S

T

R.保存処理を終えたメアリーローズ号。 S.メアリーローズ号博物館。ポーツマスの海軍基地内に所在する。見学者は、館内の3層階の見学デッキから、上・中・下甲板の目線で、船体と関連遺物を見ることできる。 T.大工道具のいろいろ。 U.ハッチで知られるメアリーローズで命を落とした大工の犬。 V.船大工顔復元イメージ。(写真提供:木村淳、協力:Mary Rose Museum)

U

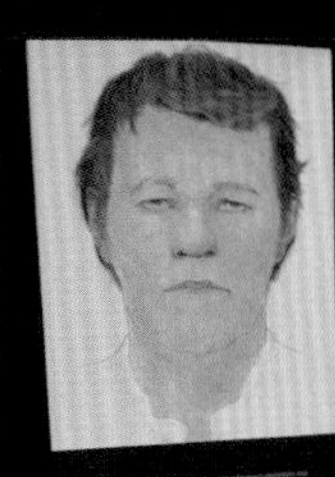

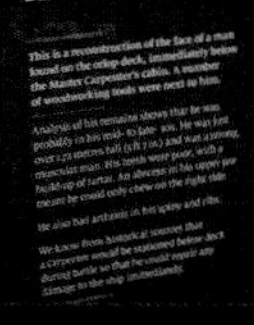

V

Manila Galleon San Diego

A

B

A. Carta hydrographica y chorographica de las Yslas Filipinasより。（所蔵：Library of Congress） B. アカプルコ要塞。要塞は再建築されている。（写真提供：木村淳） C. Theodor de Bryによるサン・ディエゴ号とモーリシャス号交戦図。 D. フィリピン副総督アントニ・デ・モルガ。 E. オランダ艦隊司令オリヴァー・ヴァン・ノールト。アカプルコ帰還のためマニラ湾に停泊していたサン・ディエゴ号は、1600年12月マニラ湾に攻め入ったオランダ艦隊との海上戦に傭船され、沈没した。オランダ側は、フェルナンド・マゼラン、フランシス・ドレーク、トーマス・キャベンディッシュに続いて太平洋横断に成功、フィリピン諸島の太平洋側の玄関口となるサンバーナディーノ海峡を探査していたオリヴァー・ヴァン・ノールトの艦隊であった。スペイン植民地は、マニラ湾を出入りする商船拿捕を行っていたオランダ艦隊を脅威と捉え、カビテ海防を進め、『フィリピン諸島誌』の著作で知られるフィリピン副総督アントニ・デ・モルガが、艦隊編成に当たった。（『Treasures of San Deigo』(Giordan 1996)より）

太平洋マニラ・アカプルコ交易とガレオン船発掘

サン・ディエゴ号

フィリピン

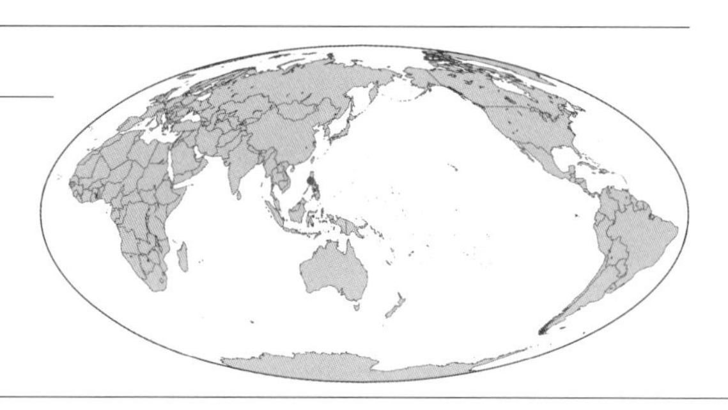

マニラ・ガレオン

15世紀中頃から16世紀末にかけて、イベリア半島に興ったポルトガルとスペインが、ナウ（Nau）あるいはナオ（Nao）と呼ばれる輸送と航海性能に優れた大型船を建造、大洋に進出し、アジアを最終目的地にしながら、グローバルな海上覇権の確立を目指した。スペイン帝国は、西から東へと植民地支配を進め、中米メキシコから太平洋を渡ってフィリピンに至る航行距離30,000km以上を航海する武装商船による海上輸送システムを構築した。

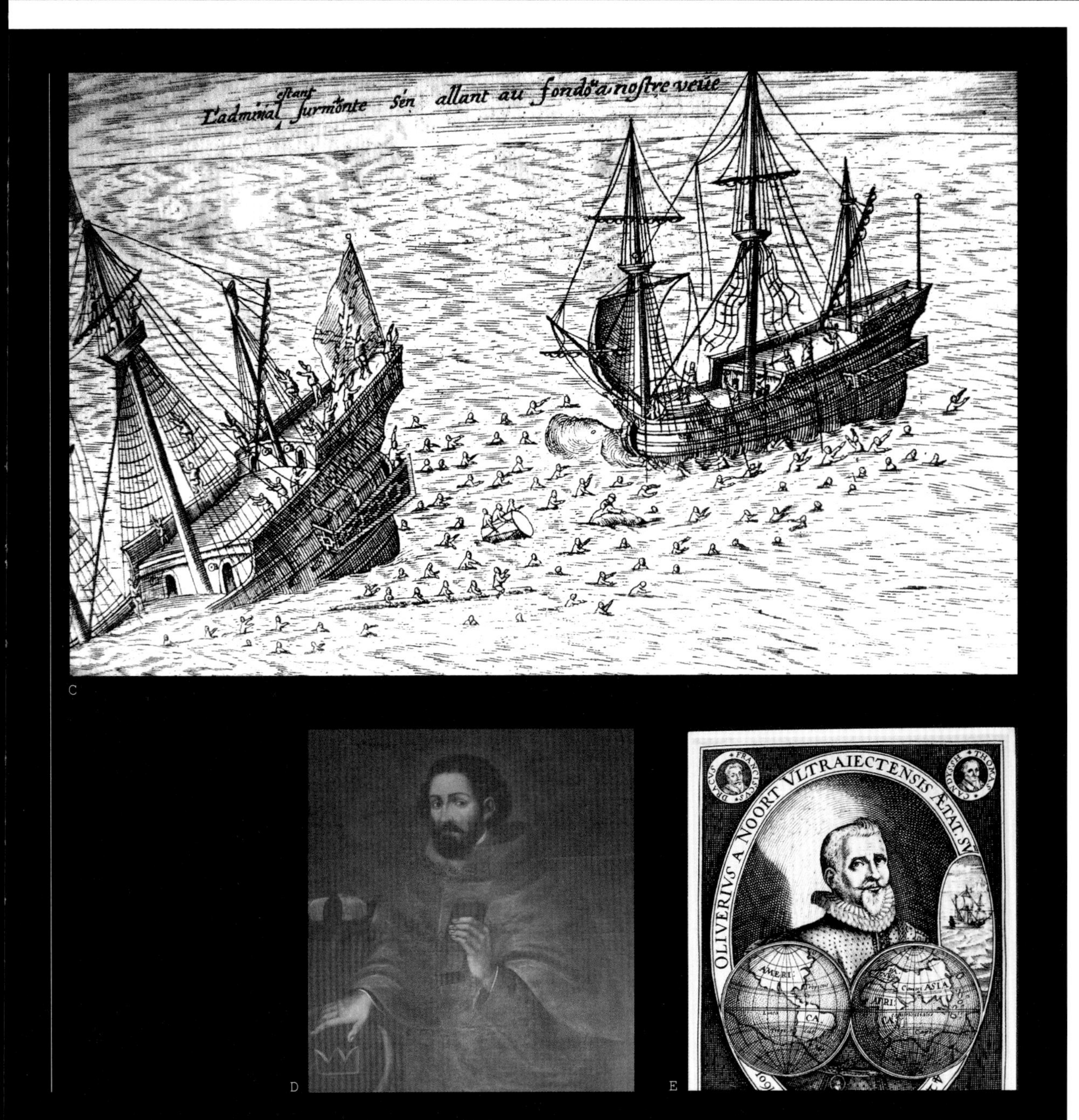

武装商船は、ガレオンと呼ばれ、その船団が担ったのが太平洋マニラ・ガレオン交易である。この交易は、1565年から1815年の間、アカプルコとマニラ、250年に渡って展開された。メキシコのアカプルコからの太平洋往路は、赤道近くの南北緯度15度付近で西向きの貿易風と暖流を捉え、西から東へ向う航海であった。航路の発見者アンドレス・デ・ウルダネータの名を冠した復路は、北半球の北緯30度から60度ぐらいの一帯にかけて西から東に吹く偏西風を捉え、さらには、フィリピン沖から北上して日本の房総半島沖付近で東に蛇行する黒潮を利用するものであった。

太平洋マニラ・ガレオン船交易は、環太平洋岸のアカプルコとマニラ同士を結び、南米産の銀を原資に、アジア産物資を購入する交易として発展していった。マニラ・ガレオン船の1隻が、フィリピンのマニラ湾口の海底で、発掘されている。その成果は、フィリピンの国立博物館やスペインの国立海事博物館でも公開されている。

アカプルコ帰還のための復路航海に備え、マニラ湾に停泊していたサン・ディエゴ号は、急きょ、スペイン帝国アジア植民地の中心であったマニラの海上防衛に駆り出されることとなった。

1600年12月、新興勢力オランダの艦隊がマニラ湾に攻め入った。敵国オランダの艦隊は、フェルナンド・マゼラン、フランシス・ドレーク、トーマス・キャベンディッシュに続いて太平洋横断に成功したオリヴァー・ヴァン・ノールトに指揮されていた。

対してスペイン側は、マニラ湾を出入りする商船拿捕を行っていたオランダ艦隊を脅威と捉え、カヴィテ（マニラ郊

F

Manila Galleon San Diego

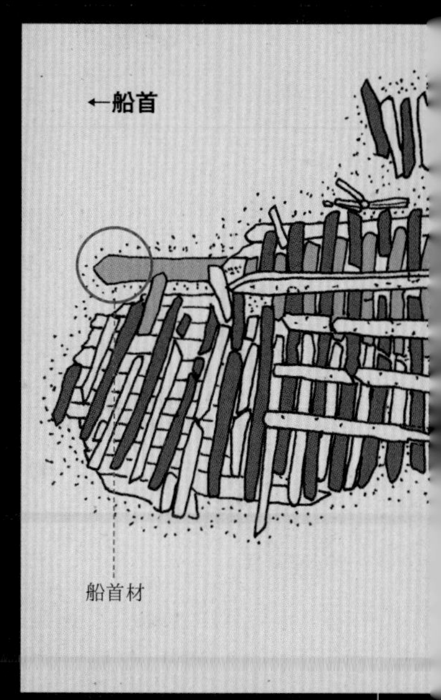

G

外最大の港市）海防に力を入れていた。迎撃艦隊の編成に当たったのは、フィリピン副総督アントニ・デ・モルガ（『フィリピン諸島誌』を後世に残した）であった。55トンの小型のサン・バルトメウ号を侵水させたが、必要な艦船は不足していた。そこでセブ島で建造され、ガレオン商船として使用されていたサン・ディエゴ号を徴用、武装を施すことになった。

同船は、マニラ要塞の青銅製大砲16門を艤装後に出港、マニラ湾外のフォーチュン島近海で、オランダ艦隊のモーリシャス号と交戦に入った。艦隊戦となり、接舷し激しい戦闘が続くなか、被弾したサン・ディエゴ号は、遂にフォーチュン島沖合で沈没した。

1992年、フランク・ゴディオが設立したフランスのヨーロッパ水中考古学研究所及びフィリピン国立博物館が、サン・ディエゴ号の探査を開始する。粘り強い探査によって、フォーチュン島東岸1.2ｋｍ地点の52mの海底で、異常反応が確認された。1991年からの探査で使用されたのは、磁気探査機材であった。この機材は、沈没船に積載されていた錨や砲弾などの鉄製品が埋

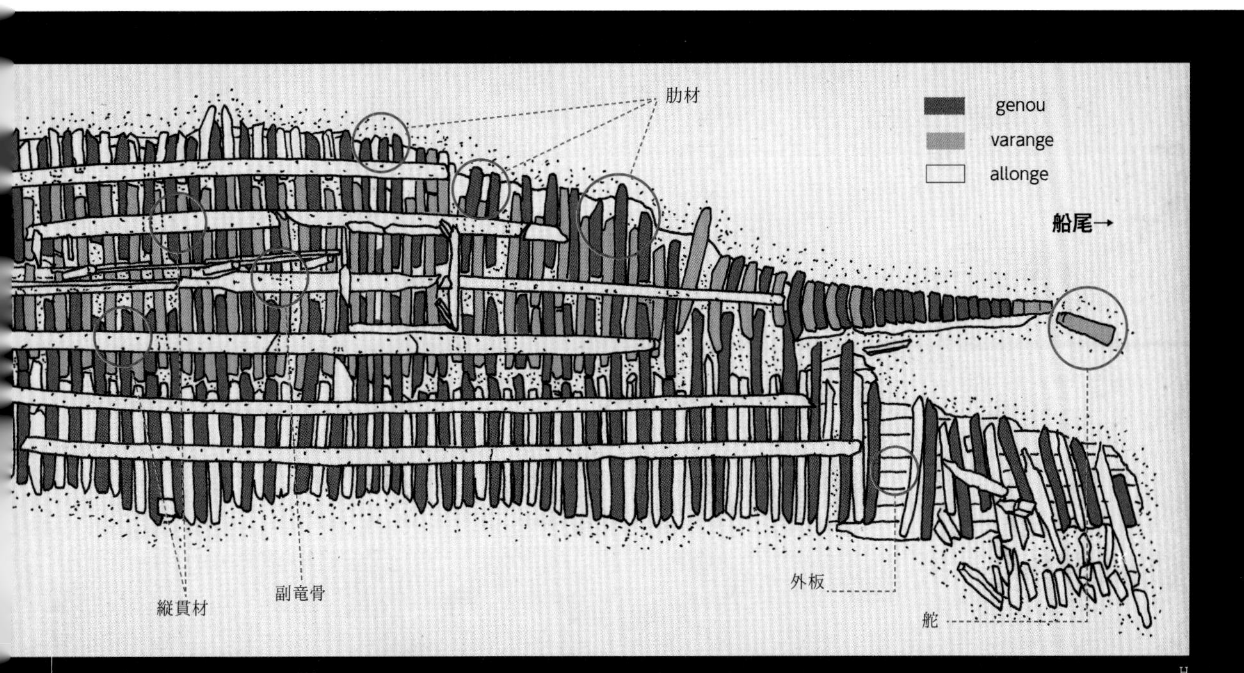

発掘されたサン・ディエゴ号の船体。
現在はまだ引き上げ作業は行われて
おらず、海底に沈んだまま残る。

H

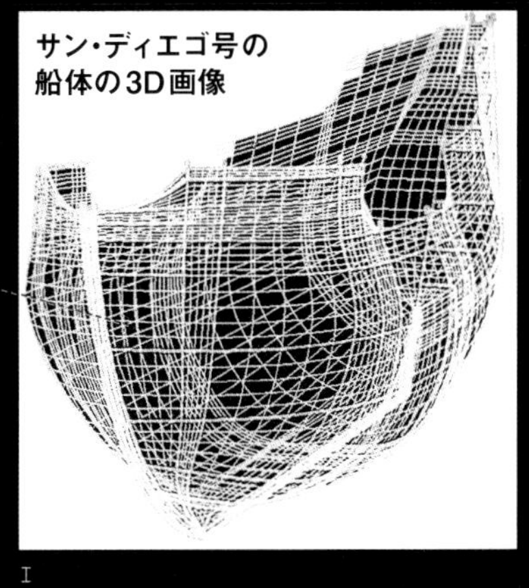

サン・ディエゴ号の
船体の3D画像

1,000tクラスのガレオン船はこの当時としては大きなものだった。

I

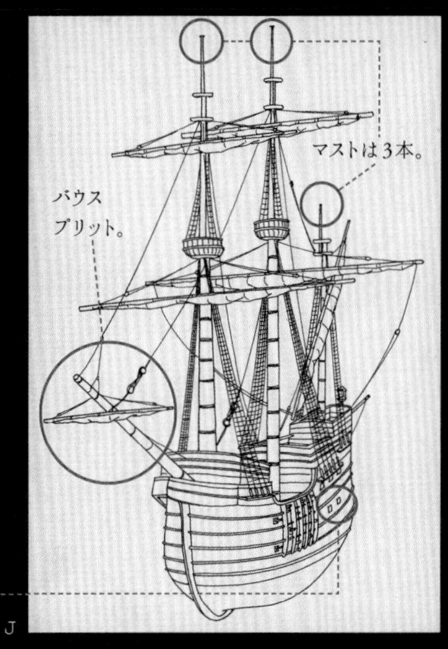

ガンポート。ここから大砲が出る。

J

F.海底で発掘されるサン・ディエゴ号船体。 G.サン・ディエゴ号舵。 H.サン・ディエゴ号出土状況平面図。 I.船形復　元。(『Treasures of San Diego』(Giordan1996)より) J.サン。ディエゴ号復元イラスト。(いずれも写真提供:ISEAM、Franck Goddio)

没していることで発生する地磁気の異常を検出することができた。その後の、磁気異常検出地点での潜水調査により、海底面には、2本の鉄錨が横たわっているのが確認された。

このほか、海底では、サン・ディエゴ号が積載していた大砲、凝固物と陶器壺類が散乱し、船のバラスト石がマウンド状に堆積している状況であった。深さ50m以上の海底で、18名の調査員が、潜水作業時間30－40分、さらに減圧停止1時間という環境で発掘調査を進めた。エアリフトによる発掘は、堆積する河川由来のバラスト石を取り除きながら、左舷を中心に進められた。　これらの結果、船体が良好な状態で残存していることが確認された。肋骨材は、ダブルフレームと呼ばれる2組構造で堅牢な造りであった。船体構造で最も重要な竜骨も確認され、その上には、1本の木から削り出された長さ17mの副竜骨材が鎮座していた。これらの情報に基づいて復元されたサン・ディエゴ号は、1,000トンクラスのガレオン船で、上部甲板での船長は37m程と推定された。

バラスト石に埋まっていたのは多種多量の遺物で、その数は、約6000点にものぼった。出土遺物では、景徳鎮窯系・漳州窯系の青花磁器で芙蓉手皿を中心に、碗類・大壺や、水注、小壺、合子ほか、治療用の薬容器(アルバレッロ)、華南三彩壺や広東・福建産の壺などの中国産の陶磁器で、これらの一部は、マニラ・ガレオン船交易で取引されていた品である。

東南アジア産の陶磁器は、大形の容器が大半で、タイ・ノイ川窯系四耳壺、ミャンマー黒褐壺(マルタバン大壺)である。フィリピン産の陶製小甕・水

サン・ディエゴ号出土青花芙蓉手皿（Naval Museum of Madrid所蔵）。
マニラ・ガレオン船の太平洋交易で大量に運搬された青花磁器皿。

K.銀製皿類。 L.フィリピン産陶製小甕。M.薬容器（アルバレッロ）。 N.広東・福建産の龍壺。（いずれもNaval Museum of Madrid所蔵）

注・オイルランプ、さらには船上で火を使って調理する時に使う甕・土製焜炉も見つかっている。スペイン産のオリーブ壺、メキシコ産の水注は、船上の生活者の出自が多様であったであろうことを物語、これら全ての陶磁器はガレオン船交易の国際色の豊かさを反映している。

多岐の金属製品も出土、金属製燭台、銀製あるいは青銅製の皿・碗・コブレット・匙等の食器器具類、薬用擂鉢、金属製の鏡や家具の金属部位、円錐鉛インゴット、中国式の錠が確認されている。食器類には、ガラス製のものも出土している。スペイン銀貨やアメリカ産の銀のインゴットは、最も重要な出土遺物で、銀が中心であったガレオン船交易と、地球規模の銀インフレも招いた経済の核であった。一方で、出土貨幣の種類には、明代の銅銭、イスラム貨幣もあり、金鎖などの宝飾製品と共に、乗船員が個人で所有した財貨であったと考えられる。

船舶関連として索具類、ガラス窓やアストロラーベ等の航海器具が出土している。食用の痕跡である豚、牛、鶏の骨が、さらに植物遺存体として、ナッツ類、桃の種子、ココナッツが見つかっている。さらに、カレーにも使用されるスパイスが検出されているが、これらの一部は壺内部に残っていた。その他に、船上生活で使用した硯や盤上遊戯具も見つかっている。

艤装された大砲類のうち、14門が発掘されており、大型カルヴァリン砲、ポルトガル製ペドロ大砲、ペドロ砲、12ポンドデミ砲、8ポンドデミカルヴァリン砲、5ポンド・3ポンドセーカー砲、3ポンドデミセーカー砲、2ポンドファルコン砲が含まれる。銃砲弾類は、マスケット

O

P

Q

Balas de plomo de
enramadas, utilizadas
desarbolar navíos enemigos.

R

O.ポルトガル製ペドレロ大砲（左）、カルヴァリン砲（右）。 P.鉛製鉄砲玉。 Q.フィリピン製西洋式兜モリオン。 R.鉛製砲弾。 S.鉄製砲弾。ガレオン船は武装商船であったが、オランダ侵攻に対するマニラ湾防衛のために、サン・ディエゴ号には追加武装が施されていた。（いずれもNaval Museum of Madrid所蔵）

S

acuñadas en México, Potosí y la
Península.
T

T.スペイン銀貨。1675年まで、スペイン植民地のアメリカ大陸では、銀貨のみが貨幣として流通した。U.日本刀鍔。マニラには、日本から武士や浪人が渡海し、傭兵として働いた。サン・ディエゴ号にもそうした傭兵が乗船して、船と運命を共にした。V.銀のインゴット。メキシコ銀とも呼ばれ、マニラ・ガレオン船によって太平洋を渡って、アメリカ大陸からアジアに流入した。現在のボリビアのポトシ銀山（世界遺産）は、銀鉱石が、インディオによって採掘されていた。苛酷な環境と銀精錬のための水銀により、多くのインディオが犠牲となった。（いずれもNaval Museum of Madrid所蔵）

U

Manila Galleon San Diego

V

銃用の6-9mm鉛弾、スプリングショッ

鉛弾、砲弾は、石弾と鉄製バーショット（双頭弾）などが発見されており、大砲と合わせて、モーリシャス号との艦隊戦と接舷戦を繰り広げたことを思い起こさせる。

武器類や兵士が使用していたものとして、スペイン式洋剣柄、青銅製モリオン型兜、銀製・青銅製メダリオン、金属バックルの出土が報告されている。なかでも日本刀の鍔は、興味深い遺物である。サン・ディエゴ号の沈没時には、約350名の乗船員が犠牲となったとされるが、恐らくは、傭兵としてマニラに渡っていた日本人もいたのであろう。

日本近海にも歴史的なマニラ・ガレオン船が沈む。1609年サン・フランシスコ号は、マニラ・ガレオン交易船団の1隻として僚船2隻を従え、マニラを出航。黒潮で北上しながらも、嵐に遭遇、上総（千葉県）岩和田村沖で座礁・沈没してしまう。生存者は、家康の庇護を受け、三浦按針（ウィリアム・アダムス）が建造していた日本初の西洋式帆船で、アカプルコ帰還を果たした。日本建造の船が初めて、太平洋を渡った歴史的航海でもあった。

マニラ・ガレオン船の復路航海は、特に危険で苛酷であった。1638年、マニラを出航したコンセプシオン号は、北マリアナ諸島付近で暴風雨に遭遇し、現在の北マリアナ諸島サイパン島南部のアギンガン岬沖で座礁・沈没している。400名程度が乗船していたとされるが、生存者は28名余にとどまった。積載数2000トン相当、船長45mのガレオン船であり、1987－88年にかけて、遺物のサルベージをパシフィック・シー・リソース社によって行われている。（文：木村淳）

SWEDEN

北欧の獅子の旗艦

ヴァーサ号博物館

スウェーデン

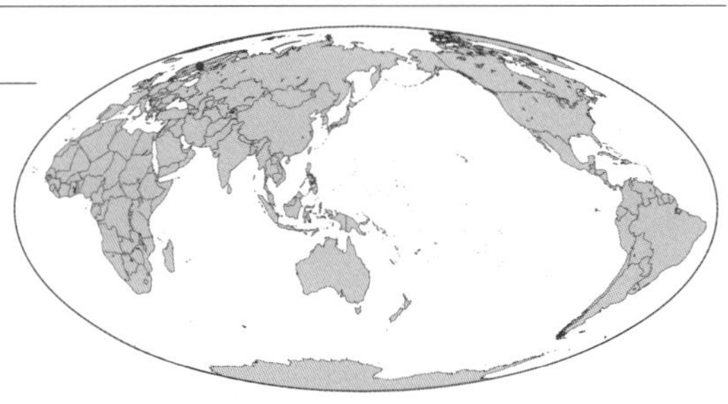

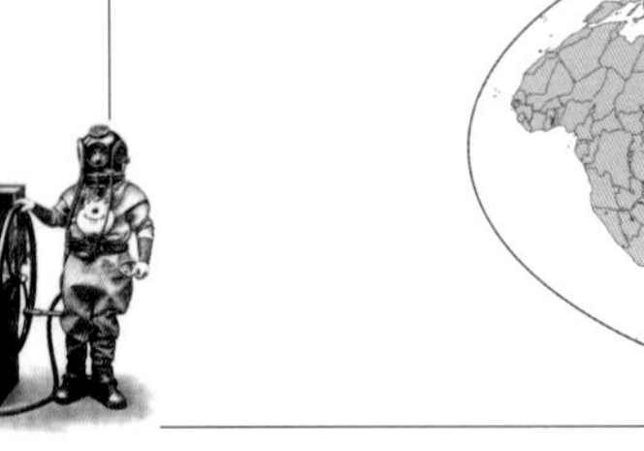

スウェーデン・ヴァーサ王朝の象徴

ヴァーサ号博物館は、スウェーデンの首都ストックホルム中心に位置する。『VASA』の著書であるフレッド・ホッカー博士は、テキサスA&M大学船舶考古学研究所（INA）の教授を務め、ヴァーサ号博物館で研究部門を率いている。INA研究員であるという縁で、スウェーデン・ヴァーサ王朝艦隊の主力艦が展示されている博物館での案内を頼み、海底引き揚げ船体の95パーセント以上が保存されている船内部に入る機会があった。博士は、「17世紀であ

A.船首右舷側。B.船尾。C.ビークヘッドBeakhead。D.左舷。（写真提供：木村淳、協力：Vasa Museum）

るが、ヴァーサ号は王朝の戦艦であるから、船上に上がるのを許可できるのは、各国の王室関係者か、海軍関係者か、そうでなければ、海事考古学者に限られる。ローリング・ストーンズも許可されなかった。」と説明してくれた。

立憲君主制のスウェーデン王国は、ヴァーサ王朝（1523年 - 1654年）期、ロシアやポーランドが勢いを失うなか、勢力を維持するデンマークを横目に、オランダと協調しながら、バルト海での覇権を高めていった。北欧の獅子と呼ばれたグスタフ2世アドルフの治世で、軍事力の拡大を目指し、艦隊のための4隻の戦艦建造を目指した。ストックホルムの小島の海軍造船所の300名を超える職工が、1000本のオーク材を使い、北オランダ造船方式で、2年の歳月をかけて完成させたのが、ヴァーサ号である。3本の帆柱を備え、船長は69メートル、1,210トンであった。2層の砲列甲板に備え付けられたのは、青銅製の24ポンド・デミ砲で、64門が搭載された。現在、保存処理薬品が施されたヴァーサ号から想像するのは難しいが、船体は、金鍍金に彩色を施した北ドイツ後期ルネッサンス様式の数百もの彫刻で飾られ、船尾楼は、王室の色である赤色を基調とし、極彩色に塗られた。スウェーデン史で、最も華麗で、高価であったこの船は、処女航海直後に、ストックホルム湾に沈むことになる。

ヴァーサ号沈没

1628年8月10日、ストックホルム港から10枚の帆のうち、4枚を揚げて出航したが、直後、強風に煽られ、船体が17度左舷に傾き、下層甲板の開いた砲門から海水が流れ込み、沈没が免

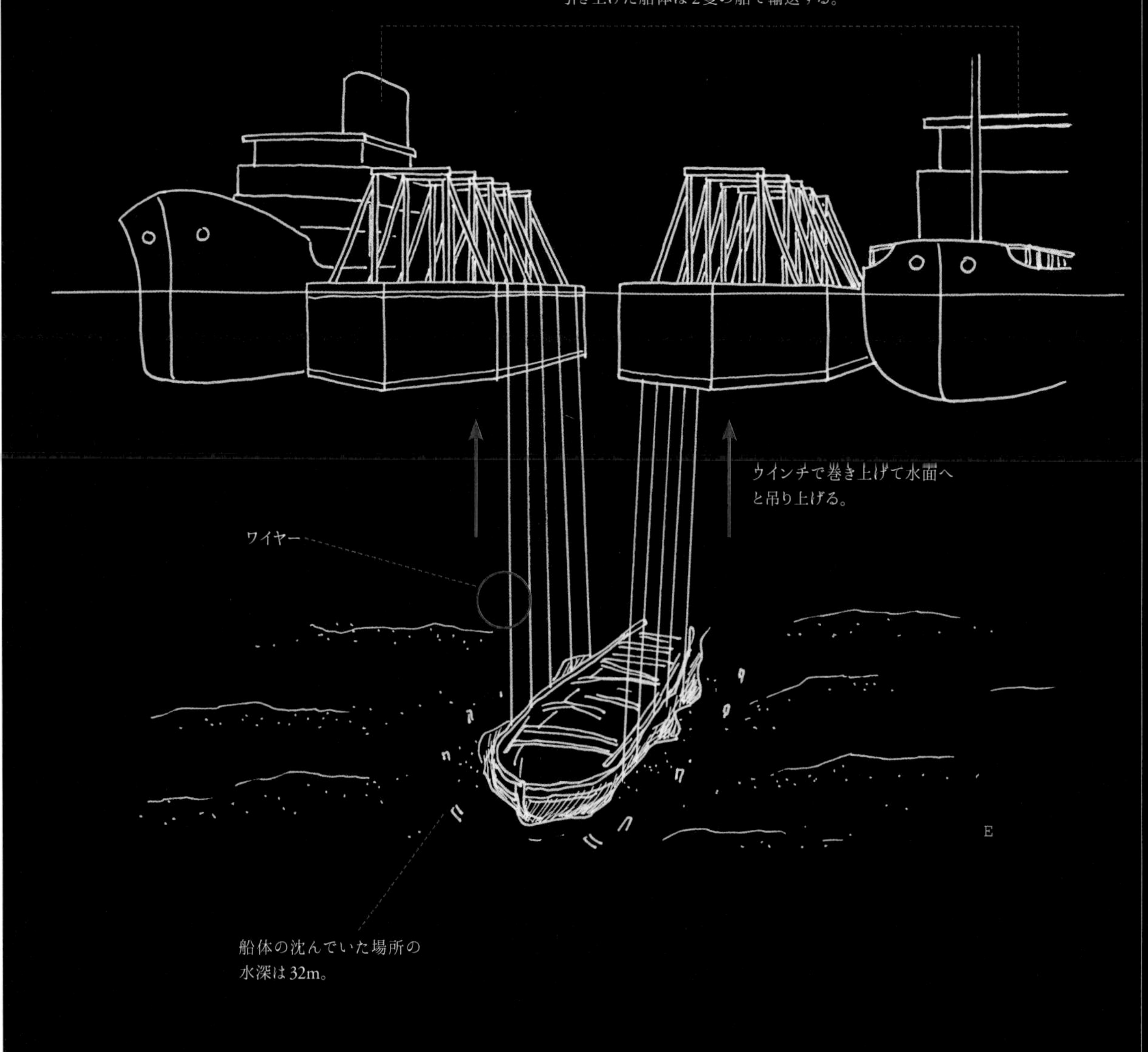
引き上げた船体は2隻の船で輸送する。
ウインチで巻き上げて水面へ
と吊り上げる。
ワイヤー
船体の沈んでいた場所の
水深は32m。
E

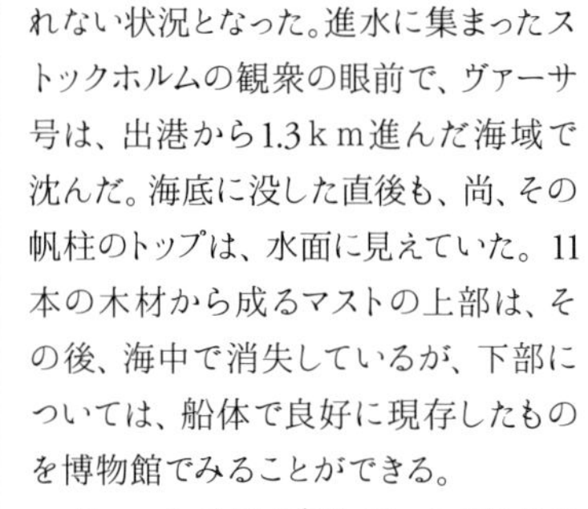

れない状況となった。進水に集まったストックホルムの観衆の眼前で、ヴァーサ号は、出港から1.3km進んだ海域で沈んだ。海底に没した直後も、尚、その帆柱のトップは、水面に見えていた。11本の木材から成るマストの上部は、その後、海中で消失しているが、下部については、船体で良好に現存したものを博物館でみることができる。

ヴァーサ号に乗船していた150名の乗組員のうち船内に残された30名以上と共に海底へと沈んで行った（犠牲者のうち女性含む15名は特定され、なかでも1名は、革靴を履いたままの状態で、考古学者らに発見された）。沈没の要因となったのは、追加された船尾装飾と砲台による過重で、船体の復元力を失ったことにあると考えられている。

ストックホルム湾の海底に沈んだヴァーサ号は、完全に人々の記憶から忘れ去ってしまったわけではなく沈没後に何度かサルベージが試みられ、17世紀の時点で、当時貴重な大砲の多くが引き揚げられた。1956年、民間の研究家が測深重りや引っ掛け鉤でその位置を特定、ダイバーらによって探索が開

F

Vasa Museum

G

H

E.ヴァーサ号引き揚げ模式図。 F.ヴァーサ号甲板。 G.砲列甲板。
H.ビルジポンプ。船内に溜まる水(ビルジ)を排出する。ヴァーサ号は、20世紀半ばにおいて、水底に眠るに遺跡の価値に、人々の目を向かせた歴史的沈没船である。(写真提供:木村淳、協力:Vasa Museum)

始され、その豪奢な彫刻工芸品・調度品を引き揚げ始めた。ヴァーサ号保存の機運が生じるなか、スウェーデン海軍、国立海事博物館、国家遺産委員会のメンバーから成るヴァーサ諮問会議は、その引き揚げを決定する。透明度が無い暗闇の海底で、海底に着座していたヴァーサ号の船底下に、水圧ホースからの水流で、トンネルを6本掘り進める作業含め、2ヶ年を準備に費やした。1961年4月24日、ストックホルム湾の水面に、333年ぶりにその姿を現した。

低温のバルト海水、低塩分濃度によるフナクイムシの生存の低さと、船体が泥に埋もれて、湾内の多量のゴミ分解で酸素が断たれたことで、嫌気環境が保たれていたことにより、その船体が良好に遺存される状態になっていた。また、耐久性の高い、オークの心材を使って建造された船体は、皮肉にも沈没時には新造であったことも、現代までヴァーサ号が残っていたことに関係している。引き揚ったヴァーサ号は、空気中の負荷に耐え、バージの上で、船内の考古学発掘調査が始まり、16000点の遺物が検出された。

これらの多くは水中で、含水したままの状態で一時保存された。乾燥が進まないように船体に常に散水しながら、泥を落とし、さらなる乾燥防止措置として、ビニールシートで各部を覆う措置が取られた。木製の船材は処置に無しに乾燥させると、15%も収縮する可能性があった。船体の周囲に建物を建て、300年以上前に沈んだ帆船を保全するという、世界でも稀な科学挑戦が始まった。

総面積にして15,000㎡の90%がオ

甲板からヴァーサのビークヘッド・バウスプリットを望む。

ーク材という船体保存の計画は、木材一つ一つの状態が異なるという非常に複雑な状況まで考慮して策定された。様々な試験の結果、水溶性の保存薬品の一つであるポリエチレングリコール（PEG）が、有効性が高いと判断された。工業用のPEGを木材の細胞内に含浸させ、水分子と置換させ、細胞を強化し、木材の収縮と割れを防ぐことができると判断された。その効果は判明していたが、最も効果的な分子量、処理温度、含浸に必要な時間などの条件は、十分には分かっていなかった。

I

J

K

L

Vasa Museum

I. ヴァーサ号博物館外観。 J. ヴァーサ号引き揚げに船体保全のために打たれた鉄釘。劣化が激しいため、防錆を施した釘との交換が進む。K. ヴァーサ号砲列甲板。研究チームを率いるホッカー博士。 L. ポリエチレングリコールが析出した船材。PEGにより保存処理の問題と解決方法の研究が進む。ヴァーサ号引き揚げ以前も今までも、人類が、これほど巨大な単体の木造の建造物を海底から引き揚げたことは無かった。ヴァーサ号の引き揚げは、科学への挑戦であり、今なお、その船体を後世に残すための研究が続けられている。（写真提供：木村淳、協力：Vasa Museum）

各種実験からは、含浸には長時間をかけ、その後、さらに時間をかけて調整した乾燥を行う必要があることが示唆された。PEGによるヴァーサ号保存処理は、30年以上に及んだ。

ヴァーサ号の遺産

足を踏み入れ乗船したヴァーサ号船内は、PEG処理で木材が硬化し変色した状態であったが、ヴァーサ王朝の屈指の戦艦として堅牢なままでいるように思えた。ホッカー博士によれば、PEG処理は成功したが、一方で、建造時に使われた鉄製の釘の腐食は進み、これがPEGと反応し硫酸を生成し、木材内部に損傷を与えているとのことで、船内では、新しいスチール製のボルトを埋め込む作業も行われていた。ヴァーサ号の引き揚げは、長い年月と、労力、費用を発生させ、それが否定的にも捉えられているが、その科学的、学術的成果は図りしれない。世界でも有数の入館者数を誇る、ヴァーサ号博物館は、国内外の研究機関からもその取り組みにおいて、高い評価を得ている。

スウェーデン王国の海軍系譜に連なる重要な沈没船の引き揚げと保存処理は、スウェーデン国内の水中遺跡についての認識も変えた。現在、海に囲まれたスウェーデンでは、沈没船含む水中遺跡としては3500件近くの登録がある。沈没船やその積載物、沿岸の港湾施設、桟橋、漁労施設など、スカンディナビアの沿岸利用や航海、海上輸送、海戦などを広く研究対象とする海事考古学研究や、水中遺跡探査にも貢献している。それは、この本でも取り上げている深海のゴーストシップ調査などの成果なども生んでいる。　（文:木村淳）

VOC Batavia

A

B

A USTLARIA

オランダ東インド会社船の遺産

VOCバタヴィア号

オーストラリア

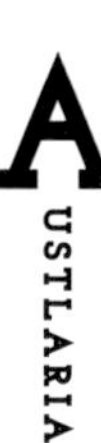

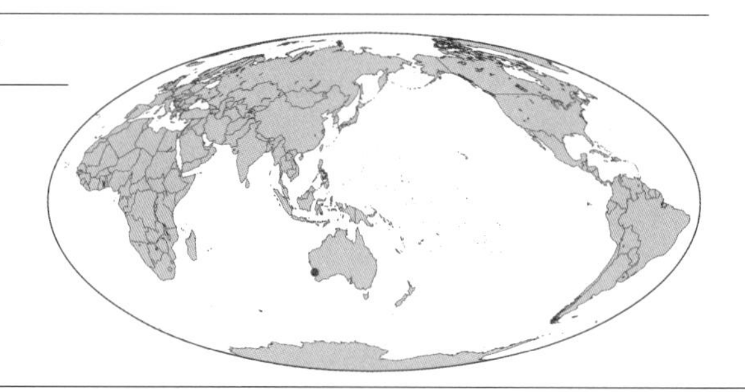

オランダ東インド会社船の航海、沈没

オーストラリア西海岸沖合、インド洋に浮かぶアブローズ群島で、1963年に発見されたバタヴィア号は、乗船者の悲劇的運命と、オランダ東インド会社船籍の商船であることの歴史性、オーストラリア海事考古学の発展に果たした役割で知られる。

15世紀の「アジアの大航海時代」、いち早くアジア進出を果たしたポルトガル・スペインのイベリア半島勢力に次いで、オランダもその機会を狙っていた。絹織物、陶磁器や東南アジア原産のク

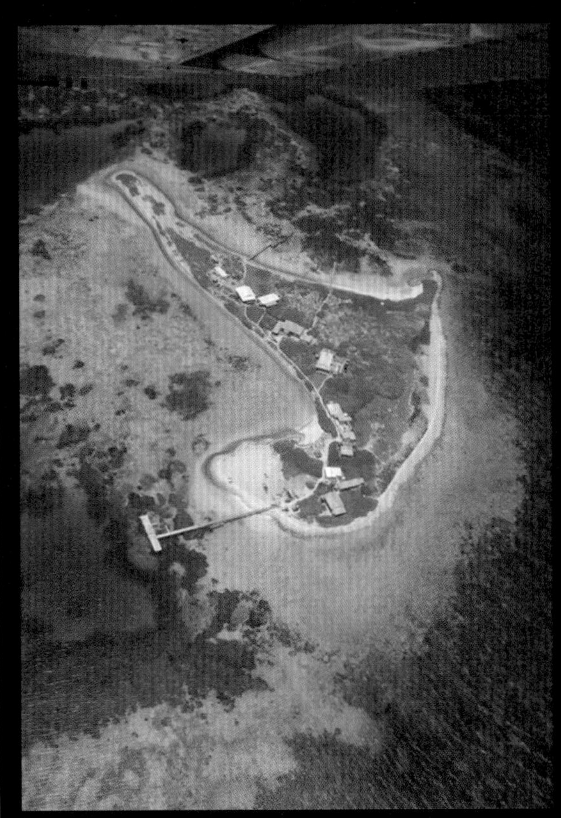

C

D

A.出土したバタヴィア号船尾を撮影する水中考古学者。 B.バタヴィア号の肋材リフティング。 C.ビーコン島航空写真。 D.バタヴィアの悲劇(作者不詳)。左下に沈没したバタヴィアが描かれる。 E.ビーコン島で発掘された虐殺にあった犠牲者の遺骸。(写真提供：Western Australian Museum)

E

ローブやナツメグなどの香辛料海上交易の独占が活発化、ヨーロッパの船団が、アジア海域世界を盛んに航海した。

オランダのアムステルダムなどの諸都市の貿易商は、船団の安定的派遣を目的に、1602年、連合東インド会社(VOC＝Verenigde Oostindishe Companie)又はオランダ東インド会社を設立した。同一資本下でアジア交易を行う共同体である同社は、その拠点をインドネシアのジャワ島に定め、バタヴィア(現ジャカルタ)を建設、貿易のみでなく政庁機能を持たせ植民地支配拡大の足掛かりとした。オランダ東インド会社のアジア海域への航海は、1602－1794年に4千7百件以上にのぼった。

オランダのアジア海域進出には、バタヴィアまでの安定した航路の開発が不可欠であった。ポルトガルは、既に、アフリカ大陸南端の喜望峰を廻り、大陸東海岸を北上、中東地域・インド沿岸沖の航海ルートを支配していた。オランダ東インド会社のアジア進出には、のちに日本でオランダ商館長を務めることになるヘンドリック・ブラウワーが関わっている。

ブラウワーは、17世紀初頭オランダ極東船団の司令官の地位にあり、インド洋の航海民が古代から利用していた季節風に着目し、喜望峰から東に直進し、現在のオーストラリア大陸西岸に到達した。その後、北上してバタヴィアを目指すルートを開拓することに成功した。この南インド洋を横断するブラウワー航路は、ヨーロッパからアジアへの航海日数の著しい短縮を可能とし、オランダ東インド会社の台頭を促した。

一方で、ヨーロッパ勢の植民期前のオーストラリアは、17世紀初頭段階では、先住民アボリジニが陸上を中心に豊か

F

VOC Batavia

G

H

な生活圏を築いていたが、その西海岸沖合の暗礁情報は、オランダの航海者らの間で、十分に共有されておらず、極めて危険な航海が繰り返されていた。これにより何隻かのオランダ東インド会社船は、オーストラリア西海岸付近で航路を東にとり過ぎ、近海で座礁することがあった。

現在までにバタヴィア号（1629）、ヴェルガルド・ドレイク号（1656）、ジードロップ号（1712）、ジーヴィック号（1727）など少なくとも4隻のオランダ東インド会社船籍の船がオーストラリア西岸沖で沈んだことが確認されている。なかでも、1629年に沈んだバタヴィア号は、その船体と遺物が、発掘調査され、引き揚げられており、その成果を目の当たりにすることができる。

1628年、オランダ東インド会社船バタヴィア号は、乗船者332名と共に、アムステルダムを出港した。その航海は船内の人間関係の不審など当初から不穏であり、インド洋を横断したが、遂には西オーストラリア州海岸沖合い約60km、アブローズ群島近海で座礁してしまう。

しかしながら、バタヴィア号の悲劇は、その沈没ではなく、生存者らのその

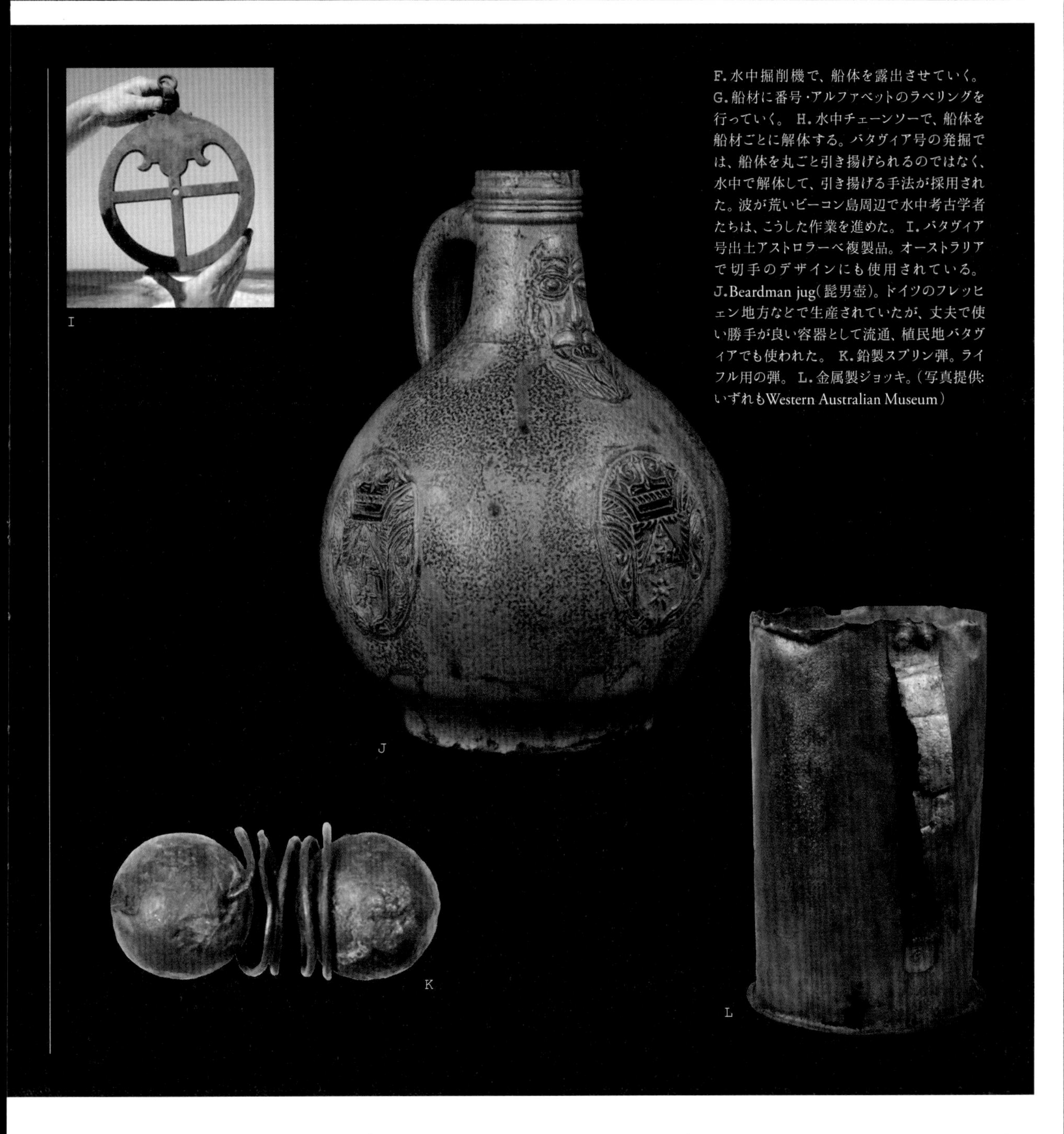

F.水中掘削機で、船体を露出させていく。G.船材に番号・アルファベットのラベリングを行っていく。 H.水中チェーンソーで、船体を船材ごとに解体する。バタヴィア号の発掘では、船体を丸ごと引き揚げられるのではなく、水中で解体して、引き揚げる手法が採用された。波が荒いビーコン島周辺で水中考古学者たちは、こうした作業を進めた。 I.バタヴィア号出土アストロラーベ複製品。オーストラリアで切手のデザインにも使用されている。 J.Beardman jug（髭男壺）。ドイツのフレッヒェン地方などで生産されていたが、丈夫で使い勝手が良い容器として流通、植民地バタヴィアでも使われた。 K.鉛製スプリン弾。ライフル用の弾。 L.金属製ジョッキ。（写真提供：いずれもWestern Australian Museum）

後の運命によって知られる。船の指揮官や上級船員らが救助を求めに沈没現場を離れた後に、オランダ東インド会社商館員イエロニムス・コルネリスー派の船員らの反乱により、島に残った乗組員と女性・子供を含む多数の乗客が殺害される事件がおこった。最終的に、バタヴィア号の航海で生存したのは、116名のみであった。

バタヴィア号の水中発掘

長らく忘れられていた悲劇は、潜水漁を行っていた漁師によって、アブローズ群島北のモーニング岩礁、水深5mの海底で、バタヴィア号船体の一部が発見され、現代に記憶として甦ることになる。発見現場は、波の荒い岩礁地帯であったが、西オーストラリア海事博物館の研究者らによって、1973年から1976年の間に水中発掘調査が実施され、船の左舷一部や船首尾が良い状態であることを確認、銀貨、陶磁器類多数の関連遺物が回収された。

引き揚げ遺物には、建設中であったオランダ東インド会社の拠点バタヴィア要塞の城門に使用される予定であった門柱石材も含まれていた。引き揚げ後に薬品保存処理を施された船体の一部と関連遺物は、現在西オーストラリア海事博物館の沈没船ギャラリーで展示されている。

オーストラリアの研究者らによる船体と関連遺物の研究は、17世紀のオランダ造船技術史や、他の国で確認されているオランダ東インド会社船籍の沈没船との比較研究に功績を残してきた。バタヴィア号の研究で得られた知見は、オランダでの17世紀東インド会社船の復元プロジェクトにも反映された。その関連遺物は、公文書上に残るオランダ東イ

VOC Batavia

M

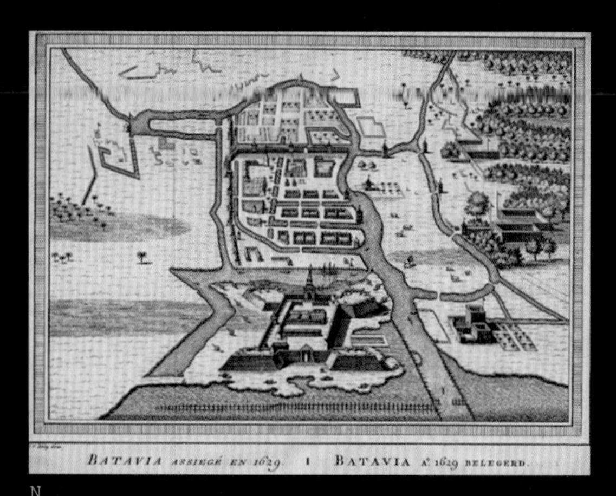

N

O

M. バタヴィア号船体と門柱。西オーストラリア州立博物館・沈没船展示館で復元展示されるPEGによる保存処理を終えたバタヴィア号船体。門柱は、複製で、実物は、沈没地点にほど近いGeraldtonの博物館に(現地展示を尊重のため)展示されている。 N. インドネシア植民地バタヴィア要塞(Jacob van der Schley)。 O. バタヴィア号のバラストレンガ。展示館、船体の下の床には、これらのレンガが敷かれている。 P. オランダ東インド会社(VOC)のロゴ。 Q. バタヴィア号復元イラスト。(写真提供:Western Australian Museum(M・O)/作図:N. Batavia assiegé en 1629, Jacob van Schley)

P

マストに掲げられたオランダの三色旗。この船が造られた当時、オランダはスペインから独立して現在の三色旗が誕生した。

VOC バタヴィア号

オーストラリア

ンド会社の交易記録を補完する資料であると共に、船上で使用された船具は当時の航海技術を研究する上で重要な情報をもたらした。

バタヴィア号生存者が上陸し、乗組員の反乱の舞台ともなったビーコン島では、犠牲者と推定される人骨が複数確認されており、詳細を明らかにするための発掘調査が、複数回実施されてきた。その重要性と様々な研究成果により、バタヴィア号はオーストラリア海事考古学にとって研究指標となる遺跡の一つとなっている。

(文:木村淳)

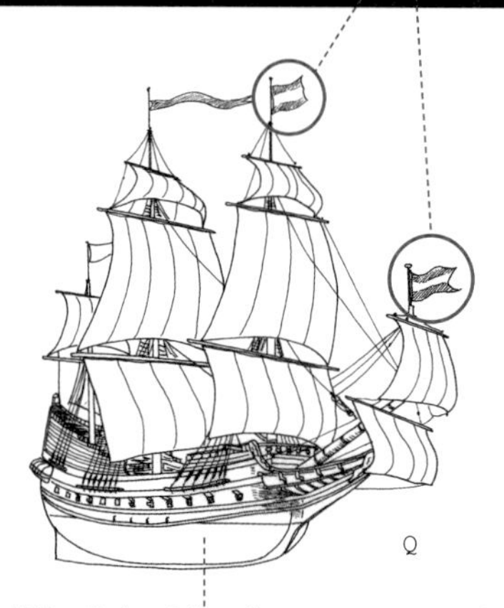

Q

船体は堅牢な木材で造られている。この当時、工具が改良されて長距離航海が可能な船が製造可能となった。

1/1のスケールで復元されたバタヴィア号。
（写真提供：Alamy/アフロ）

Ghost Ship

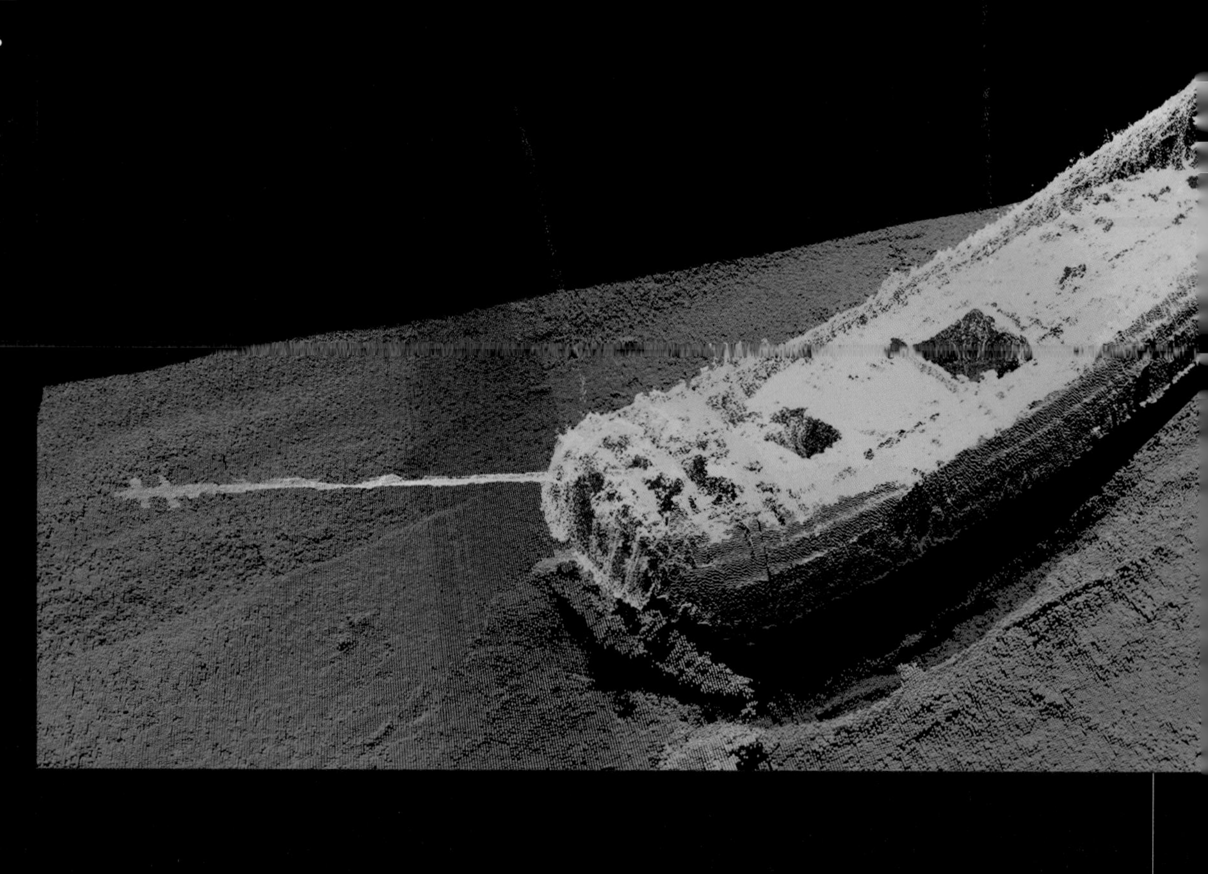

S
WEDEN

オランダのフリュート

ゴースト・シップ

スウェーデン

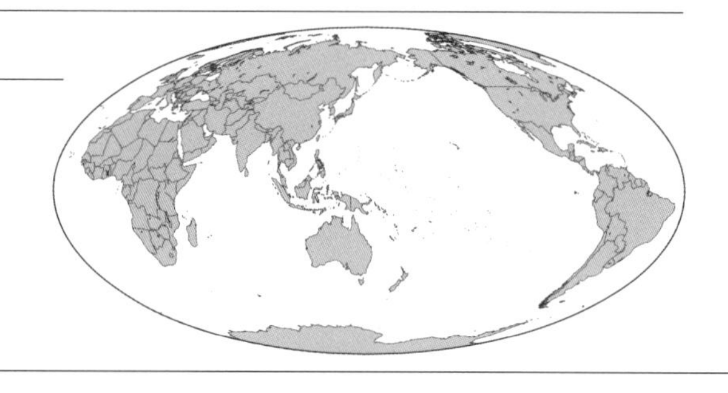

謎の沈没船

破れた帆、フジツボに覆われた朽ちた船体。幽霊船とは、そのようなイメージでなかろうか。暗い海底に沈座する幽霊船が、絵物語ではなく、実在することを、近年の深海考古学は証明した。2003年、民間会社Deep Sea Productions and MMT(Marin Mätteknik)社が、スウェーデンの国立公園ゴツカ・サンド島東30海里ほどのバルト海の中央、水深130mの海底で、幽霊船のように沈んだ1隻の船の画像を得ることに成功した。2009年、セーデルトーン大学海事

A.マルチビームソナー（測深機）で捉えた海底に沈座するゴースト・シップ。船首側が海底面に深く沈んでいる。 B.サイドスキャンソナー（音響を利用するリモートセンシング探査技術の一種）の海底音響画像に、船体とその音響影。マストが直立している。 C.調査船アイスビー船内のセーデルトーン大学海事考古学研究所らのチーム。1952年、ソビエト連邦に撃沈されたスウェーデン空軍偵察機の探索が船を捉えていた。2000年代、有線式無人探査機ROV（Remotely Operated Vehicle）の映像によって、無傷の沈没船が捉えたれた。ヴァーサ号引き揚げ以来、海事考古学研究を進めてきたスウェーデンで、深海考古学のプロジェクトが開始された。（写真提供：Johan Rönnby、Niklas Eriksson、Södertörn University）

考古学研究所は、Ghost Shipプロジェクトを発足、沈没船は、17世紀のオランダ船であることを突き止めた。

調査船には、音波の送受信により海底面の音響画像を得ることができる探査機材サイドスキャンソナーが積載されており、マストが残存するゴースト・シップの姿を捉えた。さらに数百本の音波ビームで、微細な水底面探査が可能で、立体データを作れるマルチビームソナーにより、海底に沈座するゴースト・シップの正確な3次元モデルが生成された。これらの探査で、船体内部構造や船長27m、船幅7mといった大きさが明らかとなった。船尾楼の上部の高さは、海底から10m程の位置にあり、船首材の頂点は、それより4.5m程度低い位置にあった。舳先は、船尾より低い構造であることに加え、船首部がやや海底に埋没した状態にあるためで、ゴースト・シップは舳先から先に沈んでいった。

船体の外板同士は平継ぎで接合され、一部、通常の外板より2倍部厚い、腰外板が4列備わる。さらに、上甲板の側面に、一材でできた、舷側板が船首から船尾まで、張り巡らされている。喫水線から上、舷側板のある上甲板で、船幅が狭くなる17世紀の商船に典型なタンブル・ホーム構造をしている。

オランダのモチーフに良く使用される三つの花が彫られた舵が残る船尾方向からみると、洋ナシ形となっている。船尾楼には、草花や葡萄蔦の装飾が施されている。最も低い位置にある腰外板から下、船体の外板は、フナクイムシ被害を防ぐため、木の被覆材が張られ、船体保護がされている。タンブル・ホーム構造や船体の意匠、被覆材の

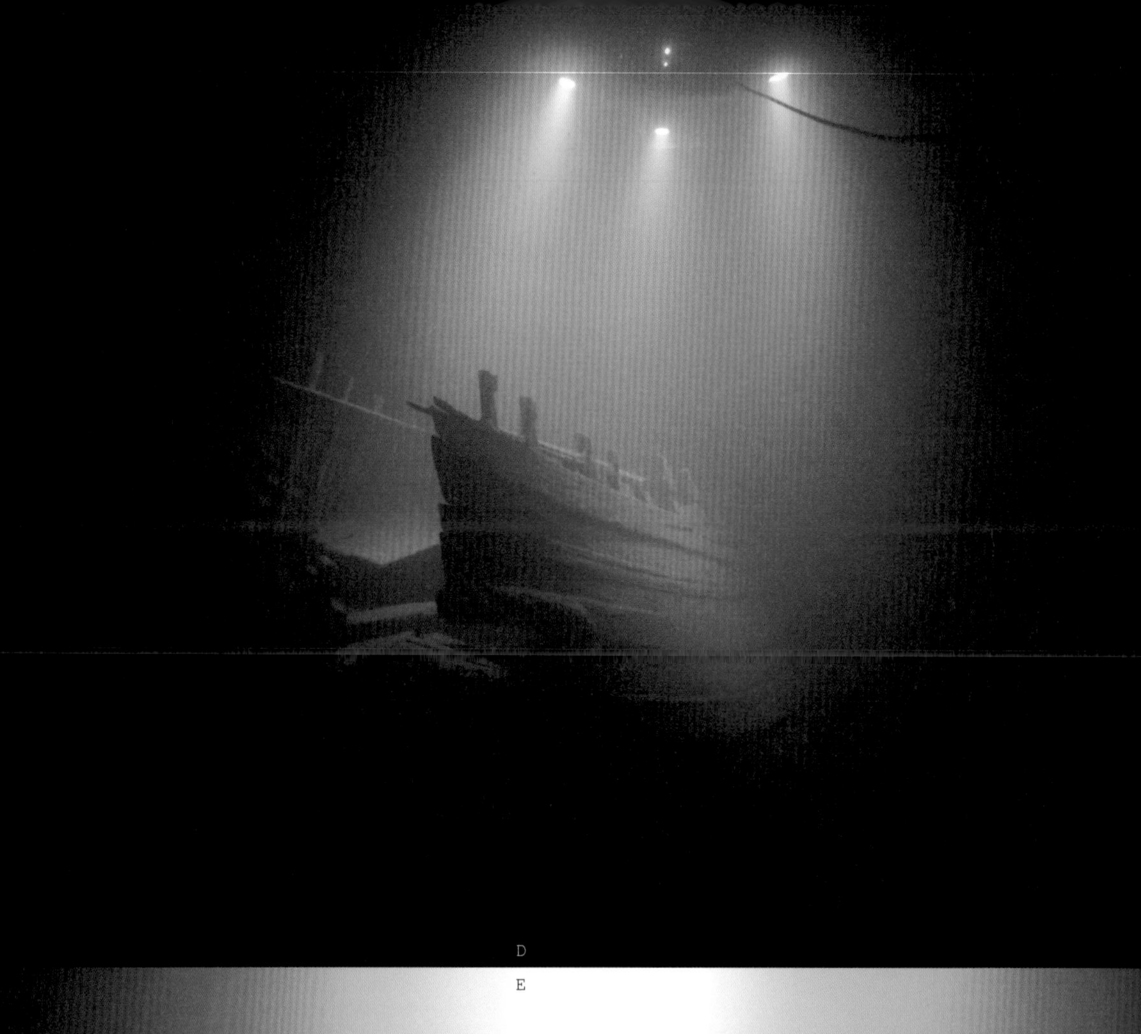

D

E

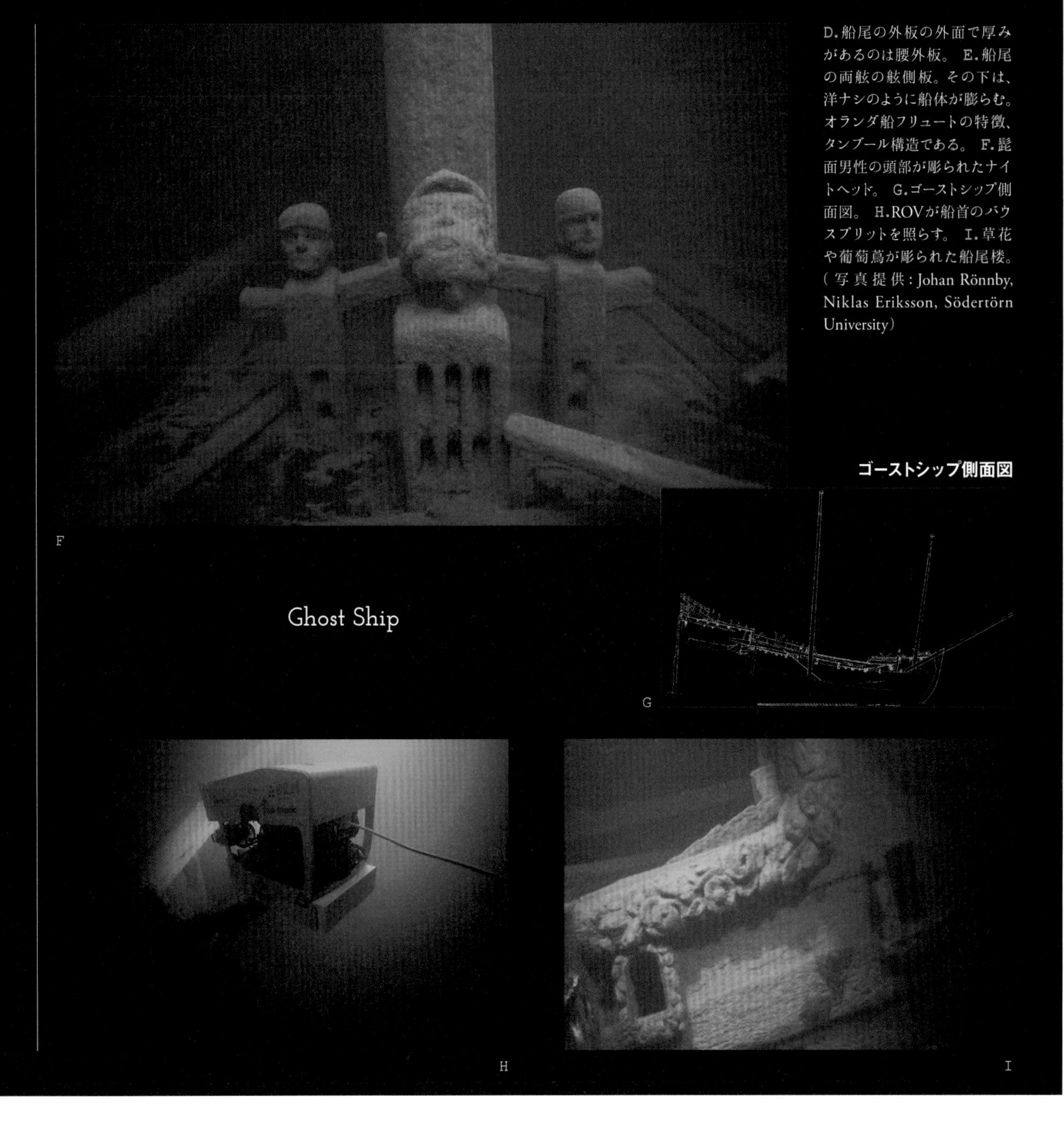

D.船尾の外板の外面で厚みがあるのは腰外板。 E.船尾の両舷の舷側板。その下は、洋ナシのように船体が膨らむ。オランダ船フリュートの特徴、タンブール構造である。 F.髭面男性の頭部が彫られたナイトヘッド。 G.ゴーストシップ側面図。 H.ROVが船首のバウスプリットを照らす。 I.草花や葡萄蔦が彫られた船尾楼。（写真提供：Johan Rönnby, Niklas Eriksson, Södertörn University）

特徴は、ゴースト・シップが、17世紀オランダで建造されたフリュートと呼ばれる積載量に優れた輸送船であることを示唆する。フリュート（fluyt）は、16世紀頃に開発された船型であるが、規格化され、オランダ東インド会社の船舶としても使用されていた。

舳先には、斜めに高く突き出したバウスプリットが残り、沈む前は四角帆が掲げられていた。フリュートは、17世紀において最も規格が決まっていた型の船であり、そのマストは、フォアマスト、メインマスト、ミズンマストの3帆柱であった。ゴースト・シップのミズンマストは、倒れた状態にあったが、一般に後檣の固定は、前二つの帆柱ほどは、しっかりとしていなかった。帆柱には、帆桁であるスパーやヤード、索具が良好に保存されている。帆の上げ下げは、ハリヤードと呼ばれるロープで行うが、これらを縛りつけておく、髭男性のナイトヘッドが甲板の上、メインマストの船尾側にあたかも17世紀のままに残っている。

良好な保存を助けるバルト海の環境

バルト海では、その水温、溶存酸素の量により、調査時点から、350年以上前に沈んだ木造船であっても、驚異的に良好な状態で沈没船が遺跡として今日に残る。船体の状態から、舳先から海底に向かって沈んだ船は、貨物が船首方向に向かって押し出され、その衝撃で、ミズンマストは甲板に倒れ込んだ。フリュートは、オランダ絵画にも頻繁に登場する。ゴースト・シップは、バルト海海底に例外的に残った沈没船遺跡で、深海考古学者らによる研究は、この幽霊船に海運大国として繁栄したオランダの象徴であるフリュートとしての実態を与えた。（文：木村淳）

Kaiyomaru

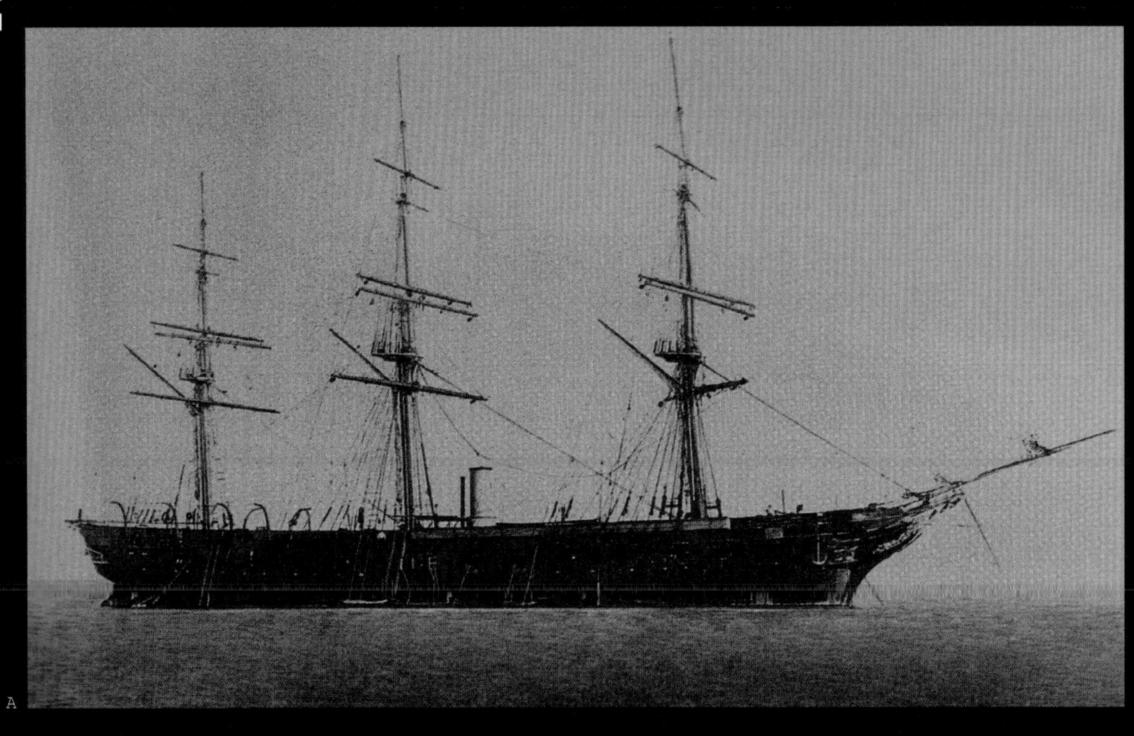

A

A. シップ型(full-rigged ship)。最大長72.8m(バウスプリット含81.20m)、最大幅13.04m、排水量2590トン。喫水深5.7m(前部)、6.7m(後部)、400馬力トランク・スチームエンジン、大砲26門(クルップ砲18門、当初装備)、乗員数350－500名、設計者J.W.L. van Oordt、造船所C.Gips end Zonen(ヒップス・エン・ゾーネン)。建造年1863年、進水年1865年。沈没年1868年。(写真提供：いずれも江差町教育委員会)

B

C

H OKKAIDO／JAPAN

陽を照らし、明日を開く、運命の軍艦

開陽丸－Voorlichter

日本

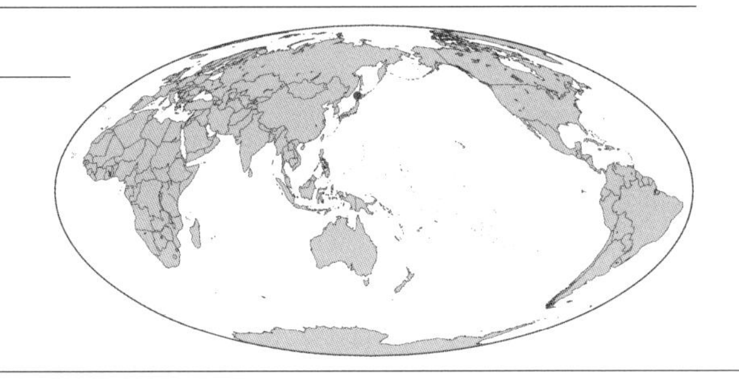

近代海軍艦船の象徴、開陽丸

旧幕府海軍旗艦であった開陽丸は、戊辰戦争の最中の1868年12月28日(明治元年11月15日)座礁、北海道江差町沖に沈み、約100年を経て、海底より多量の砲弾類が発掘された日本屈指の水中遺跡である。

江戸幕府は、海防の充実、西洋式船の建造による軍備の増強を目指し、海軍の要となる軍艦の建造を計画、一旦は、南北戦争中のアメリカに依頼するも断念、オランダのドルトレヒト市ヒップス・エン・ゾーネン造船所での建

D

B.江差港俯瞰写真。 C.榎本武揚。開陽丸艦長。のちに沢太郎左衛門。 D.開陽丸関連遺物。
E.江差港防波堤改修工事における水中発掘調査。 F.江差港防波堤は周知の埋蔵文化財包蔵地(遺跡)として、文化財保護法の下、保護されている。(写真提供:いずれも江差町教育委員会)

E

F

造が決まった。

オランダでフォール・リヒター(明日を照らす=開陽)と命名された最新鋭の軍艦は1865年に完成。3檣の横帆に補助蒸気機関を搭載、船長72m、船体幅13m、喫水深6m、2590トンを誇った。35門の大砲が配備、幕府軍の主力として、日本の国防を任されるはずであった。榎本武揚、澤太郎左衛門、伊豆で日本初のスクーナー(君沢型)建造に携わった上田寅吉(開陽丸船匠長、のち日本近代造船に業績を残す)らによって、オランダより回航された開陽丸は、1867年4月(慶応3年)に横浜に到着したが、時流は、大政奉還へと動いていた。

鳥羽・伏見の戦いが勃発し、1868年1月28日(慶応4年1月4日)、大阪湾に入っていた開陽丸は、艦長榎本武揚指揮下に、新政府側の薩摩藩の春日丸と翔凰丸に砲撃(阿波沖海戦)、戊辰戦争の戦端を開いた。旧幕府軍として、開陽丸を旗艦とした8隻から成る榎本艦隊が編成され、僚艦を失いつつも、土方歳三らと合流、北へまほろばを求め、蝦夷地箱館五稜郭を制圧した。

しかし、1868年12月28日、江差を占領し、港外に停泊していた開陽丸は、その夜半に暴風に見舞われ海岸方向に押し流された。蒸気機関も使い、離岸を試みるも、遂に座礁、やがて船体は海に沈んだ。この沈没は、戊辰戦争の推移に影響を及ぼした。

日本初の水中考古学発掘調査と開陽丸

開陽丸沈没後は、その積載物のサルベージが、旧幕府軍、戦時中の金

G

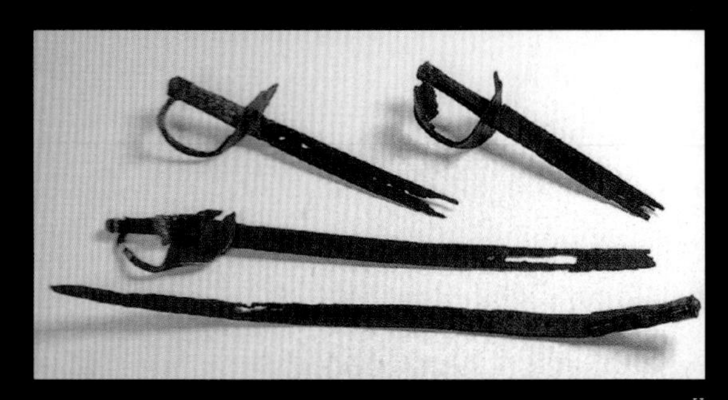

H

I

J

G. カノン砲用ブドウ弾(散弾)。 H. 鉄製サーベル。
I. 尖頭弾・球形弾類。 J. 海底からの大砲引き揚げ。
(写真提供:いずれも江差町教育委員会)

属回収で断続的に行われた。1960年代に、江差の防波堤建設計画が持ち上がり、1969年の潜水士の調査によって、20数点の遺物を除いて海底には関連遺物は残っていないと判断が下され、72年に防波堤が建設された。

ところが実際には、海底面直下に多量の遺物が埋没していた。1974年に江差町教育委員会により、防波堤で分断された港外と港内に沈没船関連遺物の広がりを確認、この範囲を水中遺跡(周知の埋蔵文化財包蔵)とした。さらに1970－80年代に入り江差港の改修工事の際にも、遺跡として発掘調査が行われた。水中掘削機材も導入された。国内初の本格的な沈没船遺跡の水中発掘調査となった。開陽丸からは、約33000点に及ぶ遺物が回収された。

引き揚げ遺物は、近代化の象徴であり、幕府艦隊の主力艦を体現したものであった。最長射程距離4,700kmを誇る12ポンドカノン砲や、クルップ砲などとともに、それらに使用する尖頭弾が多量に出土した。国内全国の遺跡含めて、大砲は勿論、砲弾類や武

K

L

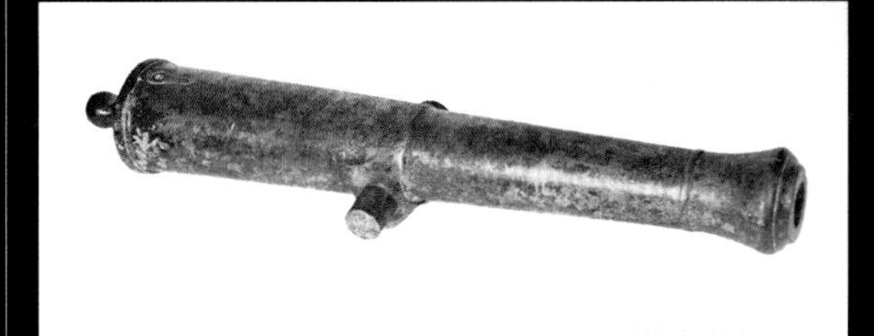

M

N

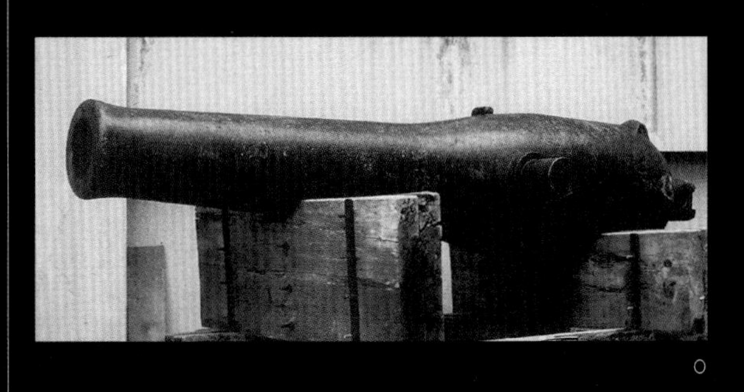

O

P

Kaiyomaru

K.ボンドカノン砲。L.16インチ施条長カノン砲。M.16サンチクルップ砲。
N.12ボンドカノン砲。 O.9インチダルグレン砲。 P.30ボンド短カノン砲。
(写真提供:いずれも江差町教育委員会)

器類についても、質と量で他に例が無い。

当時国内で、こうした鉄などの金属製品が、海から引き揚った遺物を保存処理する技術は、確立されていなかった。江差町の高校生も協力しながら、様々な先駆的な手法で、保存への取り組みが行われた。引き揚げ遺物は開陽丸の姿を模した青少年センター内に展示されることで活用・公開が図られている。

フォール・リヒター、開陽の竣工から150年目の2015年、オランダ・ドルトレヒトでは、その建造を記念するプレートが設置された。造船史に名を刻む軍艦として、日本とオランダの二国間で、その歴史的重要性が認められたのである。共有海事遺産(Share Maritime Heritage)ともいえる価値を見出すことができる。 (文:木村淳)

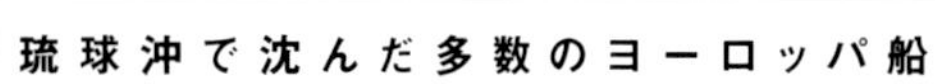

琉球沖で沈んだ多数のヨーロッパ船

沖縄の西欧沈没船遺跡群

日本

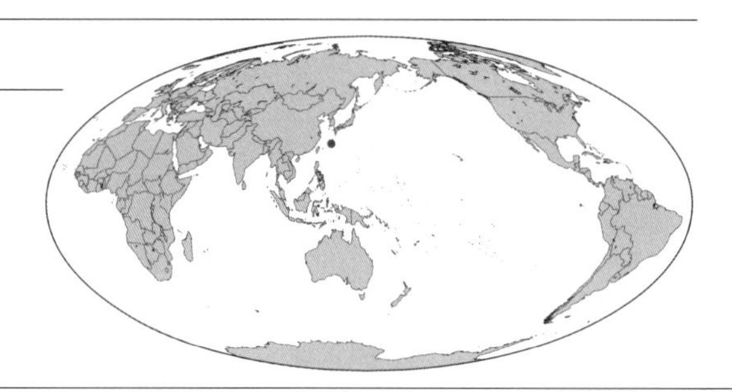

近世琉球と西欧船

琉球列島にはかつて「琉球王国」と呼ばれた独立海洋国家（1429〜1879年）が存在した。琉球列島最大の島である沖縄島には、王宮首里城があり、そこに住む王が島々を統治していた。中世には中国明王朝との密接な関係を利用して、日本・韓国、東南アジアとの中継貿易で繁栄した。近世には中国清王朝と当時の日本政府だった江戸幕府に従属しつつも独自の文化を発達させ、島々を結ぶ船のネットワークを確立させた。しかし、近世後半になると、西欧

A.吉野海岸沖海底遺跡。浅い珊瑚礁内で確認された3mを越す方形花崗岩石材(写真提供:沖縄県立埋蔵文化財センター)。 B.吉野海岸沖海底遺跡。何枚にも積み重なる方形花崗岩石材(撮影:片桐千亜紀)。 C.珊瑚礁に埋もれていた銅板。木造船の外底部に張られるもので、西欧船の存在を示す決定的な証拠となる(撮影:片桐千亜紀)。

列強の船が頻繁に琉球王国の海域に現れるようになり、難破船の救助によって西欧船や西洋人と接触するようになる。19世紀に描かれた「首里那覇港図屏風(沖縄県立博物館・美術館所蔵)」には、那覇港の賑わいとともに、西欧船が航行している様子が描かれている。

沖縄県では、西欧沈没船遺跡が6ヶ所で確認されている。時代は18世紀後半〜19世紀後半の約100年間に集中しており、歴史的背景と矛盾しない。西欧沈没船遺は、ほとんどが文献記録によってその沈没年代や船籍を推測することができており、4ヶ所がイギリス船、1ヶ所がオランダ船と推定された。残りの1ヶ所は未だ国籍を推定できていないが、イギリス船の数が圧倒していることが興味深い。

吉野海岸沖海底遺跡

本遺跡は宮古島吉野海岸の沖合、水深約5〜1mに所在する。2008年、沖縄県立埋蔵文化財センターの調査によって遺跡の存在が確認された。近年では、九州大学浅海底フロンティア研究センターと宮古島市教育委員会の共同調査によって、海底から浅い珊瑚礁内の広い海域にかけて、大きいものでは直径3mを越す方形に加工された花崗岩石材が多量に散乱していることが明らかとなった。また、船体の残骸である銅板や中国及びタイ産陶磁器も確認された。文献記録によって、この船は、1853年に、中国広州からサンフランシスコに向かう途中で座礁・沈没したイギリス籍の苦力貿易船と推定された。船員30名、中国人労働者(苦力)243名の内、この事故で生き残ったのは船員6名、苦力24名のみであり、

D

E

European Shipwrecks in Okinawa

D. 沖縄県北谷町安良波ビーチに復元されたインディアン・オーク号の遊具。E. インディアン・オーク号の座礁地海底で確認された多数の銅釘。西欧船の外底部に張る銅板を止めるために使用された(撮影：片桐千亜紀)。

243名が死亡したとされる被害甚大な海難事故である。

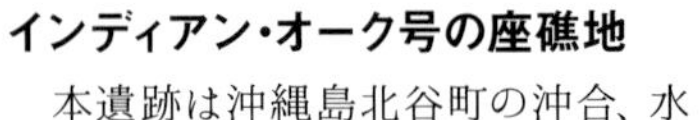

インディアン・オーク号の座礁地

本遺跡は沖縄島北谷町の沖合、水深約3mに所在する。1984年、北谷町教育委員会によって海底調査が実施され、銅釘、銅板などの船体の残骸、バラスト石、ヨーロッパ陶器、ガラス製品、中国陶磁器など、多数の遺物が出土した。文献記録によって、この船は、1840年、アヘン戦争に参加していたイギリス船インディアン・オーク号であることがわかった。物資の輸送中にここまで流されてきたと考えられる。

八重干瀬海底遺跡群第1地点

本遺跡は宮古島北方の海域にある八重干瀬(やびじ)と呼ばれる珊瑚礁、水深約17mに所在する。1797年、1隻の異国船がここで座礁・沈没した。船の名はイギリス船“HMS” プロビデンス号。HMSは“Her Majesty's Ship(ハー・マジェスティ・シップ)”の略で、“女王陛下の船”と訳す。つまり、プロビデンス号は民間の商船などではなく、イギリス海

F

G

H

F.八重干瀬海底遺跡群第1地点で確認された船体の部品（写真提供：沖縄県立埋蔵文化財センター）。 G.八重干瀬海底遺跡群第1地点で確認された鉄のインゴット。様々な目的によって溶かされ、多様な製品に姿を変える。（写真提供：沖縄県立埋蔵文化財センター） H.「アンカーの会」によって製作されたプロビデンス号の模型とプロビデンス号の座礁地から引き揚げたと伝わる鉄のインゴット（写真提供：沖縄県立埋蔵文化財センター）。

軍の軍艦だった。この船の航海目的は、当時、まだ未知の海域だった琉球列島を含む北太平洋の探検と測量である。後に「七つの海を支配」したと言われる大英帝国がその目的のために、世界の精密な地図作りを行っていた事業の一翼を担っていた。船長ブロートンによる詳細な航海記『北太平洋航海探検記』が残されており、八重干瀬における座礁と宮古島民による救助の物語も綴られている。

1997年、プロビデンス号来琉200年を記念した碑が池間島に建立された。また、「アンカーの会」によってプロビデンス号の設計図を元にした精巧な帆船模型も作られ、沈没したプロビデンス号から過去に引き揚げられたと伝わる鉄のインゴットと共に展示もされた。長い時の中で忘却されようとしていたプロビデンス号の物語が、再び掘り起こされようとしている。

2008年、沖縄県立埋蔵文化財センターの調査によって、その残骸が確認された。海底には、船の積荷としてヨーロッパ製ワイン瓶や中国陶磁器、木造船を安定させるためにバラストとして利用された鉄のインゴットや小さな礫石、銅製の船体パーツや船を腐食から守るために船外底に多量に貼り付ける銅板等の散布が認められた。これらは明らかに沈没船の残骸を示していたが、それだけでなく、銅板やワイン瓶等の存在から、当時、異国船と呼ばれた西欧船である事も明らかだった。

宜名真沖海底遺跡

本遺跡は沖縄島国頭村の沖合、水深約7mに所在する。1872年、香港からサンフランシスコに向けて1隻のイギリ

OKINAWA／JAPAN

琉球沖で沈んだ
多数のヨーロッパ船

沖縄の西欧沈没船遺跡群

日本

ス船が出港した。その名は「ベナレス」。インドの叙事詩「マハーバーラタ」にも登場する死と生の街、聖地ベナレス、その名を冠したこの船は目的地にたどり着くことができなった。海難事故に遭い、国頭村宜名真沖まで漂流した後、座礁して沈没したからである。近年、この事件について琉球・日本やイギリス側の文献記録が見いだされ、事件の概要や顛末について詳しく知ることができた。船長はジェームス・アンダーソン、乗組員は船長の息子レイなど18名で、全員の名前が判明している。茶・砂糖・米を積む商船だったが、船は沈没し13名が死亡した。

2002年、南西諸島水中文化遺産研究会によって西欧船の残骸が発見された。海底からは、銅釘などの船体の一部、ヨーロッパ陶器、ワイン瓶、中国産陶磁器が出土した。陸上にはこの船から引き揚げられたと伝わる花崗岩石材や鉄錨（ストック・アンカー）が残されている。海底で確認された各種ヨーロッパ製品はイギリス人乗組員の持ち物であった可能性が高い。また、粗雑な中国製食器類は沖縄の陸上遺跡では確

M

N

European Shipwrecks in Okinawa

I.宜名真沖海底遺跡。フォーク。船員達が使用したものだろう。この船でヨーロッパ式の生活が行われていたことを示す(撮影:片桐千亜紀)。 J.宜名真沖海底遺跡。ヨーロッパ陶器の皿。イギリスのストークで生産されたものと考えられる(撮影:片桐千亜紀)。 K.西欧船の外底部に張られていた銅板。もともとは長方形をしているが、今はぐしゃぐしゃになっている(撮影:片桐千亜紀)。 L.木製の滑車。この船が帆船だったことを示す(撮影:山本游児)。 M.国頭村奥漁港に展示されている鉄錨。宜名真沖で座礁・沈没したイギリス船(ベナレス号)のものと伝わる(写真提供:沖縄県立埋蔵文化財センター)。 N.国頭村宜名真集落にあるオランダ墓。海岸に漂着したベナレス号の船員4名が葬られていると伝わる(写真提供:沖縄県立埋蔵文化財センター)。

認されないが、まったく同じものがカリフォルニアやサンフランシスコの中国人労働者遺跡で出土し、彼らが使用する予定だった食器類と理解される。陸上で確認された長さ約3m×幅約60cmもある巨大な石材は、文献には記されていない積荷であり興味深い。石材は規格的で同じサイズに統一されたものが多いことから建築材と理解するのが妥当である。ベナレスは文献に記載された米・茶・木材の運搬だけでなく、アメリカで働く中国人労働者用の食器類や建築用の石材を運搬していた。

南浮原島沖海底遺跡

本遺跡は沖縄島うるま市南浮原島の沖合、水深約17mに所在する。地元海人によって昔からその存在が知られており、沖縄県立埋蔵文化財センターが西欧沈没船遺跡だと確認した。海底から、船体の残骸、バラスト石、ヨーロッパ陶器、ガラス製品、弾丸、中国陶磁器が出土した。文献には1876年にこの島に異国船が座礁・沈没したと記録されているが、国籍は不明である。

高田海岸沖海底遺跡

本遺跡は多良間島高田海岸の沖合、水深25mに所在する。海底には多量の陶磁器が散乱し、それらが1857年に座礁・沈没したオランダ船であることが島民の間で語り継がれていた。2008年に沖縄県立埋蔵文化財センターによって初めて海底調査が実施され、広範囲に遺跡が広がる事が確認された。海底からは銅釘などの船体の残骸や金属製品、中国陶磁器が出土した。文献記録によって、この船は、1857年に、上海からシンガポールに向かう途中で座

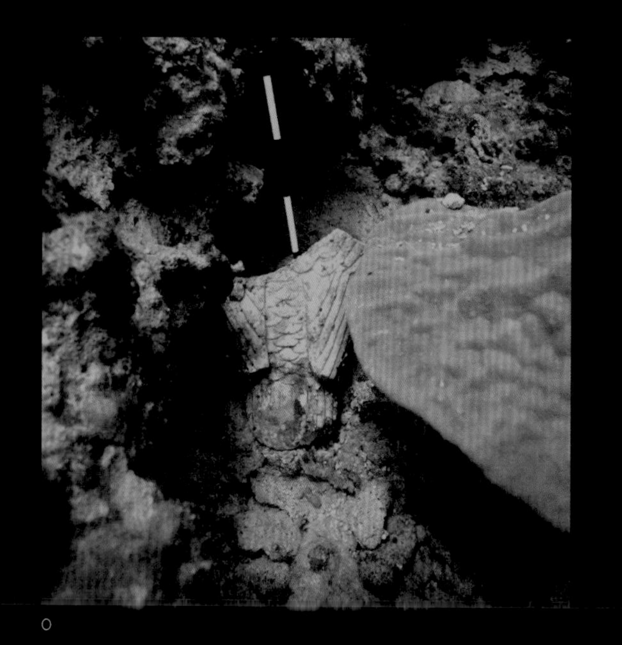

O

P

European Shipwrecks in Okinawa

礁・沈没したオランダ船ファン・ボッセ号であることが明らかとなった。陸上には、この船から回収したと伝わる鉄錨（ストック・アンカー）や「AMSTERDAM」と刻まれた陶器、積荷である中国陶磁器が残されている。

近年、多良間村教育委員会と九州国立博物館によって総合的な調査が実施され、金属探知機によって海底の砂の中にも船の残骸が残されている事が確認された。

西欧人が琉球を訪問し、具体的な観察にもとづいて地理風俗や政治、経済の実態をヨーロッパに紹介したのは、イギリス軍艦ライラ号の館長バジル・ホールとされる。彼がイギリスへの帰国時にセントセレナ島のナポレオンと会談し、「琉球には武器はなく、貨幣を知らず、ナポレオン皇帝の名前も聞いた事がない」と語ったのは有名な話しである。これ以後、ヨーロッパ船の琉球への来航は急激に増加した。その証拠は、伝承や文献記録だけでなく、琉球列島で数々の西欧沈没船遺跡が発見されたことによって、具体的に裏付けられることになった。

Q

R

O.南浮原沖海底遺跡。鳥の置物。磁器（写真提供：沖縄県立埋蔵文化財センター）。 P.南浮原沖海底遺跡。ミニエー銃の弾丸群。この西欧船は武装されていたのかもしれない（写真提供：沖縄県立埋蔵文化財センター）。 Q.南浮原沖海底遺跡。海底から伸びている棒は船釘。木造の船体が砂の中に埋まっていることを示す（写真提供：沖縄県立埋蔵文化財センター）。 R.高田海岸沖海底遺跡。鉄製の箱。オランダ船の積荷と考えられる。（写真提供：多良間村教育委員会） S.首里那覇港図屏風。19世紀（所蔵：沖縄県立博物館・美術館）。 T.首里那覇港図屏風に描かれた西欧船。西欧船の往来が頻繁だったことを示す（所蔵：沖縄県立博物館・美術館）。 U.与那国島の海底で確認されたストック・アンカー（撮影：山本游児）。

S

T

U

その影響は現代社会にも見られる。1840年にアヘン戦争に参加したイギリス船インディアン・オーク号は、その座礁地付近の海岸が公園として整備され、インディアン・オーク号は遊具として復活した。沈没船そのものは未発見のため、本稿からは割愛しているが、1876年に座礁・沈没したドイツ船ロベルトソン号は、宮古島市によって「ドイツ村」と呼ばれるテーマパークが運営され、市民の誇りとなっている。公園やテーマパークにはなっていなくとも、1879年に座礁・沈没したイギリス船プロビデンス号は、地元有志によって「プロビデンス号を語る会」が結成され、イギリスや北海道（プロビデンス号は北海道とも縁が深い）との交流を深めている。その他、座礁・沈没した異国船の救出とその後の経過は、様々な美談として地元に伝承されている。西欧船が座礁・沈没し乗組員が救助された地域では、世間話しとして「色白の美人が多く生まれている」と聞く事が多々あることも事実である。

沈没船遺跡とは、悲惨な海難事故が原因となって形成され、本来そこに存在するはずではなかったものだ。また、異国船の漂着・沈没事件は過去のものとして文献や遺跡にだけ残されているのではない。船の残骸や積荷は海底から引き揚げられ、貴重な島の資源として様々な形で現代でも再び利用されている。そこにたくましき島人の生き様を見る。

今後、調査・研究を進める事により、その船に関係する国や地域が深く結びつけられ、グローバル社会を代表するような国際的な交流のきっかけにすることも可能であろう。（文：片桐千亜紀）

伊豆に沈んだ仏郵船ニール号

COLUMN

8

ニール号の発掘作業と現在

南伊豆に沈んだニール号の調査は、2004年にテレビ静岡からの支援を得て約4年の間にかけて継続された。当初から明らかになっている船体の一部である左舷後部甲板の2本のボラード周辺（約4m×7m）以外は、周辺の調査でニール号のアンカーが岩礁部で2つ見つかったが、本体や積載遺物などの発見に至るような大きな成果はなかった。

水深38m前後でのボラード周辺の掘削は、静岡市の（株）鉄組潜水工業所が行った。空気潜水では、この水深に減圧を必要としないで作業ができる時間が4分程度しかない。仮に10分作業を行いたいとすれば、浮上時に6mに1分、3mで8分の減圧時間が必要となり、その積み重なる減圧時間の加算によって作業は困難を極めた。

この掘削作業は、4名の潜水士が2組に分かれ、口径4inchのエアーリフト2台と水中スクーターを3台使用して交代で行った。エアーリフトに送気するために船上に20馬力のエアーコンプレッサーを積載して稼働。甲板上の堆積物

B

A

A. 1t吊りのエアークレーンを4式使用して移動を試みようとしている **B.**ボラードと海事考古学研究者（木村淳氏） **C.**停泊中のニール号 3本の係船ロープが結ばれているのが発見されたボラードと考えられる **D.**銹絵葡萄図角皿（さびえぶどうずかくざら）東京国立博物館所蔵。ウィーン万博の出品作品の一つで、(伝)ニール号引揚。尾形光琳の弟の乾山による作品。（写真提供：鉄組潜水・鉄多加志）

D

C

Le Nil(1874)

を撤去し周辺を掘り下げて、ある程度全容が把握できたところで、この場所を中心とした甲板全体を移動させ、その下部の状況を確認しようとの考えを伊豆西南海岸沖海底遺跡（沈船）調査研究会が示した。この作業で、エアークレーン（各1t吊り）を4式使って試みたが、全く動かない。試行錯誤の結果、作業船の設置からエアークレーンの撤去まで2日を要した。

現在、ニール号海底遺跡は大学の演習や実習で利用され、アンカーの写真実測や左舷後方のボラードの位置特定、水中における確認作業等を行い、14年前と変化していない状況を把握している。今後は、この遺跡に興味を持つ海事考古学者や研究を志す学生諸氏に対しても開放したいと考えている。

（文：鉄多加志）

E

F

E.F.色絵金彩婦人図皿（いろえきんさいふじんずさら）東京国立博物館所蔵。（伝）ニール号引き揚げ西洋磁製皿。器高2.8cm、口径24.5cm、底径15.3cm。19世紀のドイツのバイエルンで製作。見込み中央の貴婦人は、バイエルン国王マクシミリアン2世の王妃マリーの姿とされる。

Naval Battles
and
Underwater
Cultural Heritage

第5章

近代海戦と水中文化遺産

USS Emmons and Kamikaze Attack Aircraft

OKINAWA ／ JAPAN

太平洋戦争・沖縄戦を語る水中戦跡

USSエモンズと日本軍特攻機

日本

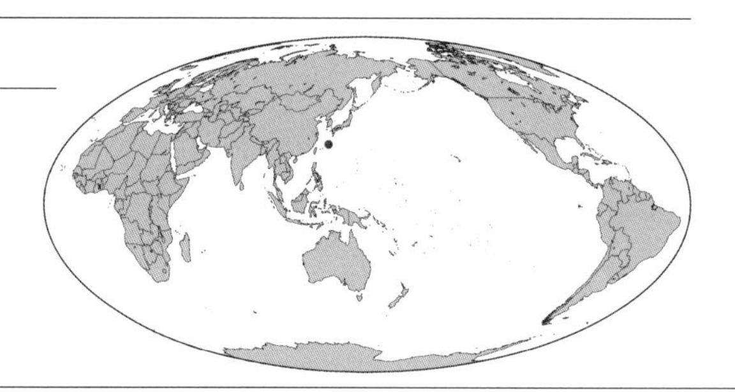

沖縄戦におけるアメリカ軍艦隊と特攻機

第二次世界大戦末期に展開された沖縄戦、それは、日本最大の地上戦と言われており、攻撃側のアメリカ軍と守備側の日本軍が沖縄島を中心に激しい戦闘を繰り広げた戦いである。しかし、沖縄戦は陸上のみで展開されたのではない。沖縄島周辺の海域では、日本軍特攻機とアメリカ艦隊による戦闘も激しく展開されていたことを忘れてはならない。海上におけるこの戦闘では、攻守の立場は逆となる。攻撃側は日本

A

B

A. 右舷を下にして横たわるエモンズの第1砲塔と第2砲塔を甲板側から見たもの(撮影：山本游児)。
B. 船首から見たエモンズ(撮影：山本游児)。

軍、そして守備側に立たされたのはアメリカ軍である。特攻機によるアメリカ艦隊への大規模な攻撃は、海軍では菊水作戦、陸軍では航空総攻撃と呼ばれ、アメリカ軍の中では、すでに"Kamikaze"の名で知られた恐怖の突撃だったという証言がある。

海底には主戦場となった沖縄島周辺海域を中心として、潜在的に多くの水中戦争遺跡が存在することが予想される。そのいくつかはすでに存在が明らかとなっているが、多くは未だ人知れず海底に眠っている。

そのような状況の中で、今帰仁村古宇利島沖の海底に沈むUSSエモンズ(Emmons)は、沖縄での海戦を象徴する最も有名な戦跡水中文化遺産である。エモンズは昭和20年4月6日に5機の特攻機による突撃によって戦闘不能となり、翌4月7日に僚艦であるUSSエリソン(Ellyson)から96発もの5インチ砲を受けて沈没した軍艦である。

USSエモンズと特攻機による攻撃

アメリカ軍の「アクション・レポート」によると、1機目の突撃は17時32分で、船体後方のファンテイル付近に激突し、フレーム175より船尾方向のすべてが完全に欠損したとされる。2・3機目の突撃は17時34分で、2機目が右舷側から艦橋3階の操舵室へ、3機目が左舷側から艦橋2階の戦闘指揮所に激突。この2機による激突と5機目の激突によって艦橋全体の構造が破壊され、メインデッキよりも上部のフレーム67から前方の第1砲塔までのすべての空間に激しい火災が広がったようだ。4機目は第3砲塔付近の右舷側に激突、5機目は船首右舷側のフレーム

C

D

E

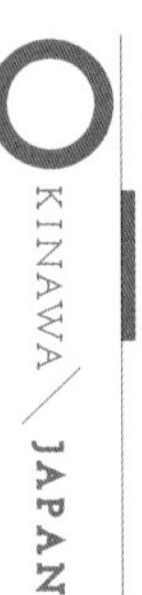

30付近に激突したとされる。この特攻によりエモンズは戦闘不能となって総員退艦、乗組員254名のうち、50名の死者/行方不明者をだしたとされる。航行不能となったエモンズは約9時間も海を漂っていたが、4月7日未明の2時55分に、エリソンから96発の5インチ砲を受け、3時18分、ついに沈没したと記録されている。

沈没したエモンズ付近の海底からは特攻機の残骸も確認されており、突撃が行われた事実を生々しく物語る。

エモンズの特徴のひとつはその保存状態の良さにある。船首側から潜水をすると、右舷を下に当時の形を留めて横たわるエモンズを見ることができる。やがて第1砲塔、第2砲塔が現れる。その保存状態も完璧で、第1砲塔は海面を仰ぎ、第2砲塔は正面を見据えている。全長100mを超える軍艦が海底に横たわる姿を目の当たりにするものは、この海域で実際に戦闘がおこったことを痛感するはずである。一方、船体後方から潜水をすると、エモンズはまったく違った姿を見せる。船尾は激しく損壊しており原形を留めていない。2基

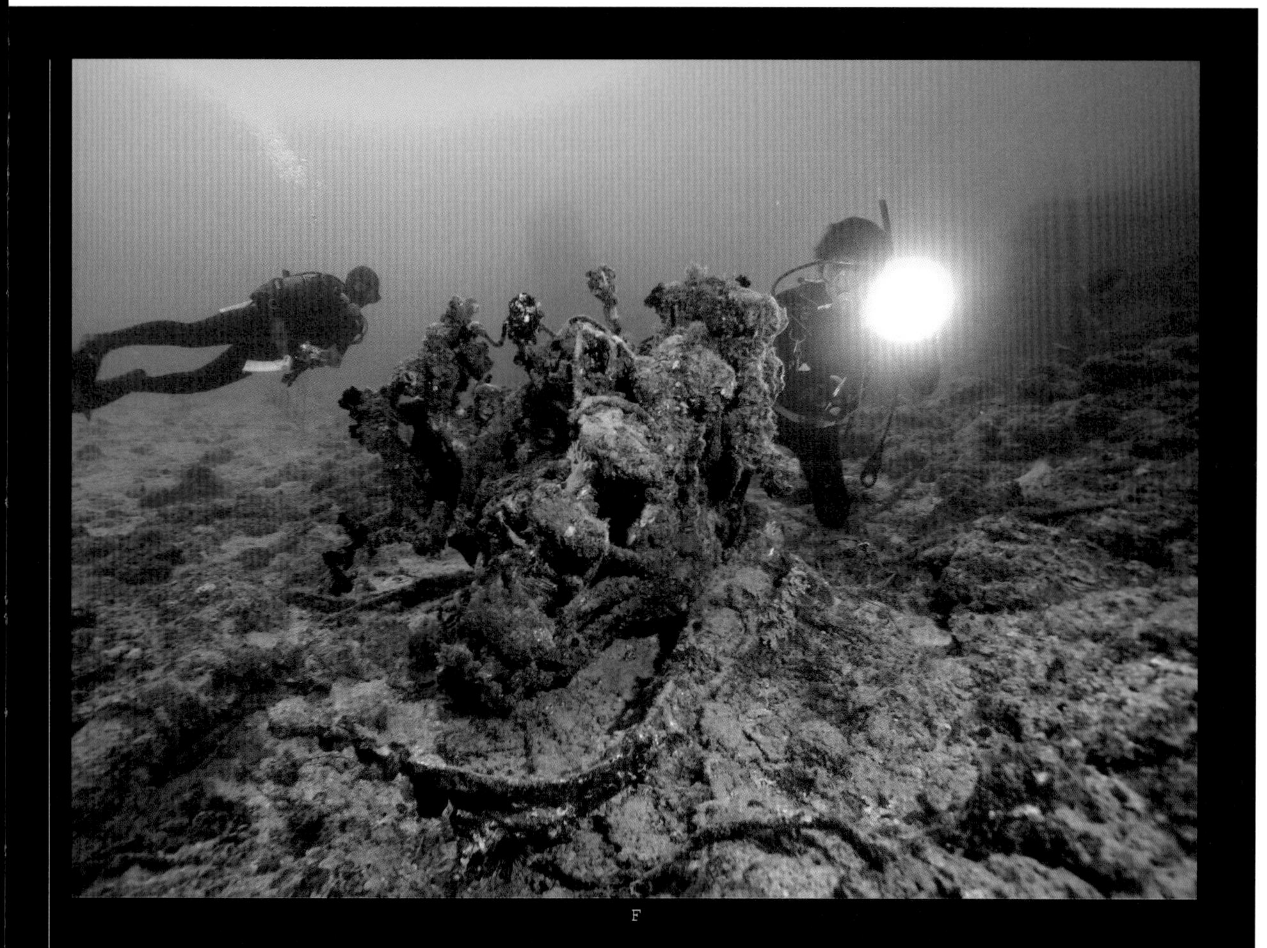

F

USS Emmons
and
Kamikaze Attack Aircraft

C.船体に食い込む右舷側のスクリュー(撮影:片桐千亜紀)。 D.エモンズに装着されたままのアンカー。エモンズが航行中だったことを物語る(撮影:片桐千亜紀)。 E.エモンズの船体後方からこぼれ落ちて海底に散乱する爆雷(撮影:片桐千亜紀)。 F.エモンズ付近の海底に残された日本軍特攻機(陸軍・九八式直協機)のエンジンとプロペラ(撮影:山本游児)。

の巨大なスクリューはむき出しとなり、船の舵は船体から約16mも離れた場所に横転し、船体に装備された様々な部品も海底に散乱している。船体中央部メインデッキの船室は穴だらけである。艦橋は2階から崩れ落ち、かろうじて4階の射撃塔が形を留めるのみである。

保存状態が良いはずのエモンズが何故ここまで損壊しているのか。実は、戦争遺跡としてのエモンズの価値はこの部分にある。エモンズが損壊する理由は3つ考えられる。1つ目は特攻機の突撃による破壊。2つ目は僚艦エリソンによる96発もの砲撃による破壊。3つ目は経年劣化による自然崩壊である。筆者も協力している九州大学浅海底フロンティア研究センターの菅浩伸教授を中心とするチームは、戦争遺跡としてのエモンズの価値を明らかにする研究を続けている。まず、最先端の研究方法を駆使してエモンズ全体の高精度3Dモデルを完成させた。これによって、海底の透明度ではわずかな範囲しか目視できない巨大なエモンズの全体像をひと目で把握することができるようになった。その結果、当時の米軍の戦闘記録や証言、エモンズと同型艦の設計図を参考としながら、3Dモデルと潜水調査により船体を観察することによって、それぞれの損壊の原因を特定することができた。

例えば、船尾の激しい損壊は特攻機による1機目の激突と船体後方に今も一部が残されている爆雷への誘爆が原因と考えられた。

また、艦橋2・3階の崩壊は左右から激突した4機目・3機目の特攻機による劣化が原因と考えられる。

左舷
艦橋２階　操舵室
右舷
上面
２機目
３機目
左舷
艦橋１階　戦闘指揮所
右舷
２機目
側面
３機目
火事
脱落
爆発
FREAME NO.175
150
100
67
50
30
OUTBOARD PROFILE
４機目
１機目
５機目

G

H

I

G.USSエモンズと同型艦であるUSSグリーブスの設計図（The U.S. National Archives and Records Administration所蔵）にエモンズの「アクション・プラン」に記載された特攻の被害状況を図化したもの（提供：九州大学浅海底フロンティア研究センター　菅浩伸）。 H.ありし日のUSSエモンズ（NH 107417）（courtesy of the Naval History and Heritage Command）。 I.ありし日の九八式直協機（https://commons.wikimedia.org/wiki/File:Tachikawa_Ki36_98chokkyo.jpg?uselang=ja, 2020年5月25日最終アクセス）。

さらに、エモンズと同型艦USSグリーブス（Gleaves）の設計図によると第3砲塔の後部には兵員室に降りるための部屋と階段があるが、海底のエモンズはそれが完全に失われている。第3砲塔の外壁も失われ、砲身すら壊れており、保存状況良好な第1砲塔や第2砲塔と対照的である。ここには4機目の特攻機が激突したと考えられる。海底に残された航空機のエンジンやプロペラは陸軍の九八式直協機であることがわかっており、この4機目だった可能性が高い。

遺跡が語るエモンズによる迎撃とその後

迫りくる特攻に対してエモンズはどのような迎撃をしたのか。それはエモンズが装備する3門の砲塔の向きを観察することによって明らかとなった。砲塔の向きは、特攻機への迎撃方向を示しており、特攻機がどこから突撃してきたかを推測する重要な証拠となる。第3砲塔は右舷120°を向く。右舷から船体後方へ突撃してきた1機目もしくは4機目への迎撃だった可能性が考えられる。第2砲塔はほぼ正面を向く。正面

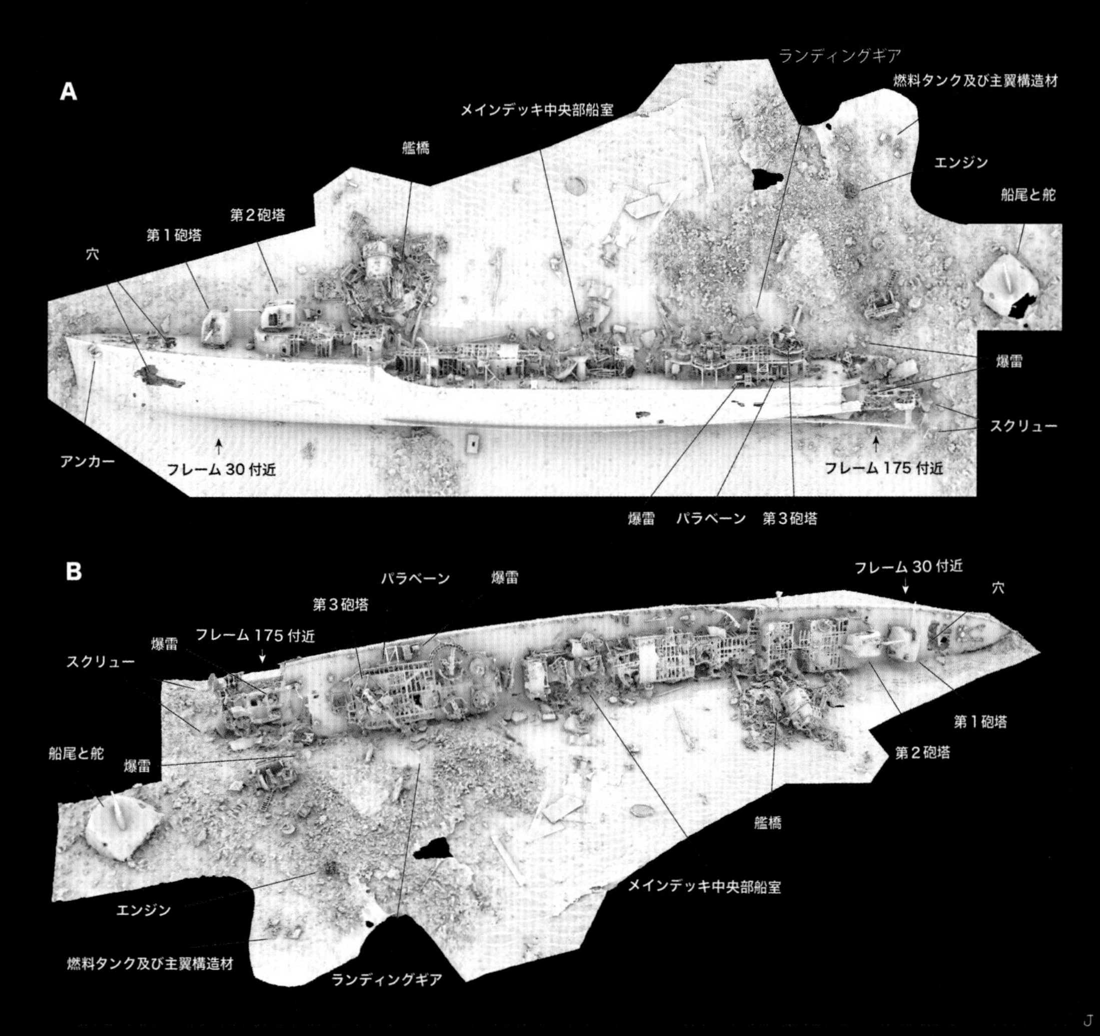

J. 水中写真を基にしたSfM多視点ステレオ写真測量によって作成したエモンズの高解像度3Dモデル（提供：九州大学浅海底フロンティア研究センター 菅浩伸）。

から攻撃してきた特攻機への迎撃だった可能性が考えられる。第1砲塔は左舷80°を向く。唯一左舷から突撃してきた3機目の特攻機への迎撃だった可能性が考えられる。さらに注目されるのはこれら3つの砲塔はすべて水平かそれより下を向くことである。このことから、特攻機は海面すれすれから突撃してきた可能性が考えられる。

一方、船体中央部メインデッキの船室の損壊はエリソンによる砲撃の結果である可能性が考えられる。船体には砲弾が貫通したことを示す丸い弾痕さえも残されている。

特攻機による突撃でもなくエリソンによる砲撃でもない損壊については、劣化による自然崩壊と考えるのが妥当である。海底に露出するエモンズの劣化は確実に進んでおり、実際、船体後方に装備された40mm機関砲が2020年の冬に崩れ落ちたことは記憶に新しい。

海底に眠るエモンズと特攻機の残骸、その存在は、これまで戦闘記録や証言のみで語られてきた日本軍特攻機の体当たり攻撃によるアメリカ軍艦の破壊と沈没の事実を含めた詳細な戦闘経過が目に見える形で船体に刻まれていることが明らかとなったものである。まさに、太平洋戦争末期の海戦の実態を象徴する戦跡水中文化遺産だと評価できる。この遺跡を目にするものは、特攻隊とエモンズ乗組員の戦闘を追体験することになるだろう。そして、このたった1つの戦跡水中文化遺産は、沖縄、日本、アメリカ、それぞれの立場の想いと歴史を語る文化遺産でもあることを忘れてはならない。（文：片桐千亜紀）

Japanese ships sunk in **Palau**

PALAU

今も残る戦争の生き証人

パラオに沈んだ日本船

パラオ共和国

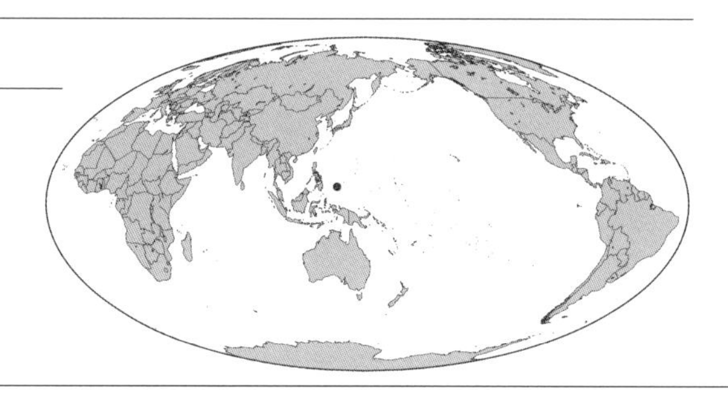

南洋の楽園に残された沈船

パラオ共和国は、日本列島の南方およそ3,200㎞の距離にあり、その海の美しさから世界中のダイバーたちを魅了している。ユネスコの世界遺産「ロック・アイランドの南ラグーン」(複合遺産)が所在し、その生態系は世界的にも貴重なものである。

しかしこの美しい国も、かつては激しい戦場になったという悲しい歴史がある。それはかつて日本が、この南洋群島の地域を国際連盟委任統治領として支配していたためであり、そのため太

A

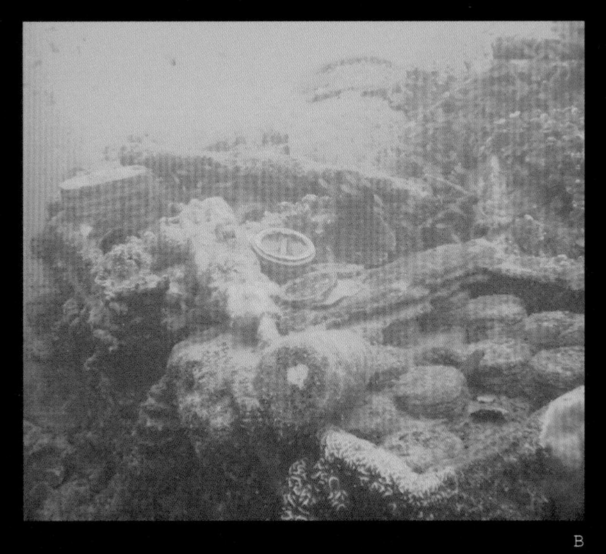

B

C

A.海中にある零式水上偵察機。水草などにおおわれているが、ジェラルミン製の機体は錆びずに輝きを保っている部分もある。 B.「ヘルメット・レック」。本当の名前は特定されていない沈船である。 C.「ブイ6レック」。これも本当の名前が特定されていない沈船であるが、元来カツオ漁船であったものと推定される。(写真撮影：いずれも石村智)

平洋戦争では戦闘の最前線となってしまったからである。そしてその生き証人は、密林や海の中に今日なお残されている。

パラオ国内で沈んだ船の数は50隻あまりにのぼると推定されている。このうちの多くは第二次世界大戦後、サルベージ業者によって引き揚げられ、今日その姿を見ることはできないが、現在でもおよそ20隻以上の沈船が依然として水中に残されている。こうした水中の戦争遺跡は、パラオ政府によって貴重な文化遺産として保護されていると同時に、観光資源にもなっている。

パラオの沈船のほとんどは、1944年3月30日から31日にかけて行われた「パラオ空襲」によって撃沈された旧日本軍のものである。しかもその多くは工作艦や給油艦といった補助艦船、さらには民間から徴用されたいわゆる徴用船であった。実のところ、これらはいわば「捨て駒」にされた船だったのである。

「名もなき船」たち

パラオ空襲に先立つ2月17日から18日にかけて、アメリカ軍は連合艦隊の本拠地であった南洋群島トラック島（現ミクロネシア連邦チューク州）を空襲した。この空襲によって連合艦隊は軽巡洋艦「阿賀野」「那珂」をはじめとする多数の艦船を撃沈され失ったが、旗艦「武蔵」をはじめとする主力艦船は、アメリカ軍の空襲が近いことを察知して事前にトラック島を離れ、パラオに退却した。なおこのトラック空襲で沈められた艦船の多くは今なおチューク州の海中に残されており、こちらも貴重な水中遺跡となっている。

しかしさらなるアメリカ軍の攻撃の手がパラオにも迫っていることを察知した

D

E

Japanese ships sunk in Palau

F

連合艦隊は、「武蔵」をはじめとする主要艦船を3月29日夕方のうちにパラオから出航させ、フィリピンのダバオまで撤退した。つまり主戦力の温存をはかったわけである。そしてそれはまさにパラオ空襲がおこなわれる前日のことであった。

そしてパラオに残されたのは、トラック空襲で大きな損害を受けた工作艦「明石」をはじめ、戦闘力が低く速力が遅い補助艦船ばかりであった。つまりこれらの船は、連合艦隊が逃げるにあたって足手まといになるため「捨て駒」にされたと言ってよいだろう。

残された艦船のほとんどは敵の空襲に対してはほとんど満足に反撃もできず、さらには反撃のための弾薬すら十分に用意されていなかったという。そのため彼らはなすすべもなく撃沈されてしまった。パラオに残された沈船は、こうした「名もなき船」たちだったのである。

今も水中に残っている船たち

パラオの海には今なおこうした沈船がもの言わぬ戦争の証人として眠っている。そのなかでも代表的な存在は給

G

D.給油艦「石廊」の船尾の艦載砲(12センチメートル45口径3年式単装砲)。 E.「石廊」のブリッジの内部。かすかに外の光が差し込む。 F.「石廊」のエンジン(直立式三気筒三段膨張レシプロ蒸気機関)。最終的にはこの機関室に被弾し、船は沈没した。 G.「石廊」の調査の様子。この沈船のある水深は30~40メートルほどのため、調査のための滞在時間は限られている。 H.「石廊」の船室内に残された便器。洋式であることから、士官用のものだったと推測される。(写真撮影:いずれも石村智)

H

油艦「石廊」である。

「石廊」は知床型の給油艦として大正11年(1922)に建造され、おもに連合艦隊の給油活動に従事していた。船首と船尾にそれぞれ12センチメートル45口径3年式単装砲が備えられていたものの、生存者の証言によると、空襲時には弾薬が不足していたためそのうちの一門しか動かすことができなかったという。

「石廊」の船体は今でもウルクターブル島の西に沈んでいる。船室の中には、浴槽や洋式便器などの設備が良好な保存状態で残されている。大正時代の船に洋式便器があるのは違和感を覚えるかもしれないが、海軍はもともとこうしたハイカラなものを好む傾向にあったといわれている。

機関室には大中小3つのボイラーが直立した直立式三気筒三段膨張レシプロ蒸気機関が確認される。これは石炭を燃料とする旧式のエンジンで、速力も12ノット(時速22km)と当時としても遅いものであった。生存者の証言によると、機関室付近に爆弾の直撃があり、それが沈没の原因になったといい、その時に機関室付近にいた十数名が戦死したという。

マラカル島の北東に沈んでいる通称「ヘルメット・レック」も良好な保存状態で知られている。この全長58mほどの船は、その正式名称や型式についていまだはっきりしていない。一説によると、戦時中に東南アジア周辺で日本軍に拿捕された外国船で、それを軍用貨物船として改造して使用したのではないかとされる。

「ヘルメット・レック」の名前の由来となったのは、船室の中に大量のヘルメット

I.「石廊」の側面図（D. E. Bailey 1991. *WWII Wrecks of Palau*. Redding: North Valley Diver Publications. より） J.バベルダオブ島に残されたトロッコ鉄道の遺構。 K.コロール島の「南洋神社」参道には、今日でも灯篭が残されている。 L.パラオの海と島の様子。こんもりとした形の小島が数多くあるが、古代のサンゴ礁が隆起して出来た石灰岩の島である。 M.ペリリュー島に残された海軍司令部の遺構。（I—L写真撮影：石村智）

Japanese ships sunk in Palau

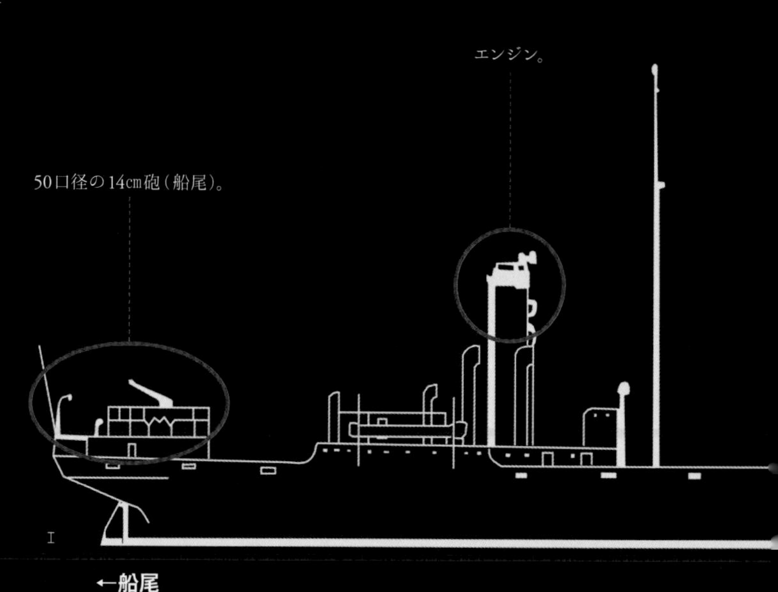

エンジン。
50口径の14cm砲（船尾）。
←船尾

I

J K

が残されていたからである。またこの船は別名「デプスチャージ（爆雷）・レック」とも呼ばれるが、格納庫に大量の爆雷がおさめられているのが確認される。

マラカル島の沖には「ブイ6レック」と呼ばれる全長30mほどの小型の船が沈んでいるが、これも正式な名称や型式が不明なものである。船首に長く突出した部分があり、これはカツオ漁船の特徴のひとつである。すなわち、徴用されたカツオ漁船を改造した特殊監視艇である可能性が高い。

「石廊」の生存者の一人は、艦から脱出した際、静岡県焼津のカツオ漁船の船団に救出されたと証言している。焼津港のカツオ漁船はもともと戦時統制に協力する形で南洋群島周辺において漁業活動を展開していたが、戦況の悪化とともに多くの漁船が徴用されたことがわかっている。この船もそうしたもののひとつであったのだろう。

パラオの海に沈んでいるのは船だけではない。アラカベサン島の北には零式水上偵察機が沈んでいる。アラカベサン島には水上飛行艇基地があったが、飛行機は機首を北に向けて沈んで

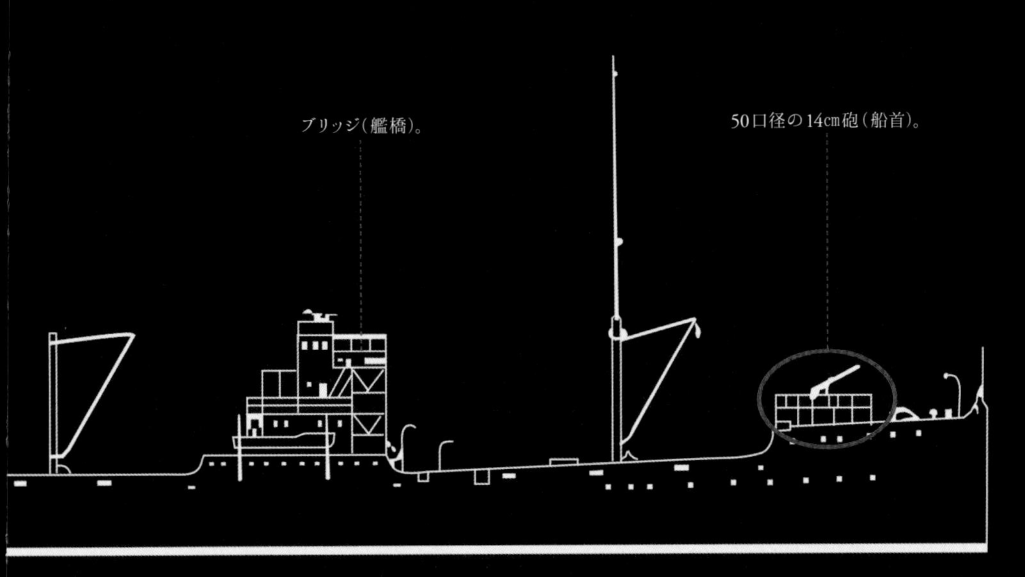

L M

いるため、離陸した直後に被弾したか事故によって墜落したものと推測される。

陸上にも残っている日本統治時代の遺構

パラオには水中の戦争遺跡だけでなく、陸上にも数多くの日本統治時代の遺構および戦争遺跡が残されている。パラオのコロール島には南洋群島の統治の中心である南洋庁が置かれたため、南洋群島の中でもとりわけ日本統治時代の遺構が多い。

例えばコロール島には南洋神社が設置され、社殿などの建物はアメリカ軍の手によって破壊されたが、参道には今日でも灯篭が残されている。またバベルダオブ島には貴重な戦略物資であるボーキサイト(アルミニウムの原料)の鉱山があり、これはその採掘と輸送に用いられたトロッコや積出港の遺構などが残されている。さらに1944年9月15日にアメリカ軍が上陸し玉砕戦がおこなわれたペリリュー島には、鉄筋コンクリート造の海軍司令部の建物の廃墟が残されているのをはじめとして、島中にトーチカや戦車といった戦争に関連する遺構が残されており、今なお収集されていない日本兵の遺骨も残されているといわれている。

戦争が終わって三四半世紀を過ぎようとしているが、海と陸に残されたこれらの遺跡・遺構は、戦争の悲惨さを忘れないための貴重な生き証人として、ますますその存在が価値あるものとなっている。　　　(文：石村智)

Bristol Beaufighter off the coast of Malta

M ALTA

第二次大戦で地中海に沈んだ戦闘機

マルタ島沖のブリストル・ボウファイター

マルタ共和国

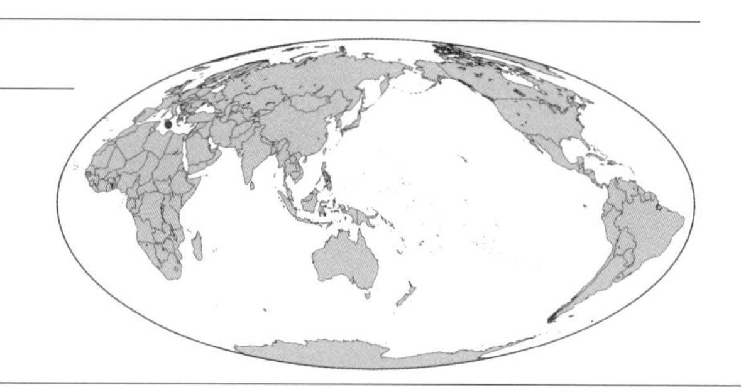

マルタ島沖に沈む
イギリス空軍の戦闘機

海に沈む乗り物は船ばかりではない。飛行機だって沈んでいる。第一次世界大戦で初めて戦争に使われた航空機は、第二次世界大戦では、攻撃における主戦力になっていった。地中海の中央、シチリア島の南にあるマルタ島周辺は、イギリスの支配下にあった第二次世界大戦中、激しい戦場となった。ここではマルタ島の沖に沈む第二次世界大戦のイギリス軍戦闘機、ブリストル・ボウファイターを紹介する。

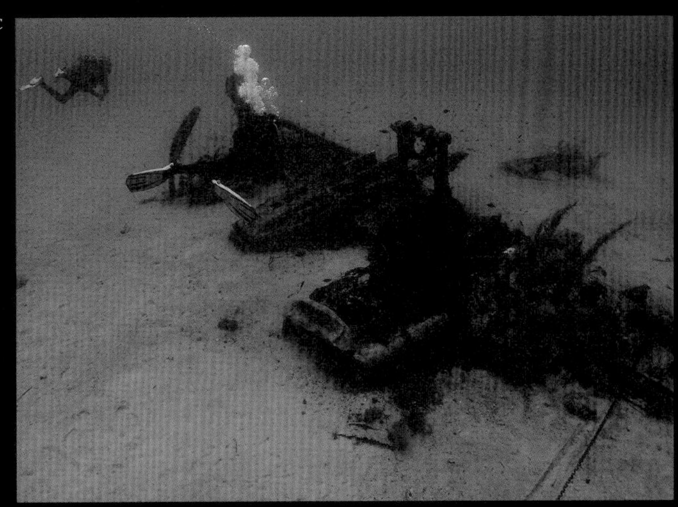

A.双発エンジンの片方。白い砂地の海底にプロペラが突き刺さる。 B.海底に沈むブリストル・ボウファイターは、上下を逆に、裏返った状態で横たわっている。 C.透明度が高いこの海域では、水深38mの海底にあっても、エントリーをしてすぐに海底を見下ろせば飛行機が視界に入る。 D.マルタを代表する景色、グランドハーバー。長きにわたりこの島を守ってきた要塞。 E.旧市街とは対照的に、現代的なリゾートが展開するセント・ジュリアンズ地区。多くのダイビングサービスが拠点をおく。(写真撮影：いずれも片桐千亜紀)

淡路島の半分ほどの大きさのマルタ島、セント・ジュリアンズの岸から900mほどのところ、水深約38mの海底に、1機のブリストル・ボウファイターが沈んでいる。このポイントは、マルタ島周辺海域のレック(沈没している船や飛行機)の中では、残りもよく、アクセスも比較的簡単で、レジャーダイバーの間でも、最も人気の高いポイントのひとつである。

ブリストル・ボウファイターは、1939年7月19日にプロトタイプが初飛行した戦闘機で、翌年4月から、イギリス空軍で使用された。双発エンジンをもつ2人乗りの飛行機で、全長12.6m、翼幅17.65mを測る。

この飛行機は、1943年3月17日にこの海に不時着した。11:38、2人の下士官を載せたボウファイターが激しく振動し、急激に失速した。水面に不時着するよりほかに選択肢はなかった。乗っていた2人は地元の小さなゴンドラ船に救出されたが、飛行機は、そのまま海底へと沈んでいった。

(文：中西裕見子)

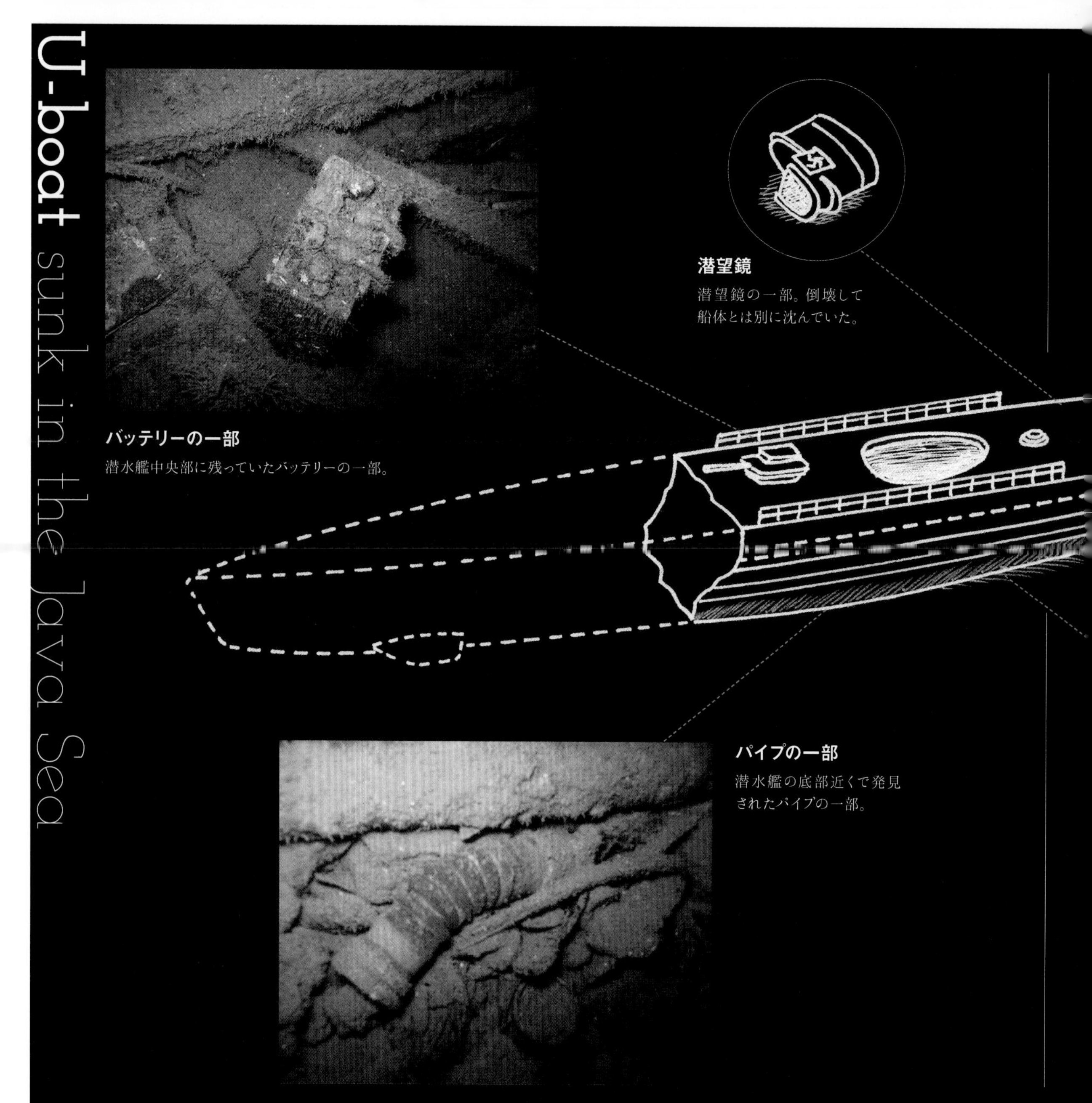

潜望鏡
潜望鏡の一部。倒壊して船体とは別に沈んでいた。

バッテリーの一部
潜水艦中央部に残っていたバッテリーの一部。

パイプの一部
潜水艦の底部近くで発見されたパイプの一部。

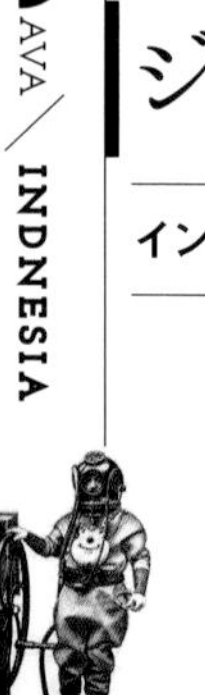

JAVA／INDNESIA

南海に沈むナチスの潜水艦

ジャワ海に眠るドイツのUボート遺跡

インドネシア

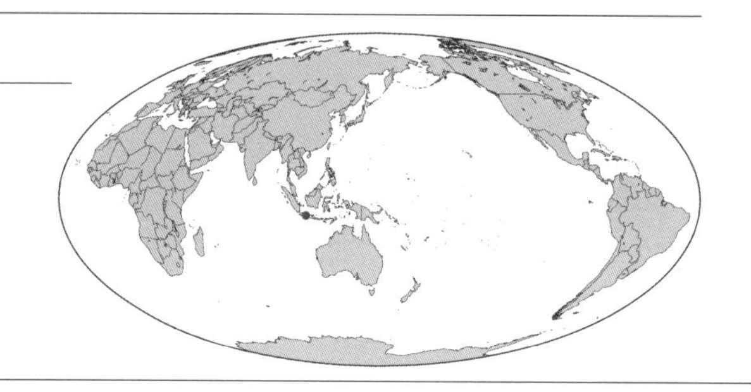

ジャワ海で発見されたUボート

潜水艦は第二次世界大戦において破壊的な軍事力の一つだった。ドイツ海軍はUボートと呼ばれる潜水艦艦隊を使用し、大戦中に1000隻以上のUボートが建造され、敵対した連合軍に致命的な打撃を与えた。一説には3000隻以上の商船や輸送船を撃沈したともいわれる。

しかし、最終的にその多くは撃沈され、海底に沈んだ。第二次世界大戦中のドイツの潜水艦遺跡は、主に大西洋の深海に集中しているが、熱帯

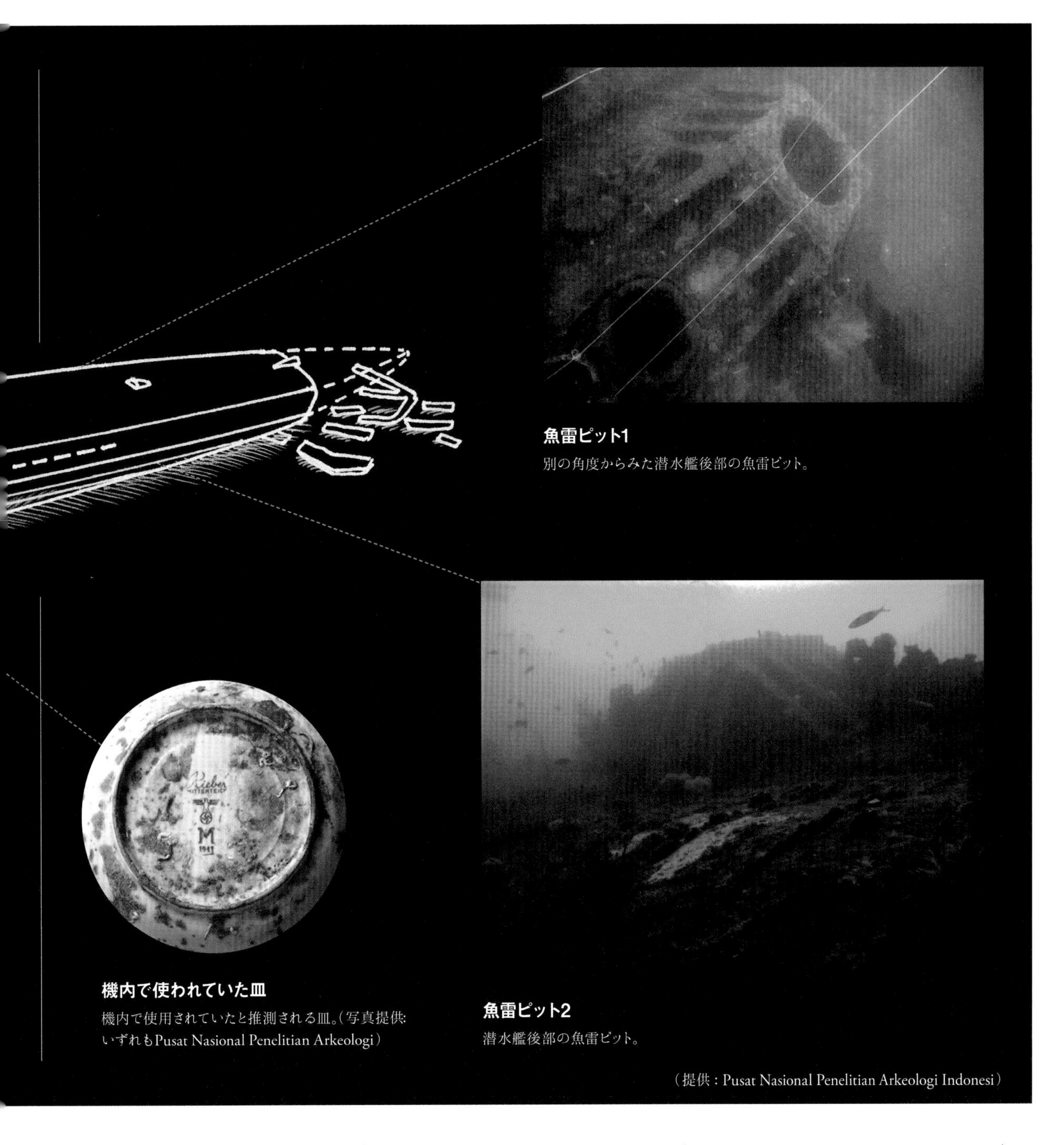

魚雷ピット1
別の角度からみた潜水艦後部の魚雷ピット。

機内で使われていた皿
機内で使用されていたと推測される皿。（写真提供：いずれもPusat Nasional Penelitian Arkeologi）

魚雷ピット2
潜水艦後部の魚雷ピット。

（提供：Pusat Nasional Penelitian Arkeologi Indonesi）

海域となるインドネシアのジャワ海にも、ドイツの潜水艦が沈んでいることが明らかとなってきた。

ジャワ海に眠るドイツ潜水艦は2013年、インドネシア国立考古学研究センターらの共同チームによる水中調査で発見された。発見場所は、ジャワ島北岸から約80キロの沖合に広がるカリムンジャワ諸島の水深24mの海底。形状の特定から、この潜水艦のタイプはIXC / 40（全長約76m）であることも判明した。

この沈没艦は、長さ約46メートルで主に後部域が発見されたが（上記イラスト）、中央部から船首にかけては見つからなかった。残された艦内には人骨も確認され、戦死したドイツ海軍の乗組員と推測されている。そのほか、潜水艦の周囲では魚雷ピット、バッテリー、油圧パイプや乗組員が使用した皿なども発見された。

南海に沈んだU-168とU-183

文献史料による記録では、2隻のドイツ潜水艦、U-168とU-183がジャワ海に沈んだことが知られている。U-168は1944年の10月6日にオランダ軍の潜水艦により撃沈されており、U-183は1945年の4月23日にアメリカ軍の潜水艦により撃沈されている。ジャワ海で発見されたこの潜水艦がそのどちらかであり、今のところインドネシアを含む東南アジア海域の水中で発見された唯一のUボートである。この考古学的遺跡は、第二次世界大戦中におけるインドネシアの歴史に新たな史実を追加したと言えよう。（文:小野林太郎・Shinatria Adhityatama）

水中文化遺産と海底遺跡ミュージアム

COLUMN

9

水中遺跡を博物館に！

水中文化遺産とは、水中にある文化遺産のことを指す。日本では水中遺跡と呼ばれることも多い。海中の場合は海底遺跡とも呼ばれる。世界遺産でも知られるユネスコが近年、積極的にその保護や活用に取り組んでいる遺産群でもある。2001年にユネスコが提案した「水中文化遺産保護条約」は国連で採択され、2009年から20カ国の批准により発効された。さらに2020年までには実に60カ国以上が批准するほど、その関心は高まりつつある。では水中にある遺跡はどのように保護し、活用できるだろうか。

その取り組みの中で近年注目されているのが、遺跡を原位置保存のまま保護し、かつ活用してしまおうとする「海底遺跡ミュージアム」の構想である。原位置とは、遺跡が発見されたままの状態を意味する。波の影響など自然の作用によって位置が変化することはある。しかし発見時の位置を、意図的には動かさないのが原位置保存という考え方だ。たとえば長らく水中にあった遺物を引き上げた場合、脱塩処理を施さない

屋良部沖海底遺跡での遺跡見学会風景（水深20m）。沖縄県の石垣島では地元のダイビング業者の方々が四爪鉄錨の位置や歴史的価値について学ぶ講習を継続的に実施している。（写真撮影：山本游児）

Underwater Cultural Heritages and Underwater Site Museum

と破損・崩壊するリスクが極めて高い。またそのプロセスは長い場合、数十年以上におよび膨大なコストがかかる。沈没船など遺物が大きい場合は、それを適切に保存する施設や装置も必要にもなる。こうした制約から、水中にある遺跡や遺物は、それが現位置のままでも保存が可能であるなら、そのままの状態を保つことが一般的になってきた。それでは水中に残されたままの遺跡や遺物をどうやって見学・観察すればよいのか。その解決策として注目されているのが、見学希望者に実際にダイビングをしてもらい、水中や海底遺跡を見学するガイドツアーのような方法である（写真）。これならば、維持費や運営のコストはかからず、地域のダイビング産業や観光産業にも活用のメリットが生まれる。また経済的な価値も含め、水中遺跡の重要性が出てくれば、遺跡の保護や保全が持続的に地域社会によって取り組まれる可能性も出てくる。こうした今はやりのSDGsを先取りするような、文化遺産の持続的利用や保全という考え方が、「海底遺跡ミュージアム」なのである。

とはいえ、実際に海底や水中にある遺跡をミュージアム化できた成功例は、世界的にみてもまだそれほど多くない。海底ミュージアム化できる遺跡は、水深20mより浅く比較的容易に潜水できることや、水の透明度が高いといった条件をクリアする必要がある。世界的には本書でも紹介しているイタリアのバイア遺跡やギリシアの海底遺跡が有名だが、日本においてその可能性があるのが沖縄の水中遺跡群であろう。今後、日本においても水中遺跡の海底遺跡ミュージアム化が進むことを願っている。（文:小野林太郎）

日本における水中の遺跡(水中文化遺産)の保護

COLUMN

10

伊豆半島東方海上(相模湾)に所在する初島(静岡県熱海市)の西岸沖海底(水深20m前後)に、江戸時代前期(17世紀中ごろ)の大阪〜江戸間を航行した廻船(沈没船)に由来する初島沖海底遺跡はある。海底には積荷と考えられる多量の各種屋根瓦や擂鉢・砥石、船具の四爪鉄錨や船体材が残されている。鬼瓦には「三葉葵紋」がデザインされていることから、瓦は幕府のオーダー品で、江戸城または幕府関連施設で使われるものであった可能性が高い。解明が難しい江戸時代の廻船構造や、海運の実態をしめす稀有な水中の遺跡だ。

日本国内には約47万か所の考古遺跡(埋蔵文化財包蔵地)の所在が公表されている。文化庁・水中遺跡検討委員会が2017年に刊行した『水中遺跡保護の在り方について』によれば、このうち水中(海域・湖沼・河川等)に所在する遺跡(水中の遺跡)は約290か所にすぎない。この数値は日本の文化財保護の基本法である文化財保護法のもとに、保護の対象として行政により特定された遺跡数で、実数をあらわし

A. 初島沖海底遺跡・整然と並べられた状態で海底に残された多量の平瓦。ほぼ沈没時の状態（集荷）を保っているものと考えられる。（写真：アジア水中考古学研究所）　B. 初島沖海底遺跡・鬼瓦。中心飾り文様には「三葉葵紋」がデザインされている。（写真：アジア水中考古学研究所）

Protection of Underwater Cultural Heritage in Japan

ているのではない。それにしても、周囲を海に囲まれた国土、古来より地盤の変化をともなう地震等の自然災害が多発してきた環境を考えると、水中の遺跡数は少なすぎる。逆の見方をすれば、保護の対象になっていない水中の遺跡が多く存在するということをしめし、日本における水中の遺跡保護の現状をあらわしているとも言える。

研究団体・行政の調査では、「特定」以外の水中の遺跡が多数確認されている。そのなかには、陸上であれば間違いなく「特定」される事例や、陸上（水際）から水中へ遺跡が続くことが確認されているにもかかわらず、「特定」は陸上部分のみという奇妙な事例もあり、陸上とくらべると「特定」へのハードルは明らかに高い。冒頭に紹介した初島沖海底遺跡もその一例で、現段階では保護の対象にはなっていない。

なぜ、水中の遺跡が陸上の遺跡とは異なるあつかいを受けているのだろうか？

水中の遺跡は、見えにくく、把握も難しい。とくに海域では権利関係（漁業権・所有権・行政権など）や関連法、ときには外交問題もからむなど、陸上より多くの調整が必要になる。そこに保護にたいする、担当行政の躊躇や戸惑いがみられる。このことが不正確な理解を生み、遺跡としての対応にも影響がおよんでいるようだ。

水中の遺跡保護を進めるためには、担当行政のみならず、より多くのひとに正しく理解してもらうことが重要と考える。正しい理解が広がることによりはじめて、陸上の遺跡と同等にあつかわれ、保護の取り組みも当たり前のこととして、おこなわれるようになるからだ。（文：林原利明）

ミクロネシア連邦チューク諸島の環礁内に沈む旧日本帝国海軍の飛行艇『二式飛行艇』（写真提供：山舩晃太郎）。

水中文化遺産の記録作業へのフォトグラメトリ活用

COLUMN

11

潜水病予防のために時間制限のある水中の発掘現場において、ここ10年で急速に普及した技術が「フォトグラメトリ」と呼ばれるスキャンシステムである。

陸上であるか水中であるかを問わず、考古学の発掘現場で最も重要とされるのが、遺跡や遺物の「記録作業」である。発掘現場で記録された情報をもとに歴史の研究が行われるからだ。しかし水中での記録作業は時間制限ゆえに、水中考古学の発掘調査において膨大な期間と人力を要する困難な作業の一つだった。さらに陸上での遺跡発掘で使用されるレーザースキャナーやトータルステーションなどの計測機器が水中遺跡では使うことが出来ないため、2000年以降も手作業によって記録作業が行われてきたのである。

そんな状況の中、2011年以降に急速に使われ始めたのが「フォトグラメトリ」だ。フォトグラメトリではデジタル写真データから精密なデジタル3Dモデルを作成するため、一眼レフカメラを水中ハウジングに入れた、従来の水中調査でも使用してきた撮影機材をそのまま用いることが出来る。この点もフォトグラメト

A

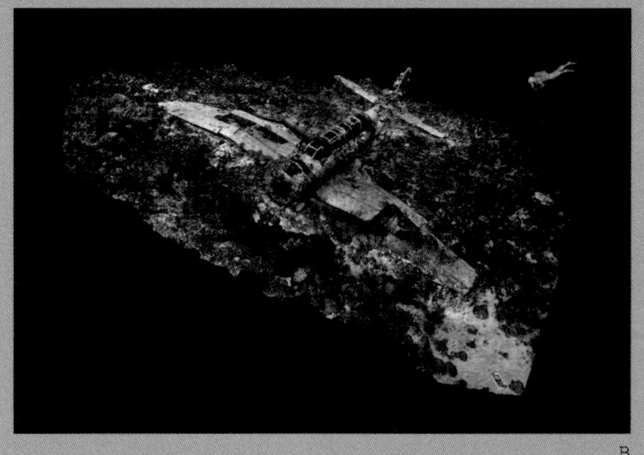

B

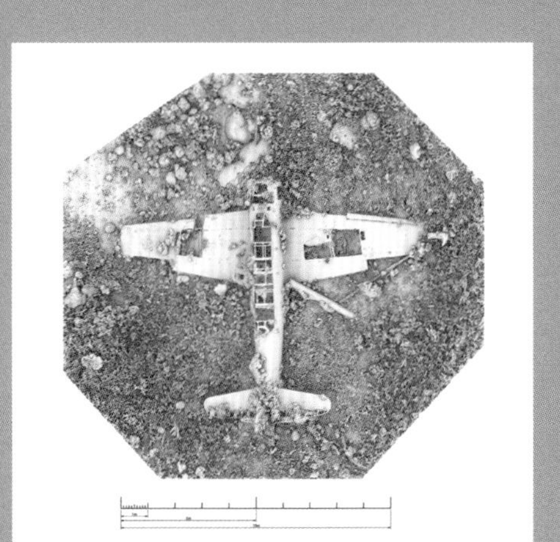

C

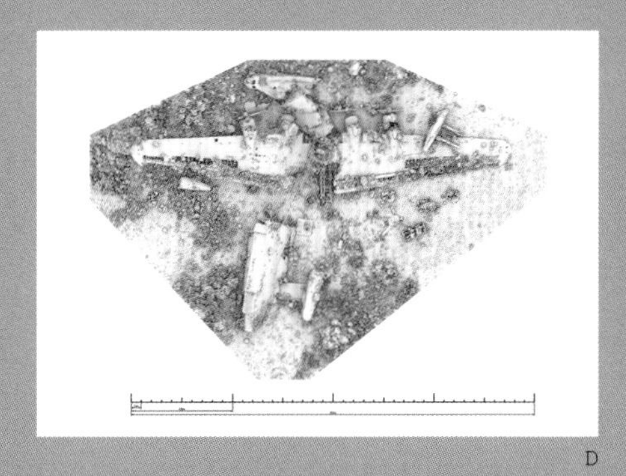

D

A.ミクロネシア連邦チューク諸島の環礁内に沈む旧日本帝国海軍の艦上偵察機『彩雲』のフォトグラメトリ3Dモデル。連合国軍側でのコードネームは『MYRT』。 **B.**p228の『二式飛行艇』のフォトグラメトリ3Dモデル。連合国軍側でのコードネームは『Emily』。 **C.**『彩雲』水中遺構の実測図テンプレート。 **D.**『二式飛行艇』水中遺構の実測図テンプレート。（写真・資料提供：山舩晃太郎）

Utilization of photogrammetry for recording Underwater Cultural Heritage

リが水中考古学研究者の間で普及した理由の一つともなっている。

2021年現在ではフォトグラメトリを使用していない水中発掘現場を見つけるのが難しいというほど、水中考古学研究者の間でこの技術は普及した。さらにここ2-3年では陸上の考古学の発掘現場でもフォトグラメトリは急速に普及している。

フォトグラメトリの特筆すべき優位性が、作成されたデジタルモデルの写実性である。フォトグラメトリはデジタル写真をスキャンデータとして使用するため、作成されたデジタル3Dモデルは実物そのものと見間違うような精緻な外観を持つ。この精緻な外観を持つ3Dデータをあらゆる角度から観察できる点は陸上の考古学はもちろんのこと、水の透明度の低さが障害となり遺跡全体を見渡すのが難しい水中考古学の研究においては一層重宝されるのである。

さらに作成された詳細なデジタル3Dモデルからは、正投影法を用いた歪みのない高画質モザイク写真である「オルソモザイク」や、このオルソモザイクから変換し作成できる精密な「実測図」、さらに「断面図」「DEM（Digital Elevation Models）」「等高線・等深線」など、様々な学術研究に使用できる測量データを取得することが可能となった。

このような理由からフォトグラメトリは近年、水中遺跡から歴史研究を行う水中考古学者の間でなくてはならない技術となったのである。

フォトグラメトリによって作成された3Dモデルは、今後も博物館展示やデジタルミュージアムなどの「教育普及」や経年変化測定による「遺跡保護」等、より幅広い分野での活用が期待されている。

（文：山舩晃太郎）

参考文献一覧

第1章

近藤二郎（監修）2009『海のエジプト展：海底からよみがえる、古代都市アレクサンドリアの至宝』朝日新聞社

佐藤信（編）2018『水中遺跡の歴史学』山川出版

シリア沖古代遺跡発掘運営委員会 1991 『シリア沖沈船発掘調査中間報告書』

中西裕見子・片桐千亜紀 2020『地中海の水中文化遺産』同成社

中西裕見子 片桐千亜紀 セバスチャーノ・ツサ フロリアーナ・アニェット ピエトロ・セルヴァッジオ2017「シチリアにおける水中文化遺産の保護と公開活用の展開」『沖縄県立博物館・美術館，博物館紀要』10:19-42.

中西裕見子 片桐千亜紀 菅浩伸 坂上憲光 小野林太郎 島袋綾野 2018「沖縄海域における海底ミュージアム構想の実現に向けた屋良部沖海底遺跡での実践」『南島考古』37: 49-64.

中西裕見子 片桐千亜紀 Angeliki G. Simosi Panagiota Galiatsatou Anastasia Mitsopoulou Ilias Kouvelas Kostas Kaldis 2018「ギリシャの水中文化遺産保護」『考古学研究』65(3): 11-16.

野上建紀 ダニエレ・ペトレッラ2007「バイア海底遺跡見学記」『金沢考古』59:36-31

Bass, G.F. 2005 Cargo from the Age of Bronze: Cape Gelidonya, in G.F. Bass (ed.) *Beneath the Seven Seas: Adventures With The Institute of Nautical Archaeology*, Thames & Hudson: 34-47.

Carlson, D. 2005 A Wreck from the Golden Age of Greece: Tektas, Burnu, Turkey. in G.F. Bass (ed.) *Beneath the Seven Seas: Adventures With The Institute of Nautical Archaeology*, Thames & Hudson: 64-71.

Freeth, T. A. Jones, J. M. Steele, Y. Bitsakis 2008 Calendars with Olympiad display and eclipse prediction on the Antikythera Mechanism, *Nature*, 454:614–617.

Goddio.F, M. Clauss, M-.G-. Bau 2006 *Egypt's sunken treasures*. Prestel.

Katzev, S.W. 2005 Resurrecting an Ancient Greek Ship: Kyrenia, Cyprus in G.F. Bass (ed.) *Beneath the Seven Seas: Adventures With The Institute of Nautical Archaeology*, Thames & Hudson:72-79.

Nakanishi, Y. et al. 2020. Pursuing Sustainable Preservation and Valorisation of Underwater Cultural Heritage: Okinawa's Pilot Project for an Underwater Site Museum.

Paul, C. 2005 Discovering a Royal Ship from the Age of King: Uluburun, Turkey. in G.F. Bass (ed.) *Beneath the Seven Seas: Adventures With The Institute of Nautical Archaeology*, Thames & Hudson: 48-55.

Rodrigo Pacheco-Ruiz. R., J. Adams, F. Pedrotti, M. Grant, J. Holmlund, and C. Baileyd 2019 Deep sea archaeological survey in the Black Sea – Robotic documentation of 2,500 years of human seafaring. Deep Sea Research Part I: Oceanographic Research Papers 152 DOI: https://doi.org/10.1016/j.dsr.2019.103087

Soprintendenza del Mare, 2009, *Manutenzione degli itinerari culturali subacquei della soprintendenza del mare – norme di progettazione e fruizione*. Palermo; Regione siciliana, Assessorato dei beni culturali e dell' identità siciliana, Dipartimento dei beni culturali e dell' identità siciliana.

Throckmorton, P and Bullite, J. 1963, "Underwater Surveys in Greece." In *Expedition*, vol.5-2, pp.1-16.

第2章

池谷信之 2005『黒潮を渡った黒曜石・見高段間遺跡』東京：新泉社

日下宗一郎（編）2017『先史時代の輝き—旧石器・縄文時代の人と環境—』、静岡：ふじのくに地球環境史ミュージアム

坂上憲光ほか 2014「石垣島におけるものづくりを通した海洋環境社会教室」『工学教育』62(3): 47-52.

坂上憲光ほか 2015「石垣島における水中ロボットを利用した水中文化遺産教育」「工学教育」64(1): 54-59

瀬口眞司 2016『琵琶湖に眠る縄文文化 粟津湖底遺跡』東京：新泉社

中川永・大西遼 2021「「朝妻沖湖底遺跡」の調査成果と基礎的検討」『人間文化』50号 滋賀県立大学人間文化学部

矢野健一ほか 2019「水中ロボットを利用した葛籠尾崎湖底遺跡調査の成果とその意義」「環太平洋文明研究」1(2): 77-90

Adhityatama, S., Triwurjani.,Yurnaldi, D., Janssen, R., Khoiru Dhony, M.D., Suryatman., Abdullah., Lukman, A., Bulbeck, D. 2021. Pulau Ampat Site: A Submerged 8th Century Iron Production Village in Matano Lake, South Sulawesi, Indonesia. *Journal Archaeological Research in Asia*. https://doi.org/10.1016/j.ara.2021.100335

Hamilton, D.L. 2005 Resurrecting "The Wickest City in the World" : Port Royal, Jamaica. in G.F. Bass (ed.) *Beneath the Seven Seas: Adventures With The Institute of Nautical Archaeology*, Thames & Hudson:164-171.

MacDonald, B.L., J.C. Chatters, E.G. Reinhardt, F. Devos, S. Meacham, D. Rissolo, B. Rock, C. L. Maillot, D. Stalla, M. D. Marino, E. Lo, and P. L. Erreguerena. 2020 Paleoindian ochre mines in the submerged caves of the Yucatán Peninsula, Quintana Roo, Mexico, Science Advances 6(27) DOI: 10.1126/sciadv.aba1219

Suryatman, Rr Triwurjani, Shinatria Adhiyatama, Dida Yurnaldi, Ashar Murdihastomo, Joko Wahyudiono, Abdullah, Muslim Dimas Khoiru. 2021. The flaking stone activity in the tradition of iron smelting from the 8th to 17th centuries AD in the Matano Region, South Sulawesi. Journal of Archaeological Science: Reports

第3章

池田榮史 2018『海底に眠る蒙古襲来：水中考古学の挑戦』吉川弘文館.

小野林太郎・片桐千亜紀・坂上憲光・菅浩伸・宮城弘樹・山本祐司 2013「八重山における水中文化遺産の現状と将来－石垣島・屋良部沖海底遺跡を中心に」『石垣市立八重山博物館紀要』22号：20-43.

小野林太郎・木村淳 2018 『屋良部沖海底一沖縄の水中文化遺産と海底遺跡ミュージアム総合プロジェクト』、東海大学海洋学部

片桐千亜紀・宮城弘樹・渡辺美季 2014『沖縄の水中文化遺産』ボーダーインク

片桐千亜紀・宮城弘樹・崎原恒寿・山田浩久・中島徹也・渡辺芳郎 2012「久米島水中文化遺産見学会の記録」『博物館紀要』第5号 沖縄県立博物館・美術館

木村淳 2012「高麗王朝時代の朝鮮半島在来船研究と日本伝統船舶の発展論」『考古学研究』59(2)：71-88.

木村淳 2013「タイ水中考古学と史跡沈没船」『季刊考古学』123：97-99.

木村淳 2018「沈没船遺跡にみる陶磁器の梱包と積載」『中近世陶磁器の考古学〈第八巻〉』雄山閣：103－127.

木村淳 2019「交易船構造の革新と琉球：中世東アジア航洋船から南シナ海型ハイブリッド船の登場まで」『琉球の中世』高志書院：103-134.

田中克子 2013「南海I号沈船」『季刊考古学』123：78-80.

ランドール・ササキ 2010『沈没船が教える世界史』東京：メディアファクトリー

Krahl, R. J. Guy, J. Raby, and J. K. Wilson 2011 *Shipwrecked: Tang Treasures and Monsoon Winds* Smithsonian Books.

Katagiri, C, R. Ono, Y. Nakanishi, and H. Miyagi 2020. Research on the Wreck Sites, Sea Routes and the Ships in the Ryukyu Archipelago. IKUWA6: 19–29.

Katagiri, C., Yamamoto, Y., and Y. Nakanishi 2014. Distributional Survey of Underwater Cultural Heritage and its Experimental Presentation in the Ryukyu Archipelago.*Preceedings of the 2nd Asia-pacific Regional Conference on Underwater Cultural Heritage*, Vol2.

Nakanishi, Y., R. Ono, C. Katagiri, N. Sakagami, and T. Tetsu 2020 Pursuing Sustainable Preservation and Valorisation of Underwater Cultural Heritage: Okinawa's Pilot Project for an Underwater Site Museum. IKUWA6: 299–300.

Nishimura, N., T. Aoyama, J. Kimura, T. Nogami., and L. T. Le 2017 Nishimura Masanari' s Study of the Earliest Known Shipwreck Found in Vietnam. *Asian Review of World Histories* 5 (2): 106–122

Ono, R, C. Katagiri, H. Kan, N. Nagano Y. Nakanishi, Y. Yamamoto, F. Takemura and M. Sakagami.2016. Discovery of Iron Grapnel Anchors in Early Modern Ryukyu and Management of Underwater Cultural Heritages in Okinawa, Japan. *International Journal of Nautical Archaeology* 45(1): 75-91.
Sasaki, R., J. Kimura et al. 2013. Naval Battlefiled Archaeology of the Lost Kublai Khan Fleets. *International Journal of Nautical Archaeology* 47.

第4章

新垣力（編）2017『沖縄県の水中遺跡・沿岸遺跡』沖縄県立埋蔵文化財センター
片桐千亜紀・宮城弘樹・新垣力・山本祐司・渡辺美季　2013「国頭村宜名真沖で沈没した異国船の調査研究」『博物館紀要』第6号　沖縄県立博物館・美術館
木村淳・小野林太郎・丸山真史（編）2018『海洋考古学入門：方法と実践』東海大学出版．
江差町教育委員会・開陽丸引揚促進期成会1982『開陽丸：海底遺跡の発掘調査報告I』江差町教育委員会
鉄多加志ほか　2016 「水中遺跡（沈没船）潜水調査における安全対策の検討」東海大学海洋研究所研究報告37号：7-14
鉄多加志ほか　2020 「海事考古学調査における中深度域潜水法に関する事例報告」 海洋人間学雑誌9(1):31-39
宮城弘樹・片桐千亜紀・新垣力・比嘉尚輝 2004 「南西諸島における沈没船発見の可能性とその基礎的調査－海洋採集遺物からみた海上交通－」『沖縄埋文研究2』沖縄県立埋蔵文化財センター

Crumlin-Pedersen, O. 2010 *Archaeology and the sea in Scandinavia and Britain*. Viking Ship Museum.
Eriksson, N. and J. Rönnby 2012 'The Ghost Ship'. An Intact Fluyt from c.1650 in the Middle of the Baltic Sea. International Journal of Nautical Archaeology 41(2):350-361.
Giordan, A., A.J., Desroches, Association Française d'Action Artistique.1996 *Treasures of the San Diego*, Assoc. Française d'Action Artistique.
Green, J. 2007 Batavia 1629. In M. Nash (ed.) *Shipwreck Archaeology in Australia*, University of Western Australia Press: 12-24.
Hocker, F. 2011 *Vasa: A Swedish warship*. Medströms bokförlag
Katagiri, C, R, Ono, Y.Nakanishi, and H. Miyagi 2020. Research on the Wreck Sites, Sea Routes and the Ships in the Ryukyu Archipelago. In J.A. Rodrigues and A. Traviglia (eds.), IKUWA6: Shared Heritage: Proceedings of the Sixth International Congress for Underwater Archaeology: 28 November–2 December 2016, Western Australian Maritime Museum Fremantle, Western Australia, pp, 19–29. Oxbow Books. ISBN: 9781784916428
Rules, M. 1982. *The Mary Rose: The Excavation and Raising of Henry VIII's Flagship*. HarperCollins Distribution Services
Sindbaek, S. M. and A. Trakadas (eds.) 2014 *The World in the Viking Age*. Viking Ship museum.

第5章

石村智 2017「南洋群島の水中戦争遺跡：パラオの事例」、林田憲三編『水中文化遺産：海から蘇る歴史』15-35頁、勉誠出版。
水中遺跡調査検討委員会 2017『水中遺跡保護の在り方について（報告）』文化庁
片桐千亜紀（編）2015『図録　水中文化遺産～海に沈んだ歴史のカケラ～』　沖縄県立博物館・美術館
片桐千亜紀・宮城弘樹・崎原恒寿・山田浩久・中島徹也・渡辺芳郎 2012「久米島の水中文化遺産見学会報告～海底遺跡ミュージアム構想の実践』『博物館紀要』No.5　沖縄県立博物館・美術館
田中正文 2007『パラオ：海底の英霊たち』並木書房。
野上建紀 2007『水中文化遺産と考古学ー海底遺跡ミュージアム構想の実現に向けて』アジア水中考古学研究所
山舩晃太郎 2021 『沈没船博士、海の底で歴史の謎を追う』東京：新潮社

Bailey, D. E. 1991. *WWII Wrecks of Palau*. Redding: North Valley Diver Publications.
Castro, F., Yamafune, K., Eginton, C., and Derryberry, T. 2011. The Cais do Sodré Shipwreck. *International Journal of Nautical Archaeology* 40 (2): 328-343.
Dostal, C., and Yamafune, K. 2018 Photogrammetric Texture Mapping: A Method for Increasing the Fidelity of 3D Models of Cultural Heritage Materials. *Journal of Archaeological Science: Reports* 18: 430-436.
Gambin, T. (ed.) 2015 *The Maltese Islands and the Sea*. Valetta; Midsea Books.
Finkl, C.W., and C. Makowski, 2016. *Seafloor mapping along continental shelves, research and techniques for visualizing benthic environments*. Springer, 293pp.
Hadnett, C. 2016. Wrecks – *A Maltese Collection: The Ultimate Collection*. Valetta.
Kan, H., C. Katagiri, Y. Nakanishi, S. Yoshizaki, M. Nagao, and R. Ono, 2018. Assessment and Significance of a World War II battle site: recording the USS *Emmons* using a High-Resolution DEM combining Multibeam Bathymetry and SfM Photogrammetry. *International Journal of Nautical Archaeology* 47.2: 267-280.
Kan, H., K. Urata, M. Nagao, N. Hori, K. Fujita, Y. Yokoyama, Y. Nakashima, T. Ohashi, K. Goto, A. Suzuki, 2015. Submerged karst landforms observed by multibeam bathymetric survey in Nagura Bay, Ishigaki Island, southwestern Japan. *Geomorphology*, 229: 112-124.
Katagiri, C., Nakanishi, Y., Yoshizaki, S., Kimura, H., Kan, H. 2022. Reconstructing a WWII underwater wreck site: the battle of the destroyer USS *Emmons* and Japanese Special Attack Airplanes. International Journal of Nautical Archaeology, accepted (Dec 14, 2021)
Yamafune, K., Torres, R., and Castro, F. 2017. Multi-Image Photogrammetry to Record and Reconstruct Underwater Shipwreck Site. *Journal of Archaeological Method and Theory* 24(3): 703-725.

著者プロフィール

木村 淳

1979年生まれ。西オーストラリア・マードック大学アジア研究所、シカゴ・フィールド自然史博物館を経て、現在、東海大学准教授。イコモス(ICOMOS/国際記念物遺跡会議)の国際水中文化遺産委員会日本委員や文化庁水中遺跡調査検討委員会委員を務め、国内外の水中遺跡の調査と保護にあたっている。専門は、水中考古学・海事考古学、沈没船遺跡研究。研究テーマに東アジアの船体考古資料分析、海上シルクルート、マニラ・ガレオン。主な編著者に、『Archaeology of East Asian Shipbuilding』(University Press of Florida、2017)、『海洋考古学入門—方法と実践』共編著(東海大学出版部、2018)がある。
執筆ページ: 後期青銅器時代ウルブルン沈没船-古代ギリシア・キレニア沈没船(p024), トーニス・ヘラクレイオン遺跡/アレクサンドリア港海底宮殿(p032), アンティキセラ島の海底遺跡(p040), 黒海の難破船(p054), ユカタン半島水中洞窟(p068), ポートロイヤル(p086), ビリトゥン沈没船(p100), チャウタン沈没船(p104), 新羅・高麗・李氏朝鮮王朝時代の沿岸輸送船(p108), 宋代の南海1号と泉州船(p116), 鷹島海底遺跡-Naval Battlefield Archaeology(p122), 新安沈没船(p126), パンガナヤイ沈没船(p144), 海域覇者の船 ヴァイキングシップ(p156), メアリーローズ(p162), サン・ディエゴ号(p168), ヴァーサ号博物館(p176), VOCバタヴィア号(p182), ゴースト・シップ(p188), 開陽丸-Voorlicher(p192)

小野 林太郎

1975年生まれ。東海大学海洋学部を経て、現在、国立民族学博物館准教授。専門は海洋考古学、東南アジア・オセアニア研究。主にインドネシア、ミクロネシア、沖縄で考古遺跡の発掘を継続し、人類の海洋適応や海との関りを研究している。主な編著書に『海域世界の地域研究—海民と漁撈の民族考古学』(京都大学学術出版会、2011)、『Prehistoric Marine Resource Use in the Indo-Pacific Regions』共編著(ANU E Press, 2013)、『海の人類史:東南アジア・オセアニア海域の考古学』(雄山閣、2018)、『海民の移動誌—西太平洋のネットワーク社会』共編著(昭和堂、2018)、『海洋考古学入門—方法と実践』共編著(東海大学出版部、2018)、『Pleistocene Archaeology-Migration, Technology, and Adaptation』共編著(IntecOpen、2020)のほか、論文等多数あり。
執筆ページ: スラウェシ島のマタノ湖底遺跡(p072), 屋良部沖海底遺跡(p138), スラヤール島のボントシクユ沈没船遺跡(コラム5:p148), ジャワ島に眠るドイツのUボート遺跡(p222), 水中文化遺産と海底遺跡ミュージアム(コラム9:p224)

石村 智

1976年兵庫県生まれ。京都大学大学院文学研究科博士後期課程単位取得退学。文学博士(京都大学)。日本学術振興会特別研究員、国立文化財機構奈良文化財研究所を経て、現在は国立文化財機構東京文化財研究所無形文化遺産部音声映像記録研究室長。海の文化遺産に関心を持ち、著書として『よみがえる古代の港—古地形を復元する』(吉川弘文館、2017)などがある。
執筆ページ: パラオに沈んだ日本船(p214)

片桐 千亜紀

1976年、長野県生まれ。沖縄県立博物館・美術館を経て、現在、沖縄県立埋蔵文化財センター主任専門員。九州大学大学院比較社会文化研究院共同研究者。専門は海洋考古学。広大な琉球列島海域を水中考古学の主なフィールドとする。主な編著書に、『沖縄の水中文化遺産—青い海に沈んだ歴史のカケラ—』共編著(ボーダーインク、2014)、『図録 水中文化遺産〜海に沈んだ歴史のカケラ〜』(沖縄県立博物館・美術館、2015)、『地中海の水中文化遺産』共編著(同成社、2020)など。
執筆ページ: 沖縄海上交易関連の海底遺跡(p132), 沖縄の西欧沈没船遺跡群(p196), USSエモンズと日本軍特攻機(p208)

菅 浩伸

九州大学 浅海底フロンティア研究センター センター長, 九州大学 共創学部 および 大学院 地球社会統合科学府 教授。自然地理学を専門とし, 沿岸域やサンゴ礁などの浅海底の地形や環境変遷を研究。未踏査域が多い沿岸浅海域でマルチビーム測深技術を用いた高解像度地形図を作成し, 自然科学から人文・社会科学に至る様々な分野の研究者と学際研究を推進している。USSエモンズや石垣島屋良部沖海底遺跡などで共同研究を実施。
執筆ページ: マルチビーム測深でつくる大縮尺海底地形図(コラム4:p096)

日下 宗一郎

東海大学特任講師。専門は自然人類学。縄文時代を対象として、古人骨の同位体分析から人類の資源利用を復元する研究を行っている。炭素・窒素やストロンチウムの安定同位体分析を用いて、過去の食性や移動を明らかにし、考古学的な情報も分析することで、先史社会の実態を追求している。主な著書に、『古人骨を測る同位体人類学序説』単著(京都大学学術出版会、2018)がある。
執筆ページ: 神津島・恩馳島の黒曜石(コラム2:p092)

坂上 憲光

1974年生まれ。現在、東海大学海洋学部航海工学科海洋機械工学専攻教授。専門は水中ロボット工学。主な論文に『Development and field experiment of a human-portable towed ROV for high-speed and wide area data acquisition』共編著(Artificial Life and Robotics, 2020)、『Development of dam inspection robot with negative pressure effect plate』共編著(Journal of Field Robotics, 2019)、『Design and development of an autonomous wave-powered boat with a wave devouring propulsion system』共編著(Advanced Robotics, 2015)のほか、論文等多数あり。
執筆ページ: 水中ロボットの話し(コラム3:p094)

佐々木 蘭貞

1976年神奈川県生まれ。高校卒業後、渡米。大学卒業後、中近東で港の跡地など発掘作業に携わる。2002年、船舶考古学を学ぶためテキサスA&M大学に入学。在学中にベトナム白藤江の戦い跡地の調査などを担当。帰国後、文化庁の水中遺跡調査検討委員会に係わり国内の遺跡の調査を実施。2021年、一般社団法人うみの考古学ラボを設立、研究や執筆などの活動を続けている。一般社団法人うみの考古学ラボ代表理事。
執筆ページ: ベトナムの蒙古襲来-白藤江河戦場遺跡(コラム7:p152)

鉄 多加志

1965年静岡生まれ。多摩美術大学美術学部卒業、放送大学大学院文化科学研究科修士課程修了(学術)。東海大学海洋学部准教授。専門は潜水法および海洋スポーツの安全管理、並びに水辺や水中で撮影した画像や動画の有効利用に関する研究に従事。
執筆ページ: 伊豆に沈んだ仏郵船ニール号(コラム8:p204)

中川 永

豊橋市美術博物館学芸員。1988年愛知県生まれ。修士(人間文化学)。滋賀県立大学大学院人間文化学研究科博士後期課程単位取得退学。日本学術振興会特別研究員等を経て現職。
主な著作に「葛籠尾崎湖底遺跡の再検討2－古代末から近世の様相」(『滋賀県立大学考古学研究室論集1、2021)、「琵琶湖水位変動に関する考古学的研究－古代末から中世における様相」(『物質文化』97、1997)等がある。
執筆ページ:西浜千軒遺跡(p076),朝妻湖底遺跡(p080)

中西 裕見子

1975年大阪府生まれ。英国ダラム大学考古・人類学科卒業、ケンブリッジ大学大学院考古・人類学科修了(MPhil in Museum Studies and Heritage Management)。現在、大阪府教育庁文化財保護課総括主査(考古学技師)。九州大学大学院比較社会文化研究院共同研究者として、主に沖縄の海をフィールドに、水中文化遺産の実践的な保存活用に向けた調査研究に取り組む。主著に『地中海の水中文化遺産』共著(同成社、2020)などがある。
執筆ページ: バイア海底遺跡(p046),死者の船と神殿柱の船遺跡(p050),カラ・ミノラ沈没船(コラム1:p062),マルタ島沖のブリストル・ボウファイター(p220)

林原 利明

1960年東京都生まれ。東洋大学大学院修了。専門は考古学。現在、株式会社玉川文化財研究所・主任研究員、特定非営利活動法人アジア水中考古学研究所・理事、東京海洋大学・非常勤講師(水中考古学)。1991年に初めて鷹島海底遺跡(長崎県松浦市)の調査に参加し、その後各地の水中文化遺産の調査に携わる。その過程で、日本の水中文化遺産の扱われ方に疑問を持ち、その周知・保護に積極的にかかわるようになる。
執筆ページ: 日本における水中の遺跡(水中文化遺産)の保護(コラム10:p226)

丸山 真史

1978年兵庫県生まれ。東海大学准教授。立命館大学文学部を卒業後、京都大学大学院人間・環境学研究科博士課程を修了後、博士(人間・環境学)取得。奈良県立橿原考古学研究所嘱託職員、奈良文化財研究所客員研究員、京都市埋蔵文化財研究所をへて、現職。主な編著書に『海洋考古学入門』共編著(東海大学出版部、2018)、『馬の考古学』共編著(雄山閣、2019)などがある。
執筆ページ: 粟津湖底遺跡(p066)

山舩 晃太郎

船舶考古学博士。法政大学文学部史学科を卒業後、船舶考古学における世界最高峰の研究機関であるテキサスA&M大学(Texas A&M University)大学院に留学。同大学院で2012年に修士号を、2016年に博士号を取得。西洋船(古代・中世・近代)を主たる研究対象とする考古学と歴史学のほか、水中文化遺産の3次元測量(3D Recording)と沈没船の復元構築(Ship Reconstruction)を専門とする。
現在、この水中フォトグラメトリにおける第一人者のひとりとして研究を続ける傍ら、世界各国の様々な研究機関から依頼を受け、水中遺跡の発掘調査や学術研究の支援を行っている。
執筆ページ: 水中文化遺産の記録作業へのフォトグラメトリ活用(コラム11:p228)

山本 游児(山本祐司)

1958年生まれ。アジア水中考古学研究所研究員、水中考古学研究所会員。水中遺跡カメラマンとして国内外で活躍中であり、『月刊ダイバー』にて「水中考古学」を連載していた。主な論文に「八重山における水中文化遺産の現状と将来－石垣島・屋良部沖海底遺跡を中心に」共著論文(石垣市立八重山博物館紀要、2013)などがある。
執筆ページ: 水中の文化財を撮影する際のテクニック(コラム6:p150)

吉崎 伸

1957年岡山県生まれ。奈良大学文学部史学科を卒業後、公益法人京都市埋蔵文化財研究所に入所。平安京を中心とした遺跡の調査研究に従事。そのかたわらNPO法人水中考古学研究所の理事長として水中考古学の調査研究も行なっている。現在は民間会社に入社し、沖縄を中心とした水陸の遺跡の調査に携わっている。
執筆ページ: シリア沖沈船(p056)

Shinatria Adhityatama

1987年生まれ。インドネシア・ガジャマダ大学卒業後、インドネシア国立考古学研究所の研究員などを経て現在、オーストラリアのグリフィス大学博士課程に在籍。専門は海事考古学・東南アジア考古学。主な論文に「Pulau Ampat Site: A Submerged 8th Century Iron Production Village in Matano Lake, South Sulawesi, Indonesia」共著論文(Journal Archaeological Research in Asia、2021)、「Oldest cave art found in Sulawesi」共著論文(Science Advances、2021)などがある。
執筆ページ: スラウェシ島のマタノ湖底遺跡(p072)

Julien Fortin

フランス出身。GUE、TDI、PADI等団体のテクニカルダイビングインストラクター。メキシコ水中洞窟探査の専門家として、探査、学術報告、記録に携わってきた。現在はCINDAQチームの専門家であり、測量、地図作成、写真計測、出版物にも携わるとともにチームのデータマネージャーも務める。
執筆ページ: ユカタン半島水中洞窟(p068)

Sam Meacham

CINDAQ (El Centro Investigador del Sistema Acuífero de Quintana Roo AC)のディレクターであり、水中洞窟ダイビング専門家。ニューハンプシャー大学で2012年に科学分野の天然資源専攻での修士号を取得。2000年からニューヨークのエクスプローラーズクラブのフェロー、2009年のNASAスペースグラントフェロー、船舶考古学会から海事考古学の賞を受賞。CNNインターナショナル、ディスカバリーチャンネル、PBS、NHK、ナショナルジオグラフィック協会、BBCの自然史ユニットのドキュメンタリー映画になどに出演。
執筆ページ: ユカタン半島水中洞窟(p068)

おわりに

水中考古学の調査と探求に携わる者としては、水中遺跡ほど我々を惹きつける遺跡はないというのが、常日頃思うところである。日本を含めて、過去の営みがある、世界の海や湖沼、河川で水際・水中遺跡が発見されてきた。本書を通じ、個々の水中遺跡が、数万年の間、水辺、沿岸、海域を私たち人類が盛んに利用してきた証拠であること、遺跡が水中にあって、その環境変化を受けながらも、現在に残ってきたことを知ってもらえたのであれば、嬉しい限りである。

本書で紹介した遺跡は、水中考古学の学問史において重要、あるいは歴史上のランドマークと関連する遺跡を意識し、選定した。本文中の、歴史上の人物、出来事などのいくつかの拙い記述は、歴史に興味がある、あるいは教育の現場で、歴史を教える方々にも、水中遺跡と歴史をリンクさせて、本書を楽しんでもらえればとの願いがあったからである。どの遺跡でも構わないが、写真と共に、歴史と水中遺跡を身近に感じて頂いた読者がいれば、幸いである。

著書ら自らが調査と研究に携わった、一般には広く知られていない遺跡も、本書では多く取り上げた。当然ながら、本書では、取り上げられていない、一般に知られていない素晴らしい水中遺跡がまだいくつもあり、正式な報告が待たれる新たに発見された遺跡もある。本書の執筆時、私は、鹿児島県のとある島の水中洞窟の奥深くの水底に沈む土器の調査をしていた。本書で、水中遺跡に興味をもたれた読者は、今後の新たな遺跡発見の報も楽しみにしてほしい。

半世紀以上前のスクーバ式潜水技術の開発が、水中遺跡の発見の大きな契機となった。本書で取り上げた地中海沈没船遺跡の発掘を主導したINAの設立者バス博士（2021年逝去）は、「ダイバーが水中考古学者になるより、考古学者がダイバーになるほうが現実的

である」と語った。この言葉は、「山頂で発掘する考古学者を、山岳考古学者と言わないのと同様に、水中で発掘する考古学者を、水中考古学者と必ずしも呼ぶ必要はない」との博士の至言と同じくらい、深い意味がある。一方で、近年では、潜水技術の高度化も著しい。本書では、高度な潜水技術を習得し、深深度で遺跡調査に挑む考古学者の研究成果、水没洞窟で特殊な技術を駆使し、考古学者らの遺跡研究を支援するテクニカルダイバーの業績も紹介した。

本書では、多くの沈んだ船の遺跡を紹介し、水中遺跡＝沈没船というイメージをもたられた方が多いかも分からない。水底に沈んだ船が、その後の陸地化により、現代において陸上で、発見されることもある。水中に沈んだ船は、後世のかく乱を受けていない事例も多いため、その研究が、水中考古学研究発展を支えてきた。しかしながら、日本では、沈没船遺跡として、法的保護を受けている事例は極めて少ない。実際、これほどの発掘大国である日本で、発掘調査大国である日本で、陸上遺跡が46万か所以上特定されているのに対し、水中遺跡は僅かに387遺跡がリストされているに過ぎない（2021年文化庁）。水中遺跡は387ヶ所である（2021年文化庁）。水中遺跡の特性を現すのにvulnerability＝脆弱性という言葉が使われる。我々の目に、触れ難い水中遺跡は、人知れず壊され、あるいは水域の自然災害で焼失し、その回復は二度と望めない。一方で、未だ人の目に触れられていない水中遺跡も、豊富な内水域と総延長3万キロを超す海岸線の沖にあるに違いない。

本書によって、水中遺跡に興味関心を抱いてくれた多くの方、あるいは自分も、水中遺跡の調査研究に携わってみたいという方らに支えられ、その研究と探求は続いていく。

木村淳

GOKSTADSKIBET

図説 世界の水中遺跡

2022年2月25日 初版第1刷発行

編著者 木村淳・小野林太郎

発行者 長瀬 聡

発行所 株式会社グラフィック社
〒102-0073
東京都千代田区九段北1-14-17
TEL 03-3263-4318
FAX 03-3263-5297
郵便振替 00130-6-114345
http://www.graphicsha.co.jp

印刷・製本 図書印刷株式会社

STAFF

ブックデザイン 原条令子デザイン室
イラスト いとう良一
LALA THE MANTIS
編集 坂田哲彦（グラフィック社）

定価はカバーに表示してあります。
乱丁・落丁本は、小社業務部宛にお送りください。
小社送料負担にてお取り替え致します。

ISBN978-4-7661-3531-2 C0022